Mit Erfolg zum digitalen TestDaF

Übungs- und Testbuch

Deutsch als Fremdsprache

Martina Lode-Gerke
Missagh Pourseifi
Simone Weidinger

Ernst Klett Sprachen
Stuttgart

Mit Erfolg zum digitalen TestDaF
Übungs- und Testbuch

Das Beste für Ihren Unterricht!
Das derdieDaF-Portal bietet Ihnen kostenlos und aus einer Hand alles, was Sie für Ihre Arbeit brauchen: über 4.000 Materialien zum Download, Unterrichtsideen, didaktische Tipps, Fortbildungen, eine Jobbörse und vieles mehr. Ihr Portal für DaF und DaZ: www.derdiedaf.com

1. Auflage 1 ⁵⁴³²¹ | 2024 23 22 21 20

Alle Video- und Audiodateien sowie die Transkriptionen finden Sie im Internet unter www.klett-sprachen.de/MEz-digitalen-TestDaF.

Oder rufen Sie die Audio- und Videodateien sowie die Transkriptionen über die App Klett Augmented ab.

Klett-Augmented-App kostenlos downloaden und öffnen | Bilderkennung starten und Seite scannen | Audios laden, scrollen, direkt nutzen oder speichern

Ihren individuellen Zugangscode zur digitalen Modellprüfung finden Sie auf der Innenseite des Umschlags. Alle Informationen zur einmaligen Freischaltung der Modellprüfung auf S. 211.

Autorinnen: Martina Lode-Gerke (Teile Lesen und Hören), Missagh Pourseifi (Teil Schreiben), Simone Weidinger (Teile Lesen und Hören sowie Sprechen und Erstellung der digitalen Modellprüfung)
Redaktion: Claudia Witthuhn, Michaela Späinghaus
Beratung und Begutachtung der Modellprüfungsaufgaben: TestDaF-Institut / g.a.s.t.
Gestaltung und Satz: Satzkasten Stuttgart
Umschlaggestaltung: Maja Merz, Eva Lettenmayer
Druck und Bindung: Elanders GmbH, Waiblingen

Printed in Germany

ISBN 978-3-12-676827-6

Inhalt

Vorwort

Liebe Lernende,

mit diesem Übungs- und Testbuch können Sie sich gezielt auf die Prüfung „Digitaler TestDaF" vorbereiten. Am Anfang des Buches werden der Aufbau und die einzelnen Aufgabentypen der Prüfung beschrieben, außerdem erhalten Sie Informationen zur Bewertung. Der bestandene Test befähigt Sie zur Aufnahme eines Studiums an einer deutschen Hochschule. Die Testaufgaben orientieren sich daher an typischen Kommunikationssituationen und zentralen Kompetenzen, die Sie im Studium brauchen. Welche Kompetenzen das im Einzelnen sind und welche Anforderungen damit in den einzelnen Aufgabentypen verbunden sind, erfahren Sie in dem Eingangskapitel „Wichtige Kompetenzen im Studium" (S. 8).

Im Übungsteil werden alle 23 Aufgabentypen der vier Prüfungsteile Lesen, Hören, Schreiben und Sprechen vorgestellt und trainiert. Zu jedem Aufgabentyp gibt es effiziente Übungen, die auf die spezifischen Schwierigkeiten jeder Aufgabe vorbereiten (*Vorübungen*). Im Anschluss an die Vorübungen folgt in jedem Kapitel eine *Beispielaufgabe mit Lösungshinweisen*. Diese Beispielaufgabe bietet ausführliche Erklärungen und zeigt einen Weg auf, wie sie Schritt für Schritt zu lösen ist. Alle Lösungen zu diesem Übungsteil finden Sie ab S. 162.

Zum Prüfungsteil Hören gibt es MP3-Dateien mit den entsprechenden Hörtexten. Bei den Aufgabentypen 4 und 5 des Prüfungsteils Hören gibt es Videos. Welchen Track Sie hören bzw. sehen müssen, erkennen Sie am Symbol 🎧 1 bzw. am Symbol 1 für die Videos, die Zahl gibt die Tracknummer an. Sie können die Audio- und Videodateien auf der Seite www.klett-sprachen.de/MEz-digitalen-TestDaF hören bzw. sehen oder herunterladen. Alle Hördateien, Videos sowie die Transkriptionen können Sie auch mithilfe der App Klett Augmented online hören bzw. sehen oder herunterladen und dann offline nutzen. Achten Sie auf dieses Symbol.

Klett-Augmented-App kostenlos downloaden und öffnen

Bilderkennung starten und Seite scannen

Audios laden, scrollen, direkt nutzen oder speichern

Auch zu den Aufgaben des Prüfungsteils Sprechen gibt es Audiodateien. Hier können Sie hören, wie dieser Prüfungsteil abläuft. Zur Modellprüfung 1 (S. 182) können Sie sich außerdem für jeden Aufgabentyp des Prüfungsteils Sprechen eine Beispiellösung anhören.

Im Anschluss an den Übungsteil finden Sie zwei vollständige, vom TestDaF-Institut begutachtete Modellprüfungen. Die einzelnen Modellaufgaben entsprechen daher exakt den Anforderungen der realen Prüfung. Die Modellprüfung 1 und die entsprechenden Lösungen finden Sie in gedruckter Form im Buch ab S. 182. Bei Modellprüfung 2 handelt es sich um eine digitale Modellprüfung, die Sie wie in der Originalprüfung an Ihrem PC bearbeiten. Dadurch erhalten Sie eine genaue Vorstellung davon, wie die Prüfung ablaufen wird und welche Schwierigkeiten für Sie damit möglicherweise verbunden sind (z. B. Tippen auf der deutschen Tastatur, Zeitmanagement etc.).

Auf der Innenseite des Buchumschlags finden Sie einen Code, der Sie zur **einmaligen Freischaltung** der Modellprüfung bei der Deutsch-Uni Online berechtigt. Rufen Sie dazu die Seite www.klett-sprachen.de/MEz-digitalen-TestDaF auf, klicken Sie auf „Hier geht's zur digitalen Modellprüfung" und folgen Sie den Anweisungen.

Wichtig: Der Code kann nur einmal zur Freischaltung der Modellprüfung verwendet werden. Geben Sie den Code daher nicht weiter. Nach der Freischaltung können Sie Ihre Prüfung so oft wiederholen, wie Sie möchten.

Was ist der digitale TestDaF?

Der digitale TestDaF überprüft die Sprachkompetenz ausländischer Studienbewerber und Studienbewerberinnen für die Zulassung zum Studium an deutschen Hochschulen. Die Prüfung wird auf der ganzen Welt eingesetzt und ist überall gleich.
Die Aufgabentypen beim digitalen TestDaF sind an den Hochschulkontext in Deutschland angepasst und orientieren sich an echten sprachlichen Anforderungen im Studium, wie beispielsweise einer Diskussion in einem Seminar, dem Mitschreiben einer Vorlesung oder der mündlichen oder schriftlichen Zusammenfassung eines gelesenen Textes.
Die Themen und Inhalte der Prüfung stammen aus unterschiedlichen wissenschaftlichen Bereichen, nämlich den Geistes- und Gesellschaftswissenschaften, Naturwissenschaften, Ingenieurwissenschaften, Wirtschaftswissenschaften und der Medizin. Dabei sind die Themen und Texte so ausgewählt, dass sie fächerübergreifend und ohne spezifische Kenntnisse zu verstehen sind.

Wie ist die Prüfung aufgebaut?

	Lesen	
7 Aufgaben: Forschungs- und Projektberichte, Kommentare, beschreibende und argumentative Texte sowie Kurzberichte verstehen	**34 Items:** Multiple-Choice und Zuordnungsitems bearbeiten, Lückentexte ergänzen, Textteile ordnen, inhaltliche Fehler in einer Zusammenfassung markieren	ca. 55 Minuten
	Hören	
7 Aufgaben: Gespräche aus dem Studienalltag, Diskussionen, Vorträge oder Vorlesungen verstehen	**30 Items:** Kurzantworten notieren, Multiple-Choice-Items bearbeiten, Fehler in einem Text markieren	ca. 40 Minuten
	Schreiben	
2 Aufgaben: Beitrag auf einer Lernplattform zu einem vorgegebenen Thema schreiben In einem Seminar Input aus 2 Quellen (Text und Grafik) verarbeiten, einen Text dazu schreiben	Einen strukturierten Text mit Argumentation schreiben Informationen aus einem Lesetext und einer Grafik im Hinblick auf eine vorgegebene Fragestellung zusammenfassen	ca. 60 Minuten
	Sprechen	
7 Aufgaben: In verschiedenen hochschultypischen Situationen sprechen (z. B. in Lerngruppen, Seminaren, Diskussionen, bei der Hochschulverwaltung)	Rat / Tipps geben, Vorteile / Nachteile abwägen, einen Text zusammenfassen, Sachverhalt präsentieren, Argumente wiedergeben, Stellung nehmen, begründen, Kritik äußern	ca. 35 Minuten

Die vier Prüfungsteile des digitalen TestDaF werden an einem Tag hintereinander durchgeführt. Nach den Prüfungsteilen Lesen und Schreiben gibt es eine kürzere Pause, nach dem Prüfungsteil Hören eine längere. Die Gesamtdauer der Prüfung beträgt 3 Stunden und 10 Minuten (ohne Pausen).

Wodurch zeichnet sich der digitale TestDaF aus?

Digitales Prüfungsformat
Der digitale TestDaF ist computerbasiert, d. h. Sie bearbeiten alle Aufgabentypen am Computer und geben alle Lösungen oder Antworten am PC ein.

Mehr Aufgabentypen und weniger Items pro Aufgabentyp
Vor allem bei den Prüfungsteilen Lesen und Hören gibt es mehr Aufgabentypen. Durch die größere Zahl an Aufgaben kann ein größeres Spektrum an hochschulrelevanten Situationen abgebildet und getestet werden. Dadurch wird der digitale TestDaF aussagekräftiger in Bezug auf das, was er testen will: Ihre Fähigkeit, ein Studium an der Hochschule aufzunehmen.
Die einzelnen Aufgaben sind nun kürzer und beinhalten weniger Items (Fragen).

Kompetenzübergreifende Aufgaben
Die neue Prüfung enthält Aufgaben, in denen zwei oder drei Fertigkeiten kombiniert werden. Diese Aufgabentypen bezeichnet man als kompetenzübergreifende bzw. integrierte Aufgaben.
Der Grund, warum es in der Prüfung integrierte Aufgaben gibt, ist, dass diese Aufgabentypen realistische Situationen an der Hochschule abbilden. Denn im Hochschulalltag müssen Sie häufig verschiedene Fertigkeiten in Verbindung miteinander ausführen, um eine bestimmte Anforderung zu erfüllen. Zum Beispiel müssen Sie in einem Seminar die Redebeiträge Ihrer Kommilitonen anhören und dann darauf reagieren. Oder Sie müssen einen Text lesen und Ihren Mitstudierenden davon berichten.
Der Prüfungsteil Lesen enthält keine integrierten Aufgaben. Dafür enthalten die anderen drei Prüfungsteile aber Aufgaben, bei denen auch etwas gelesen werden muss.

Übersicht über alle **kompetenzübergreifenden Aufgaben** im digitalen TestDaF:

Prüfungsteil und Aufgabentyp	Kombinierte Fertigkeiten
Hören, Aufgabentyp 3	Hören und Lesen: Sie hören einen Ausschnitt aus einer Vorlesung oder einem Vortrag und lesen anschließend die Zusammenfassung des Hörtextes.
Schreiben, Aufgabentyp 2	Lesen und Schreiben: Sie lesen einen Text und eine Grafik und fassen die Informationen im Hinblick auf eine konkrete Fragestellung schriftlich zusammen.
Sprechen, Aufgabentyp 3	Lesen und Sprechen: Sie lesen einen kurzen Artikel und fassen ihn anschließend mündlich zusammen.
Sprechen, Aufgabentyp 6	Hören und Sprechen: Sie hören einen Redebeitrag eines Mitstudierenden und geben den Beitrag anschließend in eigenen Worten wieder und nehmen dazu Stellung.

Wie wird der digitale TestDaF bewertet?

Jeder Prüfungsteil wird getrennt bewertet, sodass Sie für jeden Prüfungsteil ein separates Ergebnis erhalten. Ihre Ergebnisse werden in den drei TestDaF-Niveaustufen TDN 3, TDN 4 und TDN 5 ausgedrückt. Die Niveaustufen beschreiben, welche Sprachkompetenz Sie in den Fertigkeiten Lesen, Hören, Schreiben und Sprechen haben.

Welches TestDaF-Ergebnis brauche ich für mein Studium?

Im Allgemeinen verlangen die Hochschulen das Niveau TDN 4 in allen vier Prüfungsteilen. Manche Hochschulen oder Fakultäten haben aber andere sprachliche Anforderungen. Daher ist es notwendig, dass Sie sich bei der Hochschule bzw. Fakultät, an der Sie studieren möchten, über die genauen sprachlichen Zulassungsvoraussetzungen informieren.

Welche Voraussetzungen gibt es für die Prüfung?

Es gibt keine bestimmten Voraussetzungen. Es ist aber zu empfehlen, dass Sie zwischen 700 und 1000 Unterrichtseinheiten Deutsch (zu je 45 Minuten) absolviert haben, bevor Sie sich für den TestDaF anmelden.

Wie oft kann ich die Prüfung ablegen?

Sie können die Prüfung so oft ablegen, wie Sie möchten und wie es erforderlich ist. Sie sollten sich aber vor einer Wiederholung zuerst noch einmal gut vorbereiten.

Wann und wo kann ich die Prüfung ablegen?

Auf der Webseite des TestDaF-Instituts finden Sie eine Auflistung aller Prüfungszentren weltweit und der aktuellen Prüfungstermine: https://www.testdaf.de/

Wichtige Kompetenzen im Studium

Die Testaufgaben im digitalen TestDaF orientieren sich an typischen Kommunikationssituationen an deutschen Hochschulen und bilden ein breites Spektrum an sprachlichen Handlungen ab, die im Hochschulbereich gefordert sind.
Die verschiedenen Aufgabentypen der Prüfung basieren auf wichtigen grundlegenden Kompetenzen, die Sie in Ihrem Studium benötigen. Diese zentralen Fähigkeiten und Fertigkeiten sind nicht nur in einem bestimmten Fachbereich erforderlich, sondern für alle Studienfächer relevant.
Die Kompetenzen sind mit den vier Fertigkeiten Lesen, Hören, Schreiben und Sprechen verbunden und finden sich in verschiedenen Aufgabentypen in allen Teilen der Prüfung.

Dies sind die zentralen Kompetenzen:

- Positionen / Einstellungen anderer erkennen, wiedergeben und gegenüberstellen
- Persönliche Meinung und Sachargument unterscheiden
- Mündlich oder schriftlich Stellung nehmen
- Übereinstimmungen und Abweichungen in verschiedenen Quellen erkennen
- Kausale Zusammenhänge erkennen und ausdrücken
- Grafiken erfassen und versprachlichen
- Notizen anfertigen und verarbeiten
- Zusammenfassungen von Texten verarbeiten und produzieren
- Texte am Computer schreiben

Im Folgenden erhalten Sie einen Überblick darüber, bei welchen Aufgabentypen die einzelnen Kompetenzen überprüft werden und welche Bedeutung die jeweilige Kompetenz für das Studium hat.

Positionen / Einstellungen anderer erkennen, wiedergeben und (gegebenenfalls den eigenen) gegenüberstellen

Im Studium sind Sie mit den Meinungen und Ideen anderer Personen konfrontiert, beispielsweise bei einer Diskussion in einem Seminar, bei einem Vortrag oder in einem Text, den Sie lesen. Dabei müssen Sie verstehen, welche Haltung jemand zu einem bestimmten Thema hat, und diese Haltung gegebenenfalls in Ihren eigenen Worten darstellen und mit Ihrer eigenen Meinung vergleichen können.

Bei den folgenden Aufgabentypen wird diese Kompetenz getestet:

Lesen	Multiple Choice (Aufgabentyp 3) Sprachhandlungen zuordnen (Aufgabentyp 4)
Hören	Kurzantwort: Textstellen zu Begriffspaar notieren (Aufgabentyp 2) Aussagen Personen zuordnen (Aufgabentyp 4) Multiple Choice (Aufgabentyp 6)
Schreiben	Argumentativen Text schreiben (Aufgabentyp 1)
Sprechen	Optionen abwägen (Aufgabentyp 2) Informationen abgleichen, Stellung nehmen (Aufgabentyp 4) Argumente wiedergeben, Stellung nehmen (Aufgabentyp 6) Maßnahmen kritisieren (Aufgabentyp 7)

Persönliche Meinung und Sachargument unterscheiden

Die persönliche Meinung eines Menschen ist die subjektive Sichtweise oder Einstellung, die jemand in Bezug auf etwas hat. Im Gegensatz dazu ist ein Sachargument auf überprüfbare Tatsachen bezogen.
Bei dieser Anforderung geht es darum, dass Sie die subjektive Ansicht einer Person von objektiven, mit Fakten belegbaren Argumenten unterscheiden können. Dies zu erkennen, ist eine wichtige Kompetenz, denn Objektivität gilt als einer der Standards für wissenschaftliches Arbeiten und wird Sie während des gesamten Studiums begleiten.

Bei den folgenden Aufgabentypen wird diese Kompetenz getestet:

Hören	Kurzantwort: Textstellen zu Begriffspaar notieren (Aufgabentyp 2) Aussagen Personen zuordnen (Aufgabentyp 4)
Schreiben	Informationen aus Lesetext und Grafik zusammenfassen (Aufgabentyp 2)
Sprechen	Rat geben (Aufgabentyp 1) Optionen abwägen (Aufgabentyp 2) Informationen abgleichen, Stellung nehmen (Aufgabentyp 4) Argumente wiedergeben, Stellung nehmen (Aufgabentyp 6) Maßnahmen kritisieren (Aufgabentyp 7)

Unterschiede bzw. Übereinstimmungen (in Ideen / Konzepten / Quellen) erkennen und wiedergeben

Bei dieser Anforderung geht es darum, festzustellen, ob die Informationen in zwei verschiedenen Quellen identisch sind oder ob es inhaltliche Abweichungen gibt.
Sie müssen zeigen, dass Sie verschiedenen Quellen wesentliche Informationen entnehmen können, diese Informationen vergleichen, dabei mögliche Unterschiede erkennen und diese gegebenenfalls auch mündlich oder schriftlich darlegen.
Die Informationsentnahme aus verschiedenen Quellen und das Verstehen und Vergleichen verschiedener Inhalte ist im Studium beispielsweise beim Anfertigen von Hausarbeiten oder der Vorbereitung auf Seminare erforderlich.

Bei den folgenden Aufgabentypen wird diese Kompetenz getestet:

Lesen	Fehler in Zusammenfassung erkennen (Aufgabentyp 7)
Hören	Fehler in Zusammenfassung erkennen (Aufgabentyp 3)
Schreiben	Informationen aus Lesetext und Grafik zusammenfassen (Aufgabentyp 2)
Sprechen	Informationen abgleichen, Stellung nehmen (Aufgabentyp 4)

Mündlich oder schriftlich Stellung nehmen

Bei einer Stellungnahme machen Sie Ihren eigenen Standpunkt zu einem bestimmten Sachverhalt deutlich und begründen ihn. Dabei ist es wichtig, dass Ihre Argumentation nachvollziehbar und plausibel ist. Im Studium wird beispielsweise von Ihnen gefordert, in Diskussionen oder Debatten Ihren Standpunkt darzulegen oder in einem geschriebenen Text zu einer bestimmten Frage Position zu beziehen.

Bei den folgenden Aufgabentypen wird diese Kompetenz getestet:

Schreiben	Argumentativen Text schreiben (Aufgabentyp 1)
Sprechen	Optionen abwägen (Aufgabentyp 2) Informationen abgleichen, Stellung nehmen (Aufgabentyp 4) Argumente wiedergeben, Stellung nehmen (Aufgabentyp 6) Maßnahmen kritisieren (Aufgabentyp 7)

(Kausale) Zusammenhänge erkennen und ausdrücken

Bei dieser Anforderung geht es um das Verstehen von logischen Verbindungen. Das können die logischen Bezüge bei der Struktur eines Textes oder die logischen Zusammenhänge bei einer Argumentation sein.
Beispiele für kausale Zusammenhänge im weiteren Sinn sind Grund-Folge, Problem-Lösung oder Forderung-Argument.
Logische Verbindungen zu erkennen ist eine grundlegende kognitive Kompetenz, sie zu beschreiben eine sprachliche Kompetenz. Für das Studium ist beides erforderlich. Wenn Sie zum Beispiel eine Seminararbeit schreiben, dann muss diese logisch strukturiert sein und Sie müssen eine kohärente Argumentation entwickeln.

Bei den folgenden Aufgabentypen wird diese Kompetenz getestet:

Lesen	Textabschnitte ordnen (Aufgabentyp 2) Aussagen Kategorien zuordnen (Aufgabentyp 5) Aussagen einem Begriffspaar zuordnen (Aufgabentyp 6)
Hören	Kurzantwort: Textstellen zu Begriffspaar notieren (Aufgabentyp 2)
Schreiben	Informationen aus Lesetext und Grafik zusammenfassen (Aufgabentyp 2)
Sprechen	Optionen abwägen (Aufgabentyp 2) Text zusammenfassen (Aufgabentyp 3) Informationen abgleichen, Stellung nehmen (Aufgabentyp 4) Thema präsentieren (Aufgabentyp 5)

(Zu Gesprächen / Vorträgen) Notizen anfertigen und verarbeiten (und gegebenenfalls daraus eigene Texte produzieren)

Im Studium ist es unumgänglich, dass Sie zu verschiedenen Zwecken Notizen anfertigen. Sie müssen beispielsweise Mitschriften in einer Vorlesung erstellen, die wichtigsten Inhalte beim Lesen von Texten exzerpieren oder als Vorbereitung eines Referats Ihre Ideen und Gedanken zu einem Thema aufschreiben. In welcher Form Sie dabei Ihre Notizen erstellen – digital oder auf Papier – ist nicht entscheidend. Wichtig ist aber Ihre Fähigkeit, die wichtigsten Inhalte beim Hören oder Lesen zu erkennen und sie strukturiert zu notieren.

Bei den folgenden Aufgabentypen wird diese Kompetenz getestet:

Hören	Kurzantwort: Übersicht ergänzen (Aufgabentyp 1) Kurzantwort: Textstellen zu Begriffspaar notieren (Aufgabentyp 2) Fehler in Zusammenfassung erkennen (Aufgabentyp 3) Kurzantwort: Gliederungspunkte zu Vortrag ergänzen (Aufgabentyp 5)
Schreiben	Argumentativen Text schreiben (Aufgabentyp 1) Informationen aus Lesetext und Grafik zusammenfassen (Aufgabentyp 2)
Sprechen	Text zusammenfassen (Aufgabentyp 3) Argumente wiedergeben, Stellung nehmen (Aufgabentyp 6)

Informationen aus Zusammenfassungen verarbeiten und Zusammenfassungen produzieren

Eine Zusammenfassung ist die Wiedergabe der wesentlichen Informationen eines Textes bzw. einer Grafik. Informationen aus einer Zusammenfassung zu verarbeiten, bedeutet, eine schon fertige Zusammenfassung zu lesen, zu verstehen und gegebenenfalls mit der Vorlage zu vergleichen.
Beim Produzieren einer Zusammenfassung geht es darum, einen Text zu lesen bzw. eine Grafik anzusehen und dann die wesentlichen Informationen daraus zu entnehmen und wiederzugeben.
Im Studium müssen Sie beispielsweise die Inhalte von Texten und Vorlesungen, die Sie gelesen bzw. gehört haben, zusammenfassen, wenn Sie sich auf eine Prüfung vorbereiten.

Bei den folgenden Aufgabentypen wird diese Kompetenz getestet:

Lesen	Fehler in Zusammenfassung erkennen (Aufgabentyp 7)
Hören	Fehler in Zusammenfassung erkennen (Aufgabentyp 3)
Schreiben	Informationen aus Lesetext und Grafik zusammenfassen (Aufgabentyp 2)
Sprechen	Text zusammenfassen (Aufgabentyp 3)

Grafiken erfassen und Informationen daraus versprachlichen

Bei dieser Anforderung geht es darum, die in einer Grafik enthaltenen Informationen zu verstehen und sie mündlich oder schriftlich darzustellen.
Grafiken haben den Zweck, Informationen anschaulich, übersichtlich und schnell verständlich darzustellen. In wissenschaftlichen Texten werden sie häufig verwendet. Daher werden Grafiken Ihnen im Studium regelmäßig begegnen.

Bei den folgenden Aufgabentypen wird diese Kompetenz getestet:

Lesen	Fehler in Zusammenfassung erkennen (Aufgabentyp 7)
Hören	Kurzantwort: Gliederungspunkte zu Vortrag ergänzen (Aufgabentyp 5)
Schreiben	Informationen aus Lesetext und Grafik zusammenfassen (Aufgabentyp 2)
Sprechen	Informationen abgleichen, Stellung nehmen (Aufgabentyp 4)

Texte am Computer schreiben

Diese Kompetenz wird natürlich vor allem bei den beiden Aufgabentypen zum Schreiben getestet, aber auch beim Hören bei den Aufgabentypen mit Kurzantwort.
Begleitend zu diesem Übungs- und Testbuch gibt es eine digitale Modellprüfung (→ S. 211), bei der Sie die Durchführung der Prüfung am PC und damit auch das Tippen mit Tastatur erproben können. Wir empfehlen Ihnen, alle Prüfungsteile in der digitalen Umgebung einige Male zu wiederholen, damit Sie sich an die Besonderheiten der Testbearbeitung am Computer gewöhnen.
Ein Tipp für diejenigen, die nicht sicher im Umgang mit der (deutschen) Tastatur sind:
Es ist wichtig, dass Sie das Tippen am Computer unabhängig von der Vorbereitung auf den Test üben, da dies spätestens mit Aufnahme des Studiums vorausgesetzt wird.

Bei den folgenden Aufgabentypen wird diese Kompetenz getestet:

Hören	Kurzantwort: Übersicht ergänzen (Aufgabentyp 1) Kurzantwort: Textstellen zu Begriffspaar notieren (Aufgabentyp 2) Kurzantwort: Gliederungspunkte zu Vortrag ergänzen (Aufgabentyp 5)
Schreiben	Argumentativen Text schreiben (Aufgabentyp 1) Informationen aus Lesetext und Grafik zusammenfassen (Aufgabentyp 2)

Lesen

Beschreibung des Prüfungsteils Lesen

Was wird getestet?

- Sie sollen zeigen, dass Sie in der Lage sind, verschiedene Texte aus dem akademischen Kontext im Zusammenhang mit unterschiedlichen Leseabsichten zu verstehen und zu verarbeiten.

Was müssen Sie können?

- Explizite Informationen in einem Text schnell finden und verstehen
- Die logische Struktur eines Textes erkennen
- Hauptaussagen, wichtige Fakten und Argumente identifizieren, zum Teil auch implizite Bedeutungen verstehen
- Die kommunikative Absicht und Einstellung eines Autors / einer Autorin verstehen
- Verschiedene Informationen aus einem Text einordnen und verknüpfen
- Zwei Texte mit einer Grafik oder einem Diagramm verarbeiten, die darin enthaltenen Hauptaussagen oder Standpunkte verstehen, Übereinstimmungen und Unterschiede erkennen

Aufbau

- Der Prüfungsteil besteht aus insgesamt sieben Aufgaben.
- Es handelt sich um geschlossene Aufgaben. Das heißt, dass die Antworten vorgegeben sind und Sie die korrekte Lösung ankreuzen müssen. Sie brauchen also keine Antworten selbst zu formulieren.
- Bei der ersten Aufgabe liegt der Fokus auf dem Verstehen von Hauptgedanken und Einzelinformationen in einem Text. Sie sollen für fünf Lücken in einem Text jeweils das passende Wort auswählen.
- Bei der zweiten Aufgabe geht es darum, die Struktur eines Textes sowie die Verbindungen zwischen den einzelnen Textteilen zu erkennen und zu verstehen. Sie sollen fünf einzelne Textabschnitte zu einem kompletten Text zusammenfügen.
- Bei der dritten Aufgabe geht es um das Verstehen von Hauptideen, Details, impliziten Informationen und der kommunikativen Absicht eines Textes. Sie bekommen zu einem Text sieben Fragen mit jeweils vier Antwortoptionen und sollen die korrekte Antwort ankreuzen.
- Bei der vierten Aufgabe liegt der Fokus auf der kommunikativen Absicht, die ein Sprecher hat. Sie sollen vier Sätzen im Text die passende kommunikative Sprachhandlung zuordnen.
- Bei der fünften Aufgabe geht es darum, Einzelinformationen aus einem Text einzuordnen und zu verknüpfen und kausale Zusammenhänge zu erkennen. Sie sollen sieben Aussagen aus dem Text vier Kategorien zuordnen.

- Bei der sechsten Aufgabe liegt der Fokus auf dem Erkennen von kausalen Zusammenhängen in einem Text. Sie sollen vier Aussagen aus dem Text zwei Kategorien zuordnen.
- Bei der siebten Aufgabe geht es um den Abgleich von Informationen aus drei Quellen: einem Lesetext, einer Grafik und der Zusammenfassung mit Informationen aus beiden Quellen. Sie sollen die Fehler in der Zusammenfassung erkennen.

Wie läuft der Prüfungsteil ab?

- Die Aufgaben werden durch die Software in vorgegebener Reihenfolge präsentiert.
- Sie lesen die Aufgabenstellung am Bildschirm.
- Sie müssen die Aufgaben in der vorgegebenen Reihenfolge bearbeiten. Zu bereits bearbeiteten und abgeschlossenen Aufgaben können Sie nicht zurückgehen. Die Bearbeitungszeit für jede einzelne Aufgabe ist vorgegeben.

Wichtiger Hinweis:

- Hilfsmittel wie Wörterbücher oder ein Handy sind in der Prüfung nicht erlaubt.

Übersicht über die Aufgabentypen beim Prüfungsteil Lesen

Aufgabentyp	Zeit	Item-Format	Items
Lückentext ergänzen	4 Min.	Multiple Choice	5
Textabschnitte ordnen	5 Min.	5 Textteile richtig anordnen	4
Multiple Choice	15 Min.	Multiple Choice	7
Sprachhandlungen zuordnen	6 Min.	Zuordnung	4
Aussagen Kategorien zuordnen	9 Min.	Multiple Choice	7
Aussagen einem Begriffspaar zuordnen	7 Min.	Zuordnung	4
Fehler in Zusammenfassung erkennen	7 Min.	In Zusammenfassung falsche Inhalte erkennen	3

Gesamtzeit ca. 55 Minuten **Items gesamt: 34**

Lückentext ergänzen

- Bei der ersten Aufgabe des Prüfungsteils Lesen bekommen Sie einen Informationstext, der eine Erfindung, ein Experiment oder ein neues Phänomen beschreibt.
- In dem Text gibt es fünf Lücken, für die Sie das fehlende Wort auswählen sollen.
- Entscheidend ist bei dieser Aufgabe das Verständnis des Kontexts. Um die Lücken korrekt zu ergänzen, ist es erforderlich, den ganzen Satz oder auch mehrere Sätze gut zu verstehen. Es geht nicht um typische Verbindungen von Wörtern wie Funktionsverbgefüge oder Kollokationen.
- Erforderlich sind aber gute Wortschatzkenntnisse.

Vorübungen

Tipp: Entwickeln Sie Ihren Wortschatz systematisch weiter. Verknüpfen Sie neuen Wortschatz mit bekanntem.

1. a **Vervollständigen Sie die Substantive, Verben und Adjektive zu den Themenbereichen „Erfindung" und „Experiment" und klären Sie ihre Bedeutung. Verwenden Sie, wenn nötig, ein einsprachiges Wörterbuch.**

Ana_ _ _ _, Ann_ _ _ _, Anwe_ _ _ _ _, App_ _ _ _, Auswi_ _ _ _ _, Dat_ _, Einf_ _ _ _,
Erfor_ _ _ _ _ _, Erge_ _ _ _, Erken_ _ _ _ _, Fol_ _, Fors_ _ _ _, Forts_ _ _ _ _ _, Ger_ _,
Grun_ _ _ _ _, Hypo_ _ _ _ _, Innov_ _ _ _ _, Lab_ _, Met_ _ _ _, Nach_ _ _ _, Pat_ _ _,
Prob_ _ _, Resu_ _ _ _, Stu_ _ _, The_ _ _ _, Urs_ _ _ _, Verfa _ _ _ _, Vers _ _ _,
Versuchsp _ _ _ _ _, Wahrschei_ _ _ _ _ _ _ _ _, Wissensc_ _ _ _ _ _ _

anne_ _ _ _, ausfü_ _ _ _, auswe_ _ _ _, beeinf_ _ _ _ _ _, durchf_ _ _ _ _, entde_ _ _ _,
entwi_ _ _ _ _, erke_ _ _ _, erleic_ _ _ _ _, ermögl_ _ _ _ _, experime_ _ _ _ _ _ _,
festst_ _ _ _ _, fors_ _ _ _, herausf_ _ _ _ _, konstr_ _ _ _ _ _, nachvoll_ _ _ _ _ _,
nachw_ _ _ _ _, paten_ _ _ _ _ _, revoluti_ _ _ _ _ _ _, vermu_ _ _, widerl_ _ _ _

beka_ _ _, berü_ _ _, erfinde_ _ _ _ _, erfolgr_ _ _ _, hilfr_ _ _ _, innov_ _ _ _, prakt_ _ _ _

b **Suchen Sie zu jeder Erklärung das passende Substantiv aus Übung a. Manchmal gibt es zwei Wörter.**

Hinweis: Der Aufbau eines breiten Wortschatzes ist ein fortlaufender Prozess.

1. Person, die etwas mit objektiven Methoden untersucht: *Forscher, Wissenschaftler*
2. Wissenschaftliche Untersuchung eines Themas: ____________________
3. Beweis, dass etwas wahr ist: ____________________
4. Vermutung, die noch nicht bewiesen ist: ____________________
5. Einsicht, die den Kenntnisstand erweitert: ____________________
6. Wissenschaftliche Vorgehensweise: ____________________
7. Ergebnis, das aus etwas entsteht: ____________________
8. Eine Testperson bei einer wissenschaftlichen Untersuchung: ____________________

2. Ergänzen Sie das passende Wort. Achten Sie auf den Kontext.

1. auswerten | gewinnen | sammeln
   a) Bei der Umfrage wurde zuerst eine große Menge an Daten ______________.
   b) Anschließend wurden die Daten statistisch ______________.
   c) Aus den Daten konnten die Wissenschaftler aussagekräftige Informationen ______________.

2. bestätigen | hinterfragen | widerlegen
   a) Wir brauchen die Bereitschaft, bestehende Annahmen zu ______________.
   b) Die neuen Studien ______________ bisherige Annahmen, die nun korrigiert werden müssen.
   c) Im Alltag suchen wir lieber nach Fällen, die unsere Annahmen ______________, als nach solchen, die sie falsifizieren können.

3. anpassen | anwenden | einführen
   a) Wenn man sich überarbeitet fühlt, kann man eine Methode zur Entspannung ______________.
   b) Sie können die Methode Ihren Bedürfnissen entsprechend ______________.
   c) Die neue Methode wurde in vielen Bereichen ______________.

4. aufstellen | erklären | vertreten
   a) In der Naturwissenschaft werden Theorien über den Kosmos ______________.
   b) Der Forscher ______________ schon lange eine bestimmte Theorie.
   c) Die Theorie ______________, warum der Himmel nachts schwarz ist.

3. Was ist richtig? Kreuzen Sie an. Warum passt das andere Wort nicht?

Das 19. Jahrhundert stand im Zeichen ständig zunehmender Mobilität. Zunächst war die Dampflokomotive fast (1a) konkurrenzlos (1b) unüberbietbar. Erst gegen Ende des Jahrhunderts entwickelte sich die (2a) elektrische (2b) elektrisierte Lokomotive zu einer ernsthaften (3a) Alternative (3b) Bedrohung. Als Meilenstein in dieser Entwicklung (4a) gilt (4b) gehört die elektrische Lokomotive, die der deutsche Ingenieur Werner von Siemens 1879 (5a) entwarf (5b) konstruierte. Frühere (6a) Erprobungen (6b) Experimente mit Elektromotoren (7a) brachten (7b) ergaben zwar einige Achtungserfolge, doch hatten diese Lokomotiven eine äußerst (8a) begrenzte (8b) endliche Leistung und waren für den Personenverkehr (9a) unfähig (9b) ungeeignet.

4. Ersetzen Sie die unterstrichenen Wörter mit dem passenden Wort aus dem Schüttelkasten. Schreiben Sie den Text in Ihr Heft. Zum Teil müssen Sie die Sätze umformen.

andererseits | aufklären | befehlen | Befürchtung | Behandlung | belehren | bestimmen | darlegen | Defekt | Eingrenzung | Einschränkung | erfolgen | erfolgreich | Erhebung | Furcht | Heilung | produktiv | sich ausliefern | sich aussetzen | sich ereignen | sonst | Störung | Umfrage | vertreten

Etwa fünf Prozent aller Kinder leiden an einer spezifischen Phobie, zum Beispiel starker (1) <u>Angst</u> vor bestimmten Tieren oder vor Blut. Dieses (2) <u>Problem</u> lässt sich offenbar häufig in einer einzigen längeren Therapiesitzung (3) <u>gut</u> behandeln, wie in einer aktuellen Veröffentlichung (4) <u>beschrieben</u> wird. US-amerikanische Psychologen beschreiben dabei eine (5) <u>Therapie</u>, die ein bis drei Stunden dauert. Davor erfolgt nur eine 45-minütige (6) <u>Befragung</u> nach den genauen Ängsten, Gedanken und (7) <u>Problemen</u> im Alltag, unter denen der junge Patient leidet. Während der Sitzung erfolgen die Behandlungsschritte, die (8) <u>normalerweise</u> über eine längere Therapie verteilt sind, auf einmal: So werden die Patienten über Phobien (9) <u>informiert</u> und ihre Befürchtungen diskutiert. Anschließend (10) <u>kommt</u> eine Desensibilisierung: Die Kinder (11) <u>konfrontieren</u> sich dabei immer stärker mit Reizen, die sie ängstigen. In welchem Tempo das geschieht, (12) <u>sagen</u> die Kinder selbst.

Beispielaufgabe mit Lösungshinweisen

- Für Aufgabe 1 des Prüfungsteils Lesen haben Sie vier Minuten Zeit.
- Sie bekommen einen Text mit fünf Lücken. Sie sollen für jede Lücke das Wort auswählen, das den Satz sinnvoll ergänzt.
- Für jede Lücke stehen vier mögliche Wörter zur Auswahl. Dabei kann es sich um Adverbien, Adjektive, Verben und Substantive handeln, also um Inhaltswörter. Bei jeder Lücke gibt es nur Wörter derselben Wortart zur Auswahl.
- Um die korrekte Option zu identifizieren, müssen Sie sowohl Hauptgedanken als auch Einzelinformationen im Text verstehen.
- Wenn Sie in der Prüfung auf dem Bildschirm in die Lücken klicken, dann erscheinen die vier Auswahloptionen.

So gehen Sie vor:

1. **Lesen** Sie die **Überschrift**. Sie gibt Ihnen einen ersten Hinweis auf das Thema.
2. **Überfliegen** Sie zuerst den ganzen **Text**, ohne in die Lücken zu klicken und ohne die zur Auswahl stehenden Wörter zu lesen. Das Ziel ist, sich einen Überblick über den Inhalt zu verschaffen. Nehmen Sie sich dafür aber nicht mehr als eine Minute Zeit.
3. Lesen Sie den Text noch einmal und **sehen** Sie sich die **Auswahloptionen an**. In der Prüfung bzw. in der digitalen Version klicken Sie dafür in jede Lücke. Überlegen Sie, welches Wort für den jeweiligen **Kontext** die passende Ergänzung ist. Auf den ersten Blick scheinen vielleicht alle Optionen möglich. Sehen Sie sich nicht nur den Satz mit der Lücke an, sondern berücksichtigen Sie auch die inhaltliche Aussage der anderen Sätze. So können Sie die Möglichkeiten eingrenzen.
4. Kreuzen Sie das Wort an, das Ihrer Meinung nach korrekt ist. In der Prüfung bzw. in der digitalen Version klicken Sie dafür das Wort an. Um Ihre Auswahl zu korrigieren, klicken Sie einfach ein anderes Wort an.

1. **Entscheiden Sie, welches Wort passt.**

Sensibel für Soziales

Wenn es darum geht, Geld mit anderen zu teilen, zeigen sich Frauen im Schnitt meist etwas großzügiger als Männer. Darauf deuten zumindest zahlreiche Verhaltensexperimente hin. Wie Wissenschaftler nun in einem Fachmagazin (1) ________________, spiegelt sich dieser Unterschied auch im Gehirn wider. Das Forscherteam stellte je rund 20 Männer und Frauen im Hirnscanner wiederholt vor die Wahl: Sie konnten entweder eine Geldsumme zwischen 7 und 15 Schweizer Franken komplett für sich selbst nehmen oder den (2) ________________ mit einer anderen Person teilen. Dabei entdeckten die Wissenschaftler, dass das Belohnungssystem – eine Hirnregion, in der Gefühle wie Freude und Motivation erzeugt werden – bei den weiblichen Probanden immer dann (3) ________________ reagierte, wenn sie ihren Gewinn nicht für sich selbst behielten, sondern etwas davon abgaben. Bei den männlichen Teilnehmern zeigte sich dagegen der umgekehrte Effekt.
Die Schweizer Forscher sind sich deshalb sicher, auf eine Art neuronalen Mechanismus gestoßen zu sein, der erklären könnte, warum sich Frauen oft (4) ________________ als Männer verhalten: Ihr Gehirn reagiert darauf anscheinend positiver. Inwiefern dieser Unterschied (5) ________________ ist oder vielmehr durch kulturelle Erwartungen und Geschlechterstereotype zu Stande kommt, lässt sich auf Grundlage der Studienergebnisse allerdings nicht beurteilen.

(1)	◯ a berichten	◯ b erforschen	◯ c erkennen	◯ d vermuten
(2)	◯ a Beitrag	◯ b Betrag	◯ c Ertrag	◯ d Gewinn
(3)	◯ a besser	◯ b schwächer	◯ c verstärkt	◯ d verzögert
(4)	◯ a freigiebiger	◯ b freizügiger	◯ c freundlicher	◯ d großmütiger
(5)	◯ a anerzogen	◯ b angeboren	◯ c erworben	◯ d vererbbar

So finden Sie die richtige Lösung:

- Zuerst lesen Sie die Überschrift: Das Wort „Sensibel" bezieht sich auf die Feinfühligkeit einer Person, „Soziales" auf die Gemeinschaft oder das, was gut für die Mitmenschen ist. Es geht also darum, dass jemand feinfühlig gegenüber anderen ist. Denken Sie beim Lesen an diese Idee. Sie hilft Ihnen, die Informationen im Text zu sortieren.
- Nach der Lektüre des Textes wissen Sie: Die Überschrift ist tatsächlich das Resultat des Experiments und deshalb so relevant.
- Beim Überfliegen des Textes haben Sie erkannt: Es handelt sich um die Beschreibung einer Studie, die Wissenschaftler durchgeführt haben, genauer gesagt um die Vorgehensweise bei der Studie und das Resultat.

Das ist Ihre Strategie:
→ Auswahlmöglichkeiten lesen
→ Kontext berücksichtigen
→ Möglichkeiten eingrenzen
→ Auswahl treffen

Lücke 1:
Für die erste Lücke müssen Sie ein Verb auswählen. Dieses Verb beschreibt eine Handlung, die Wissenschaftler ausführen. Grundsätzlich lassen sich alle vier Verben sinnvoll mit dem Nomen „Wissenschaftler" kombinieren. Der Text enthält jedoch Einschränkungen: Die Wissenschaftler führen diese Handlung in einem Fachmagazin aus. In einem Fachmagazin können Wissenschaftler nichts erforschen oder erkennen. Die Optionen b und c fallen daher weg.
In dem betreffenden Satz geht es darum, dass die Forscher Auskunft über das Ergebnis ihrer Studie geben. Im letzten Abschnitt des Textes erfahren wir, dass die Wissenschaftler sich sicher in Bezug auf dieses Resultat sind. Das heißt, dass sie nicht nur etwas vermuten. Option d ist daher falsch.
Option a passt hingegen sehr gut. Die Forscher schreiben in einem Fachmagazin über ihre Studie, d. h. sie berichten dort darüber.

Lücke 2:
Im zweiten Abschnitt des Textes wird der Ablauf des Experiments beschrieben. Die Probanden können entscheiden, ob sie eine Geldsumme für sich behalten oder mit anderen teilen. In Lücke 2 muss ein Substantiv ergänzt werden, das sich auf die Geldsumme bezieht. Alle vier zur Auswahl stehenden Nomen bezeichnen Geldsummen, jedoch mit einer jeweils spezifischen Bedeutung.
Ein Beitrag ist eine Summe, die man regelmäßig zahlen muss. Als Ertrag bezeichnet man Einnahmen, die man durch eine wirtschaftliche Aktivität erzielt. Gewinn nennt man wirtschaftliche Einnahmen oder einen Preis, den man bekommen kann. Die Optionen a, c und d passen daher nicht.
Das Wort Betrag ist weniger spezifisch und bedeutet generell „eine bestimmte Summe Geld".
Option b ist hier passend.

Lücke 3:
Im betreffenden Satz geht es um die Reaktion des weiblichen Gehirns bei dem Versuch. In Lücke 3 fehlt ein Adverb, das genauer beschreibt, wie das Belohnungssystem im Gehirn von Frauen reagierte, als sie einen angebotenen Geldbetrag mit anderen Personen teilten. Wir erfahren im Text, dass das Gehirn von Frauen positiver reagiert, wenn sie etwas teilen.
Option a „besser" ist ein wertendes Adverb im ethischen Sinn und passt hier nicht, da es nicht um eine gute oder schlechte Reaktion geht, sondern nur um die messbare Stärke.
Option b „schwächer" würde heißen, dass das Belohnungssystem weniger stark reagiert und weniger positive Emotionen erzeugt werden. Das widerspricht aber den Informationen im Text.
Bei Option d „verzögert" geht es um die Geschwindigkeit der Gehirnreaktion, die aber in diesem Text nicht das Thema ist.
Option c „verstärkt" ist kongruent zum Textinhalt, denn wenn das Belohnungssystem verstärkt reagiert, werden vom Gehirn mehr positive Gefühle erzeugt. Das ist im Einklang mit dem letzten Abschnitt, der besagt, dass das Gehirn von Frauen beim Teilen positiver reagiert.

- Gehen Sie bei den anderen Lücken genauso vor. Die Lösungen für Lücke 4 und 5 finden Sie auf S. 162.

Textabschnitte ordnen

- Bei diesem Prüfungsteil sollen Sie fünf Textabschnitte in die richtige Reihenfolge bringen.
- Die Aussagen in einem Text sind auf mehreren Ebenen miteinander verbunden.
- Auf der Oberfläche des Textes geschieht diese Verknüpfung durch grammatische Mittel wie Pronomina, Adverbien oder Konjunktionen und durch lexikalische Mittel (Inhaltswörter).
- Auf einer tieferen Ebene entsteht der Textzusammenhang durch logische Verbindungen zwischen den Aussagen.

Vorübungen

1. a **Markieren Sie im Text die grammatischen, lexikalischen und logischen Verbindungen. Übertragen Sie die Tabelle in Ihr Heft und notieren Sie die Verbindungen.**

Der Ursprung von Aspirin

A Schon in der Antike wussten die Menschen, dass ein Extrakt aus der Rinde des Weidenbaums gegen Schmerzen und Fieber hilft. Denn in ihm ist der Wirkstoff Salicin enthalten, der im Körper zu Salicylsäure umgesetzt wird.

B Doch die Substanz künstlich herzustellen, gelang lange Zeit nicht. Es entstanden zu viele schädliche Nebenstoffe oder die Verbindung zerfiel.

C Der Durchbruch geschah dann 1897 in Wuppertal: In einem Labor des Chemie-Unternehmens Bayer gelang es dem Chemiker Felix Hoffmann erstmalig, die Acetylsalicylsäure, den Wirkstoff von Aspirin, in chemisch reiner und haltbarer Form zu synthetisieren.

D Zunächst kommt das Schmerzmittel als Pulver auf den Markt, es ist aber bereits ein Jahr später als eines der ersten Medikamente überhaupt in der klassischen Tablettenform erhältlich.

E Die Erfindung aus Deutschland wird schnell zum Exportschlager, stellt zahlreiche Rekorde auf und wird zum Synonym für Schmerzmittel. So entwickelt sich Aspirin zu einem der meistverkauften und besterforschten Arzneimittel der Welt.

Grammatische Mittel (Pronomina, Konnektoren)	**Lexikalische Mittel** (Synonyme, Paraphrasen)	**Logische Verbindungen**
Extrakt → ihm, ...	*Wirkstoff Salicin → Substanz, ...*	*natürlich (Rinde des Weidenbaums) → künstlich, ...*

Hinweis: Die logischen Verbindungen manifestieren sich nicht immer sprachlich, sie sind aber impliziert.

b **Wie ist der Text thematisch aufgebaut? Wie wird das Textthema entwickelt? Ordnen Sie die Elemente im Schüttelkasten den Textabschnitten zu.**

Künstliche Herstellung funktioniert | Medikament verbreitet sich | Einführung des Themas: Salicin | Künstlich hergestelltes Salicin wird Medikament | Künstliche Herstellung von Salicin funktioniert nicht

Abschnitt A: ______

Abschnitt B: ______

Abschnitt C: ______

Abschnitt D: ______

Abschnitt E: ______

- Um den ersten Satz eines Textes zu identifizieren, müssen Sie nach dem explizit genannten Thema suchen. Der zweite Satz nimmt auf das zuvor genannte Thema Bezug und gibt weitere Informationen darüber.
- Generell lässt sich zur Informationsstruktur von Sätzen sagen: Am Anfang eines Satzes steht die schon bekannte Information, danach kommt die neue Information.

2. a **Welche zwei Sätze gehören jeweils zusammen? Und in welcher Reihenfolge? Es handelt sich um die Anfänge von sechs verschiedenen Texten. Markieren Sie die grammatischen und lexikalischen Mittel, die die Sätze verknüpfen.**

1 Neuere Forschungen von Archäologen bestätigen, dass bei den Kelten in der Siedlung vor allem Getreide wie Gerste, Emmer und Nacktweizen das Grundnahrungsmittel darstellten.
2 Dennoch erleiden viele im Verlauf tödliche Rückfälle, die auf überlebende Krebszellen zurückzuführen sind.
3 Bei Frauen geht dieser Charakterzug mit der genetischen Veranlagung einher, einen höheren Dopaminspiegel im Gehirn zu besitzen.
4 Gleich an drei Tagen im Juni war das Risiko für einen Stromausfall in Deutschland extrem hoch – obwohl das deutsche Stromnetz als eines der sichersten der Welt gilt.
5 Nach Gehör schreiben, dabei Fehler machen und erst viel später korrigiert werden.
6 Er überliefert wertvolle Einblicke in die Welt der ersten Christen im römischen Reich, die aus keiner anderen historischen Quelle bekannt sind.

A Damit diese Lernmethode sinnvoll ist, müsste das Gehirn wirklich vergessen können.
B Nun warnen Experten, dass die Blackout-Gefahr bis jetzt unterschätzt worden sei.
C Patienten, die wegen einer akuten Leukämie behandelt werden, geht es nach der Behandlung mit Standardtherapien oft besser.
D Weiter ernährten sich Teile der Bevölkerung auch von Hirse.
E Ein Brief in der Basler Papyrussammlung beschreibt ganz alltägliche Familienangelegenheiten und ist doch einzigartig in seiner Art.
F Manche Menschen neigen dazu, Handlungen aufzuschieben.

Textanfang 1: 1D ________ Textanfang 2: ________ Textanfang 3: ________
Textanfang 4: ________ Textanfang 5: ________ Textanfang 6: ________

b **Vermuten Sie: Um welches Thema geht es wohl in den einzelnen Texten? Formulieren Sie für jeden Text eine mögliche Überschrift.**

Überschrift Text 1: ________________________________
Überschrift Text 2: ________________________________
Überschrift Text 3: ________________________________
Überschrift Text 4: ________________________________
Überschrift Text 5: ________________________________
Überschrift Text 6: ________________________________

3. a **Rekonstruieren Sie den Text mit den Elementen im Schüttelkasten.**

Daran nehmen rund 180 Probanden teil | Bekannt ist zudem | Die Frage für die Forschenden ist nun | Die Studie läuft derzeit in der dritten Welle | Ergebnisse der ersten Studienwelle | Ob sich der Schlaf von Frühgeborenen im späteren Leben von dem Gleichaltriger unterscheidet

Hinweis: Die drei Arten von Verbindungen in Übung 1. a helfen Ihnen, einen Text zu rekonstruieren.

Abschnitt 1: ______________________________,

untersuchen Psychologen der Universität Basel derzeit in einer Langzeitstudie.

Abschnitt 2: ______________________________,

von denen etwa die Hälfte vor der 32. Schwangerschaftswoche und die Hälfte termingemäß geboren wurden.

Abschnitt 3: ______________________________,

als die Teilnehmenden im Alter zwischen 6 und 10 Jahren waren, zeigen, dass die frühgeborenen Kinder in der Nacht häufiger erwachen und insgesamt weniger tief schlafen.

Abschnitt 4: ______________________________,

dass Frühchen auch öfter Aufmerksamkeitsdefizite sowie emotionale Probleme aufweisen, was auf die Belastungen der zu frühen Geburt zurückzuführen ist, wie die Wissenschaftler erklären.

Abschnitt 5: ______________________________

mit den gleichen Kindern, die inzwischen im Jugendalter zwischen 11 und 15 Jahren sind.

______________________________,

ob sich die Tendenz zu Schlafschwierigkeiten bei Frühgeborenen auch in diesem Alter fortsetzt.

b **Welche Wörter und Wortfelder treten in dem Text wiederholt auf? Notieren Sie sie. Achten Sie darauf, wie Begriffe durch Synonyme und Paraphrasen wieder aufgenommen werden.**

Wortfeld Schlaf: ______________________________

Wortfeld Frühgeborene: ______________________________

Wortfeld Studie: ______________________________

c **Wie ist der Text thematisch aufgebaut? Beschreiben Sie jeden Absatz in wenigen Wörtern, so wie in Übung 1. b.**

Abschnitt 1: ______________________________

Abschnitt 2: ______________________________

Abschnitt 3: ______________________________

Abschnitt 4: ______________________________

Abschnitt 5: ______________________________

d **Formulieren Sie eine Überschrift für den Text.**

____

Beispielaufgabe mit Lösungshinweisen

- Für Lesen 2 haben Sie 5 Minuten Zeit.
- Sie bekommen einen Text von 100 bis 150 Wörtern. Es handelt sich um einen kurzen beschreibenden Text, beispielsweise einen Kurzbericht über Erfindungen, Entdeckungen oder historische Entwicklungen.
- Sie müssen fünf Textabschnitte zu einem kohärenten Text zusammenfügen.
- Um den Text richtig zu rekonstruieren, müssen Sie die Textstruktur und Verbindungen zwischen den Textteilen erkennen sowie implizite und explizite Informationen verstehen.

So gehen Sie vor:

1. **Lesen** Sie die fünf **Textabschnitte**. **Suchen** Sie dabei nach **grammatischen** und **lexikalischen Verbindungen** zwischen den Abschnitten. Markieren Sie diese Wörter, damit Sie einen besseren visuellen Überblick haben. Auch in der Prüfung besteht die Möglichkeit, Wörter am Bildschirm zu markieren.
2. **Suchen** Sie dann nach den **logischen Verbindungen** zwischen den Abschnitten. Nachdem Sie die sprachlichen Verbindungen identifiziert haben, wird es Ihnen leichter fallen, die logischen Verbindungen zu erkennen.

- Nicht alle Textabschnitte sind durch Elemente wie Konnektoren und Referenzwörter verbunden. Daher sind die lexikalischen und logischen Verbindungen umso wichtiger.
- Den **ersten Textabschnitt** erkennen Sie daran, dass dort normalerweise das **Thema eingeführt** und explizit genannt wird. Die Informationen des ersten Abschnitts sind aus sich heraus verständlich und hängen nicht von anderen, zuvor genannten Informationen ab. Im ersten Abschnitt finden sich auch keine Rückverweise auf vorhergegangene Sätze oder Absätze.
- Danach wird das **Textthema entwickelt**. Die neue Information des vorangegangenen Satzes wird im nächsten Satz wieder aufgegriffen und weiter ausgeführt. Versuchen Sie, den thematischen Aufbau im Text zu erkennen.

1. **Bringen Sie die Textabschnitte in die richtige Reihenfolge.**

(a) Hier konnten keine Korrelationen festgestellt werden. Lediglich in einem einzigen Fall gebe es ein Zusammentreffen zwischen Fisch und Beben, das sei aber wohl ein Zufallstreffer.

(b) Versuche, solche Phänomene zur Erdbebenvorhersage zu nutzen, sind bisher allerdings erfolglos geblieben. Das setzt sich nun auch mit der Analyse eines japanischen Forscherteams fort.

(c) Einen ursächlichen Zusammenhang könne man deswegen nicht bestätigen, schreibt die Gruppe in einer Veröffentlichung.

(d) Seit Jahrhunderten gibt es Berichte, dass sich Tiere kurz vor schweren Erdbeben seltsam verhalten: Ratten oder Tausendfüßer, die am helllichten Tag ihre Verstecke verlassen, Vögel, die ein auffälliges Verhalten zeigen, oder Tiefseefische, die außerhalb ihres normalen Lebensraums an der Oberfläche gesichtet werden.

(e) Die Gruppe untersuchte, ob in Zeiträumen von 10 und 30 Tagen vor Erdbeben im Umkreis von 50 und 100 Kilometern um das Epizentrum messbar häufiger Tiefseefische an die Oberfläche kamen.

Lösung: 1 ________, 2 ________, 3 ________, 4 ________, 5 ________

So finden Sie die richtige Lösung:

Textabschnitt 1:
Jeder Text beginnt mit einer Einführung in das Thema. Hier finden Sie diese Einführung in Textabschnitt d. Das Thema, welches in diesem Abschnitt präsentiert wird, ist das ungewöhnliche Verhalten von Tieren vor Erdbeben.

Wenn Sie **Textabschnitt d** mit den anderen vier Abschnitten vergleichen, werden Sie auch feststellen, dass dies der einzige Abschnitt ist, in dem sich keine Bezüge zu anderen Textabschnitten finden. Abschnitt d ist sozusagen in sich geschlossen. Man kann ihn für sich allein betrachten und hat nicht den Eindruck, dass irgendwelche Informationen fehlen.

Textabschnitt 2:

Thematische Entwicklung: In **Textabschnitt b** wird die schon bekannte Information aus Textabschnitt 1 „Das auffällige Verhalten von Tieren vor Erdbeben" weiter ausgeführt und dabei in einen bestimmten Kontext gestellt: Es gab Versuche, durch die Beobachtung von Tieren Erdbeben vorherzusagen. Der Leser erfährt auch, dass derartige Versuche bis jetzt erfolglos waren.
Außerdem wird ein neues Thema eingeführt: Eine japanische Forschergruppe, die den gleichen Zusammenhang untersucht.
Sprachliche Verbindungen: Das Pronomen „solche" verweist zurück auf das in Textabschnitt 1 beschriebene Verhalten von Tieren. „Phänomene" ist eine Umschreibung für diese Verhaltensformen.
Das Nomen „Analyse" verweist voraus auf die Untersuchung der Japaner, über die in den folgenden Textabschnitten berichtet wird.
Die Formulierung „Das setzt sich … fort" verweist schon auf das Ergebnis der Untersuchung, nämlich dass man das Verhalten von Tieren nicht nutzen kann, um Erdbeben vorherzusagen. Dieses Ergebnis wird in den Abschnitten 4 und 5 noch genauer dargelegt.
Der unbestimmte Artikel „eine" bei dem Nomen „Forschergruppe" weist darauf hin, dass diese Gruppe hier zum ersten Mal erwähnt wird.

Textabschnitt 3:

Thematische Entwicklung: In **Textabschnitt e** geht es weiter um das vorher eingeführte Hauptthema des Textes „Lässt sich das Verhalten von Tieren zur Prognose von Erdbeben nutzen?".
Der im zweiten Abschnitt begonnene thematische Aspekt „Analyse eines japanisches Forscherteams" wird weiter ausgeführt. Nun erfährt man, was genau untersucht wird: die Tierart, den Zeitraum und den geografischen Ort.
Die genaue Fragestellung der Analyse ist in Form einer indirekten Frage formuliert, die im nächsten Abschnitt beantwortet werden wird.
Sprachliche Verbindungen: „Die Gruppe" ist hier ein Synonym für „ein japanisches Forscherteam".
Der bestimmte Artikel „die" ist ein Hinweis darauf, dass die Gruppe bereits vorher im Text erwähnt wurde.
Es gibt einen inhaltlichen Bezug zwischen dem Nomen „Analyse" in Abschnitt 2 und dem Verb „untersuchen" in Abschnitt 3.

Textabschnitt 4:

Thematische Entwicklung: Textabschnitt a liefert die Antwort auf die im dritten Abschnitt gestellte Frage. In diesem Abschnitt wird das Resultat der Studie vorgestellt.
Sprachliche Verbindungen: „Die Antwort" bezieht sich auf die indirekte Frage in Abschnitt 3.
Die Formen des Konjunktivs II „gebe" und „sei" sind ein Merkmal der indirekten Rede und zeigen an, dass hier jemand zitiert wird. Es wird allerdings noch nicht gesagt, wer.
Das Nomen „Fisch" wird hier als ein Synonym für „Tiefseefische" aus Abschnitt 3 verwendet.

Textabschnitt 5:

Thematische Entwicklung: In **Textabschnitt c** wird der Bericht über die Ergebnisse der Untersuchung abgeschlossen.
Sprachliche Verbindungen: Es wird noch einmal die indirekte Rede verwendet: „könne". Nun wird auch klar gesagt, wer zitiert wird, nämlich die japanischen Forscher.
Das kausale Adverb „deswegen" bezieht sich auf die Ergebnisse in Abschnitt 4. Nur in einem Fall zeigte ein Tintenfisch ein auffälliges Verhalten vor einem Erdbeben, daher konnte kein genereller Zusammenhang festgestellt werden.

Multiple Choice

- Bei diesem Prüfungsteil sollen Sie zeigen, dass Sie eine gut entwickelte Lesekompetenz haben und in einem längeren Text aus dem wissenschaftlichen Bereich explizite Einzelinformationen, Hauptideen, zentrale Textaussagen und auch implizite Informationen verstehen.
- Diese breiten Lesefähigkeiten werden durch drei verschiedene Typen von Multiple-Choice-Fragen überprüft.

Vorübungen

Itemtyp 1	
Worum geht es?	**Beispiel**
Detailinformationen, die im Text explizit genannt werden	Fakten-Item

Diese Items beziehen sich auf eine explizite, **konkrete Information im Text**. Im Item wird diese Information durch Synonyme und Umschreibungen wiedergegeben.

1. **Verbinden Sie die Wörter mit den Erklärungen.**

1. Rückstand	◯ **a)** Übergang einer Flüssigkeit vom flüssigen in den gasförmigen Zustand
2. Lauge	◯ **b)** feine Materialschicht, die eine trennende Funktion hat
3. Verdampfung	◯ **c)** etwas, was von einem Stoff bei dessen Verarbeitung übrig bleibt
4. Kondensation	◯ **d)** durchgängig nur für manche Stoffe
5. halb durchlässig	◯ **e)** flüssiger Abfall bei der Entsalzung von Meerwasser
6. Membran	◯ **f)** Übergang eines Stoffes vom gasförmigen in den flüssigen Zustand

2. **Welcher Satz hat die gleiche Bedeutung? Kreuzen Sie die korrekte Umschreibung an.**

1. Die Technologie der Meerwasserentsalzung gilt heute vielfach als Mittel der Wahl, um trinkbares Wasser in Mangelgebieten herzustellen.

◯ **a)** In Gegenden mit Wassermangel Meerwasser zur Trinkwassergewinnung zu entsalzen, ist unter den dortigen Bewohnern eine populäre Methode.
◯ **b)** Trinkwasser aus Salzwasser zu gewinnen wird als gute Möglichkeit für Regionen mit Wasserknappheit betrachtet.

2. Doch die Rückstände, die bei der Entsalzung des Meerwassers anfallen und entweder ins Meer geleitet oder in Flüsse, Seen und Kanäle gespült werden, sind ein ökologisches Problem.

◯ **a)** Die nach der Entsalzung zurückbleibende Lauge belastet die Umwelt.
◯ **b)** Nach der Entsalzung bleiben Überreste zurück, die das Meerwasser verschmutzen.

3. Nach der Entsalzung bleiben nicht nur hochkonzentrierte Salze des Meerwassers zurück, sondern auch Chemikalien, die dem zu entsalzenden Wasser zugesetzt werden, und Metalle, die aus den Anlagen erodieren.

◯ **a)** Die Rückstände nach der Entsalzung bestehen einerseits aus Salzen, andererseits aus Chemikalien und Metallen, die für das Verfahren verwendet werden.
◯ **b)** Nach der Entsalzung fallen Rückstände aus Salzen, Chemikalien und Metallen an.

4. Je nach Entsalzungsverfahren entstehen unterschiedliche Chemikalien; in der Regel werden sie zusammen mit den Salzen ins Meer geleitet.

◯ **a)** Bei den verschiedenen Entsalzungsverfahren bleiben Salze sowie unterschiedliche Chemikalien zurück, die normalerweise ins Meer zurückgeführt werden.
◯ **b)** Welche Salze und Chemikalien zurückbleiben, hängt vom Entsalzungsverfahren ab; im allgemeinen werden die Überreste im Meer entsorgt.

Itemtyp 2	
Worum geht es?	**Beispiel**
Einzelinformationen, Hauptideen und zentrale Textaussagen verstehen	Aussagen erkennen, die sich in einem Absatz finden; die passende Zusammenfassung eines Absatzes oder die passende Überschrift für einen Absatz auswählen

Zu dieser Kategorie gehören zum Beispiel Items, bei denen Sie erkennen müssen, welche von vier Aussagen sich in einem Textabschnitt wiederfindet. Der Textinhalt ist in den Items paraphrasiert wiedergegeben. Die korrekte Aussage entspricht dem Textinhalt.
Für die Beantwortung dieser Frage müssen Sie die Informationen von nicht nur einem Satz, sondern von mehreren Sätzen berücksichtigen. Die Aussagen beziehen sich aber nicht auf die Hauptidee eines Absatzes, sondern auf einzelne Informationen in einem Abschnitt.

3. **Welche der folgenden Aussagen finden sich nicht im Text wieder? Inwiefern sind diese Aussagen falsch? Markieren Sie die falschen Stellen und korrigieren Sie die Aussagen in Ihrem Heft.**

- ◯ **a)** Beim Destillationsverfahren entsteht eineinhalbmal mehr Lauge als beim Osmoseverfahren.
- ◯ **b)** Es gibt viele Verfahren zur Meerwasserentsalzung.
- ◯ **c)** Die umweltfreundlichere Technik zur Entsalzung findet häufiger Verwendung als früher.
- ◯ **d)** Das Destillationsverfahren schont die Umwelt.
- ◯ **e)** Die Salzkonzentration des Wassers hat Einfluss auf den Wasserdruck während des Verfahrens.
- ◯ **f)** Wenn der Wasserdruck steigt, gelangen mehr Salze durch die Membran.

Die Entsalzung beruht grundsätzlich auf zwei verschiedenen Verfahren, die in zahlreichen Varianten vorkommen: Entweder auf der thermischen Destillation, bei der das Meerwasser erhitzt, verdampft und anschließend wieder verflüssigt wird. Bei dieser Methode fällt etwa eineinhalbmal so viel Lauge im Vergleich zur Menge des gewonnenen Wassers an. Oder auf dem Verfahren der so genannten Umkehrosmose, das sich seit den 1980er Jahren immer weiter verbreitet hat. Dabei wird Wasser unter Druck durch eine halb durchlässige Membran gepresst, die das flüssige Element passieren lässt und Salze zurückhält. Je salzhaltiger das Wasser, desto höher muss der Druck sein. Das Osmoseverfahren ist zwar technisch anspruchsvoller, verbraucht aber weniger Energie als das technisch einfachere Erhitzen und Verdampfen. Außerdem entsteht dabei weniger Abfalllauge.

Ein weiteres Beispiel für Itemtyp 2 sind Items, bei denen Sie erkennen müssen, welche von vier Aussagen den Inhalt eines Absatzes am besten zusammenfasst.
Die Aussagen im Item beziehen sich auf den Inhalt des ganzen Absatzes. Für die Beantwortung dieser Frage ist es erforderlich, die Hauptaussage zu verstehen und sie dann mit den Aussagen im Item abzugleichen.

Hinweis: Die nicht passenden Aussagen im Item entsprechen entweder nicht dem Textinhalt, oder sie fokussieren auf weniger relevante Informationen im Absatz. Die am besten passende Aussage gibt die Hauptaussage des Absatzes wieder.

4. **Lesen Sie den Textabschnitt und unterstreichen Sie die zentralen Informationen. Schreiben Sie dann die Hauptaussage des Abschnitts in einem Satz.**

Bioinvasoren gelten als eine der großen Gefahren für die Artenvielfalt. Denn wenn solche fremden Spezies sich in einem Gebiet ungehindert ausbreiten, können sie die dortigen Ökosysteme aus dem Gleichgewicht bringen – einige heimische Arten werden verdrängt, andere gefressen. Als Haupt-Transporteur für solche bioinvasiven Spezies gilt der Schiffsverkehr: Im Ballastwasser, das Schiffe mit wenig Ladung zu Beginn der Fahrt aufnehmen und am Ende wieder abgeben, und auch außen am Schiff können Algen, Muscheln oder Krebse tausende von Kilometern unerkannt mitreisen.

Hauptaussage: ______________________________

5. Welche Aussage fasst den Inhalt des Textabschnitts in 4 am besten zusammen? Kreuzen Sie an. Warum passen die anderen Aussagen weniger?

- ◯ **a)** Fremde Spezies gefährden die Artenvielfalt.
- ◯ **b)** Der Schiffsverkehr führt zu mehr Vielfalt in der Natur.
- ◯ **c)** Schiffe fördern die Verbreitung von Tieren und Pflanzen.
- ◯ **d)** Schiffe sind ein wichtiger Faktor für die Verbreitung invasiver Arten.
- ◯ **e)** Ökosysteme werden durch neue Arten bereichert.

Zu Itemtyp 2 gehören darüber hinaus Items, in denen man die bestmögliche Überschrift für eine Passage auswählen soll. Die passende Überschrift bringt die inhaltliche Essenz eines Textabschnitts zum Ausdruck.
Ihre Vorgehensweise ist hier ähnlich wie beim Auswählen der am besten passenden Zusammenfassung. Sie müssen die zentrale Idee, die in einem Abschnitt enthalten ist, erkennen.

6. Welche Überschrift passt? Kreuzen Sie an. Warum passen die anderen Überschriften weniger?

Hinweis: Die nicht passenden Überschriften widersprechen entweder dem Textinhalt oder sie fokussieren auf eine weniger relevante Information im Abschnitt.

- ◯ **a)** Kommerzieller Schiffsverkehr beeinflusst Bioinvasion
- ◯ **b)** Neue Studie über Verbreitung unerwünschter Arten
- ◯ **c)** Studie belegt Einfluss privater Schiffe auf Bioinvasion
- ◯ **d)** Fremde Arten durch private Schiffe eingeschleppt
- ◯ **e)** Große Studie analysiert Segelschiffe und Motorjachten

Bisher wurden im Zusammenhang mit dem Einschleppen von Bioinvasoren vor allem kommerzielle Frachter und Passagierschiffe betrachtet. In einer neuen Studie wurde nun die Rolle privat genutzter Schiffe dabei untersucht. Es zeigte sich, dass 71 % der sechshundert untersuchten Segelschiffe und Motorjachten bis zu elf nichtheimische Arten beherbergten. Insgesamt identifizierten die Wissenschaftler 48 fremde Spezies an den Schiffsrümpfen.

7. Lesen Sie den Textabschnitt und unterstreichen Sie die zentralen Informationen. Formulieren Sie dann eine Überschrift.

Die Auswertungen ergaben zudem, dass selbst regelmäßiges Reinigen der Schiffsrümpfe das Problem nur in Teilen löst: „In einigen Fällen waren die Schiffsrümpfe schon einige Wochen nach der letzten professionellen Reinigung wieder von mehreren nichtheimischen Spezies besiedelt", berichten die Forscher. Besonders ausgeprägt war dies, wenn die Jachten längere Zeit in Häfen mit einem hohen Anteil möglicherweise invasiver Arten gelegen hatten. Die Ergebnisse der Studie deuten darauf hin, dass die übliche Praxis der jährlichen Rumpfreinigung nicht ausreiche, um die Verbreitung nichtheimischer Arten durch solche Freizeitschiffe im Mittelmeer einzudämmen.

Überschrift: ______________________________

Itemtyp 3	
Worum geht es?	**Beispiel**
Hauptideen und implizite Informationen im Text verstehen, inferieren, Pragmatik verstehen	Die Haltung eines Autors erkennen; begründen, warum der Autor in einer bestimmten Weise argumentiert oder eine bestimmte Sache erwähnt

Beim dritten Typ von Fragen sollen Sie zeigen, dass Sie auch Informationen erschließen können, die nicht direkt im Text stehen, sondern nur indirekt vermittelt werden.
Hierzu gehören Items, in denen Sie begründen sollen, warum der Autor etwas an einer bestimmten Stelle anspricht oder in eine bestimmte Richtung argumentiert.

8. Lesen Sie den Text und beantworten Sie die Fragen in Ihrem Heft.

A Das giftige Jakobskreuzkraut breitet sich in vielen Bundesländern aus. Die gelb blühende Pflanze sei enorm „stresstolerant", sagt Klaus Gehring von der bayerischen Landesanstalt für Landwirtschaft (LfL) in Freising. Wenn es wie in diesem Jahr extreme Trockenheit gebe, fielen bewachsene Flächen plötzlich brach, und das Kreuzkraut könne sich hier ansiedeln.

1. Warum schreibt der Autor, dass die Pflanze enorm stresstolerant ist? Um welche Form von Stress geht es hier? Welchen Vorteil hat das Jakobskreuzkraut gegenüber anderen Pflanzen?
2. Welche Kette von Ursache und Wirkung wird in Absatz A beschrieben?

B Im Gegensatz zu anderen Giftpflanzen gebe es für Kreuzkräuter keine Überwachungsprogramme und keine Bekämpfungspflicht. Im englischsprachigen Raum sei das anders. Hier gebe es bei „Problempflanzen" eine Rechtsgrundlage, die Sicherheitsabstände, Beseitigungs- und Bekämpfungspflichten vorsieht. Solche Vorschriften wären aber für die Verwaltung eine enorme Last, sie müsste kontrollieren und Verstöße sanktionieren.

3. Welche Forderung lässt sich möglicherweise aus Absatz B ableiten?
4. Wodurch wird diese Forderung abgemildert?

C Kreuzkräuter produzieren sogenannte Pyrrolizidinalkaloide (PA), die in hoher Dosis tödlich sind. Da sich die Giftstoffe im Körper anreichern, verläuft der Vergiftungsprozess beispielsweise bei Rindern und Pferden oft schleichend. Vor allem in getrocknetem Futter wie Heu können die Pflanzen zum Problem werden. Denn hier werden die Bitterstoffe abgebaut, die normalerweise verhindern, dass Tiere die Pflanzen fressen.

5. Welche Rolle spielt die Zeit?
6. Welche Rolle spielt der Zustand der Pflanzen?

D Neben Bauern und Pferdehaltern betrachten auch Imker Kreuzkräuter als ernsthaftes Problem, denn die Giftstoffe tauchen inzwischen in sehr geringen Mengen im Honig auf. In Schleswig-Holstein beispielsweise wurden in den vergangenen Jahren in Sommerhonigen deutlich mehr der Giftstoffe nachgewiesen. Auch in Kräutertees oder Wildkräutern finden sich die Toxine.

7. Wem können Kreuzkräuter außer Rindern und Pferden noch schaden?

E Ein noch größeres Problem als Jakobskreuzkraut sei das verwandte Wasserkreuzkraut – vor allem für Biobetriebe, die im Gegensatz zu konventionellen Landwirten keine chemischen Unkrautvernichter einsetzen dürfen. „An feuchteren Standorten hat es sich wie das Jakobskreuzkraut regional stark ausgebreitet", sagt Gehring. „Für betroffene landwirtschaftliche Betriebe ist das teilweise existenzgefährdend. Es gibt Betriebe, die die Bewirtschaftung von manchen Flächen deswegen komplett einstellen müssen."

8. Wo werden Giftpflanzen effektiver bekämpft? Warum?
9. Warum schreibt der Autor, die Kreuzkräuter seien existenzgefährdend?

9. Notieren Sie in Stichpunkten oder kurzen Sätzen die Hauptidee eines jeden der fünf Absätze in Ihrem Heft.

Absatz A: ...

10. Formulieren Sie die Hauptaussage des Gesamttextes in einem Satz.

Hauptanliegen des Textes ist es, ...

Hinweis: Bei diesem Aufgabentyp bezieht sich **Frage 7** immer auf die **Hauptaussage des Gesamttextes**. Sie sollen aus vier Optionen das Hauptanliegen des Textes auswählen.

Beispielaufgabe mit Lösungshinweisen

- Für Lesen 3 haben Sie 15 Minuten Zeit.
- Sie bekommen einen Text von 600 bis 680 Wörtern. Es handelt sich um einen Forschungs- und Projektbericht oder um eine Experiment- und Studienbeschreibung.
- Zu dem Text bekommen Sie sieben Items mit jeweils vier Antwortoptionen. Sie sollen die korrekte Antwort ankreuzen.
- Der Text besteht immer aus sechs Abschnitten. Zu jedem Abschnitt gehört ein Item. Die Items folgen dem Textverlauf chronologisch. Item 7 bezieht sich immer auf die Aussage des Gesamttextes.
- Die Items überprüfen verschiedene Lesefähigkeiten und erfordern unterschiedliche Lesestrategien.

So gehen Sie vor:

1. Zuerst **lesen** Sie die **Überschrift**. Dadurch erhalten Sie einen Hinweis auf das Thema.
2. Sie sehen in der Prüfung immer nur die vier Antwortoptionen einer Frage, wenn Sie die entsprechende Frage anklicken. Lesen Sie zuerst die Frage und markieren Sie die Schlüsselwörter. Machen Sie sich beim Lesen der Fragen bewusst, um **welchen Typ von Item** es sich handelt und nach **welcher Art von Information** Sie suchen müssen. Dadurch aktivieren Sie die entsprechende Lesestrategie.
3. **Lesen** Sie anschließend den zum Item gehörenden **Textabschnitt**.
4. Wählen Sie die Antwortoption, die Ihnen korrekt scheint.

- Achten Sie beim Lesen gegebenenfalls auf Paraphrasen und Implikationen.

1. **Lesen Sie den Text. Beantworten Sie die Fragen 1 – 7.**

Warum Vormenschen-Kinder lange gestillt wurden

(1) Vor mehr als zwei Millionen Jahren lebte in Südafrika die Vormenschenart Australopithecus africanus. Das Leben war für sie nicht einfach, vor allem in der Trockenzeit, wenn das Nahrungsangebot sehr knapp war. Um während dieser Periode zu überleben, legten sich die Erwachsenen schon während der Regenzeit ein Fettpolster für die kommenden Monate der Knappheit an. Der Nachwuchs brauchte seine ganze Energie jedoch zum Wachsen und konnte diese Strategie daher nicht anwenden. Trotzdem kamen die Vormenschen-Kinder anscheinend gut durch die Trockenzeit. Wie australische Forscher herausgefunden haben, versorgten nämlich die Mütter während dieser Zeit ihre Kinder mit Muttermilch, und das sogar mehrere Lebensjahre lang.

(2) Die Forscher schließen das aus einer chemischen Analyse der Zähne von zwei Individuen, die vor 2,1 bis vor 2,6 Millionen Jahren auf dem südafrikanischen Hochland gelebt hatten. Schon lange war einigen Wissenschaftlern aufgefallen, dass diese Australopithecus-africanus-Vormenschen sehr unterschiedliche Zahnbilder hatten. „Diese Menschen dürften daher in vielen verschiedenen Lebensräumen von den Steppen und Savannen bis zu den Wäldern Afrikas gelebt haben und dort aßen sie jeweils andere Nahrung, für die wiederum bestimmte Formen der Zähne am besten geeignet waren“, erklärt einer der Autoren der Studie.

(3) Informationen zur Ernährungssituation liefert der Zahnschmelz bleibender Zähne. Diese wachsen einige Jahre im Kiefer eines Kindes, manche von ihnen schon vor der Geburt. Dabei bilden sich immer neue, winzig dünne Schichten des Zahnschmelzes. In diese Schichten lagert der Organismus verschiedene Elemente ein, die das Kind mit der Nahrung aufgenommen hat. Verändern sich nun die Umweltbedingungen, dann variiert auch die Zusammensetzung dieser Einlagerungen. Jede Schicht des Zahnschmelzes enthält damit eine Art Fingerabdruck der Zeit, in der sie entstand. Daher verraten die Zähne den Forschern einiges über die Umwelt, in der die Vormenschen einst lebten, über das Wasser, das sie tranken und eben auch über ihre Ernährung.

(4) Die Untersuchung zeigt, dass die beiden Australopithecus-Vormenschen und wohl auch ihre Gruppe das ganze Jahr in derselben Region lebten. Wurde in den Trockenzeiten die Nahrung knapp, wanderten sie nicht wie Gnus, Zebras und andere Säugetiere in andere Gegenden, in denen es mehr Essbares geben könnte, sondern blieben trotz der schwierigen Bedingungen in ihrer Heimat. Besonders interessante Ergebnisse erhielten die Forscher, als sie das chemische Element Barium untersuchten, das sich in der Muttermilch stark anreichert. Solange die Kinder gestillt werden, nehmen sie daher größere Barium-Mengen auf und lagern sie in die Schichten des Zahnschmelzes ein, die sich in dieser Zeit bilden. Vor der Geburt und nach dem Abstillen – wenn die Kinder nicht mehr gestillt werden –, liegen die Barium-Werte dagegen deutlich niedriger.

(5) Nach solchen Barium-Analysen haben Australopithecus-africanus-Mütter vor gut zwei Millionen Jahren ihre Kinder mindestens sechs bis neun Monate nach der Geburt gestillt. Danach sinken die Barium-Werte. Ungefähr zwölf Monate nach der Geburt scheint der Australopithecus-Nachwuchs dann abgestillt gewesen zu sein und der Barium-Gehalt in diesen Zahnschichten erreicht sehr niedrige Werte. Während die Barium-Werte bei vielen anderen Tieren nach dem Abstillen dauerhaft auf einem niedrigen Niveau bleiben, steigen sie beim Australopithecus-Nachwuchs etwa ab dem ersten Geburtstag wieder steil an, erreichen ein halbes Jahr später beinahe das hohe Niveau nach der Geburt, um dann wieder zu sinken. Danach wiederholte sich ein ähnliches Auf und Ab der Barium-Werte regelmäßig, bis die kleinen Australopithecinen vier oder fünf Jahre alt waren.

(6) Ein vergleichbares periodisches Muster finden die Forscher auch im Zahnschmelz von Orang-Utans, die in den Regenwäldern in Südost-Asien leben. Anders als bei den vor zwei Millionen Jahren ausgestorben Australopitheceten können Zoologen das Leben dieser Menschenaffen dort heute noch beobachten. In regelmäßigen Zyklen verändern sich in diesen Wäldern die Niederschläge. Fällt wenig Regen, finden die Orang-Utans erheblich weniger zum Fressen. Zwar entwöhnen die Menschenaffenmütter ihre Kleinen nach wenigen Monaten, beginnen aber in Trockenzeiten wieder zu stillen. Diese Zyklen dauern sogar bis ins neunte Lebensjahr des Nachwuchses. Paviane verhalten sich auf den Savannen Afrikas ähnlich. Auch in ihren Zähnen sieht man zwar unregelmäßiger, aber trotzdem noch deutlich die schwankenden Barium-Werte. In den Regenwäldern des Kontinents gibt es dagegen keine längeren Trockenzeiten. Gorillas und Schimpansen können mangels Hungerkrisen daher auf ein solches periodisches Stillen und Entwöhnen verzichten.

Frage 1: Vormenschen-Kinder kamen laut Absatz 1 gut durch die Trockenzeit, weil

a) die Erwachsenen die gefundene Nahrung mit ihnen teilten.
b) die Erwachsenen während der Regenzeit Vorräte sammelten.
c) sie trotz der Knappheit Nahrung in der Natur fanden.
d) sie von einem besonderen Verhalten profitierten.

Frage 2: Welche der folgenden Aussagen fasst am besten den Inhalt aus Absatz 2 zusammen?

a) Die Ernährung unterscheidet sich je nach Lebensraum.
b) Unterschiedliche Zähne führen zu einer bestimmten Ernährung.
c) Verschiedene Arten von Vormenschen hatten unterschiedliche Zähne.
d) Zähne lassen Rückschlüsse auf Ernährung und Lebensraum zu.

Frage 3: Welche der folgenden Aussagen findet sich in Absatz 3 wieder?

a) Der Körper baut die Zähne nach und nach auf.
b) Die Zähne geben Auskunft über das Lebensalter.
c) Eine veränderte Ernährung verbessert das Wachstum der Zähne.
d) Milchzähne entstehen, bevor man auf die Welt kommt.

Frage 4: Die Forscher interessieren sich laut Absatz 4 für Barium, weil

a) es die Qualität der Muttermilch beeinflusst.
b) es Informationen über die Zahnbildung liefert.
c) es zeigt, wie lange Kinder Muttermilch erhielten.
d) sie dadurch die Zähne analysieren können.

Frage 5: Die untersuchten Barium-Werte zeigen laut Absatz 5

a) ein Schwanken bis zum Alter von 18 Monaten.
b) eine sinkende Tendenz im Alter von eineinhalb bis fünf Jahren.
c) einen kontinuierlichen Anstieg während des ersten Lebensjahres.
d) keinen Anstieg nach dem Alter von fünf Jahren.

Frage 6: Welche der folgenden Überschriften passt inhaltlich zu Absatz 6?

a) Ähnlichkeiten bei Vormenschen und Schimpansen
b) Affen zeigen gleiches Verhalten wie Vormenschen
c) Neue Erkenntnisse über Paviane und Orang-Utans
d) Stillen des Nachwuchses bei Orang-Utans und Gorillas

Frage 7: Hauptanliegen des Textes ist es,

a) Ähnlichkeiten zwischen Menschenaffen und Menschen aufzuzeigen.
b) die wissenschaftliche Methode der Zahnanalyse vorzustellen.
c) Erkenntnisse über das Aufziehen von Kindern bei Vormenschen mitzuteilen.
d) über die schwierigen Lebensbedingungen der Vormenschen zu informieren.

So finden Sie die richtige Lösung:

Frage 1:

Schlüsselwörter: „Vormenschen-Kinder", „gut durch Trockenzeit"; „Erwachsenen", „Nahrung", „teilten"; „Regenzeit", „Vorräte sammelten"; „Nahrung", „Natur", „fanden"; „besonderen Verhalten", „profitierten"

Relevante Textstelle:

Wie australische Forscher herausgefunden haben, versorgten nämlich die Mütter während dieser Zeit ihre Kinder mit Muttermilch, und das sogar mehrere Lebensjahre lang.

Im Text wird festgestellt, dass Vormenschen-Kinder die jährliche Trockenzeit gut überstanden. Im Item wird gefragt, warum das so war. Die Antwort gibt der Text direkt in dem Satz, der auf die Feststellung folgt: Während der Trockenzeit (= „dieser Zeit") wurden die Vormenschen-Kinder von ihren Müttern gestillt; im Rest des Jahres allerdings nicht. Dieses Verhalten wird in **Antwortoption d** mit „ein besonderes Verhalten" umschrieben. Dank dieses Stillverhaltens überlebte der Nachwuchs die Trockenzeit, er profitierte also davon.
Die Antwortoptionen a und c sind falsch, denn im Text steht nur, dass das Nahrungsangebot während der Trockenzeit knapp war, aber nicht, dass die Erwachsenen diese knappe Nahrung mit dem Nachwuchs teilten oder die Kinder in dieser Zeit Nahrung fanden.
Antwortoption b ist auch falsch, da die Erwachsenen während der Regenzeit keine Vorräte sammelten, sondern sich als Vorrat für die Trockenzeit ein Fettpolster im Körper anlegten.

Frage 2:

Schlüsselwörter: „Ernährung", „unterscheidet sich", „Lebensraum"; „Zähne", „führen zu", „Ernährung"; „verschiedene Vormenschen", „unterschiedliche Zähne"; „Zähne", „Rückschlüsse", „Ernährung", „Lebensraum"

Um zu entscheiden, welche Aussage Absatz 2 am besten zusammenfasst, müssen Sie den Inhalt des ganzen Absatzes berücksichtigen und die darin enthaltene Hauptidee erkennen. Hier geht es darum, dass die Forscher festgestellt haben, dass die Australopithecus-Vormenschen unterschiedliche Zähne hatten. Sie bringen das damit in Verbindung, dass die Vormenschen in geographisch verschiedenen Zonen mit unterschiedlicher Vegetation gelebt haben. In diesen verschiedenen Regionen fanden die Vormenschen unterschiedliche Nahrung. Durch diese unterschiedliche Nahrung bildeten sich auch unterschiedliche Zahnformen bei ihnen heraus. Die zentrale Information in Absatz 2 ist also der Zusammenhang zwischen bestimmten Lebensräumen, einer bestimmten Nahrung und bestimmten Zähnen. Diese drei Aspekte sind in der Aussage in **Antwortoption d** enthalten. Keine der anderen drei Aussagen enthält all diese Aspekte.

Frage 3:

Schlüsselwörter: „Körper", „baut", „Zähne", „nach und nach"; „Zähne", „Auskunft", „Lebensalter"; „Ernährung", „verbessert", „Wachstum", „Zähne"; „Milchzähne", „entstehen", „bevor", „auf die Welt kommt"

Relevante Textstelle:

> … Zähne. Diese wachsen einige Jahre im Kiefer eines Kindes … Dabei bilden sich immer neue, winzig dünne Schichten des Zahnschmelzes.

In Abschnitt 3 finden Sie **Antwortoption a** in paraphrasierter Form. Antwortoption b ist falsch, da die Zähne Auskunft über die Umweltbedingungen geben, aber nicht über das Lebensalter.
Antwortoption c ist ebenfalls nicht korrekt, da laut Text die veränderte Ernährung die Zahnbildung zwar beeinflusst, aber nicht verbessert.
Auch Antwortoption d entspricht nicht dem Textinhalt, weil nicht die Milchzähne, sondern einige bleibende Zähne vor der Geburt entstehen.

Frage 4:

Schlüsselwörter: „Forscher", „interessieren sich", „Barium"; „Qualität", „Muttermilch", „beeinflusst"; „Informationen", „Zahnbildung"; „wie lange", „Kinder", „Muttermilch"; „Zähne", „analysieren"

Relevante Textstelle:

> Solange die Kinder gestillt werden, nehmen sie daher größere Barium-Mengen auf und lagern sie in die Schichten des Zahnschmelzes ein, die sich in dieser Zeit bilden. Vor der Geburt und nach dem Abstillen – wenn die Kinder nicht mehr gestillt werden –, liegen die Barium-Werte dagegen deutlich niedriger.

Bei diesem Item geht es um die Frage, warum die Forscher sich für Barium interessieren. In Abschnitt 4 gibt es dazu die Auskunft, dass Barium sich in der Muttermilch anreichert und die Kinder Barium durch die Muttermilch aufnehmen. Bei den Kindern lagert sich Barium dann in den Zähnen ab.
Sie wissen schon aus Abschnitt 3, dass sich die Zähne über einen Zeitraum von mehreren Jahren schichtweise aufbauen. In den Phasen, in denen die Kinder gestillt werden, finden sich Spuren von Barium in den Zahnschichten, die während dieser Zeit gebildet werden. In den Phasen, in denen die Kinder nicht gestillt werden, findet sich auch kein Barium in den in dieser Zeit gebildeten Zahnschichten. Durch Barium lassen sich also Rückschlüsse darauf ziehen, wann und wie lange die Kinder Muttermilch erhielten. Das entspricht **Antwortoption c**.
Antwortoption a ist nicht korrekt, da im Text nicht gesagt wird, dass Barium eine Auswirkung auf die Qualität der Muttermilch hat.
Die Antwortoptionen b und d sind ebenfalls falsch, da das Hauptinteresse der Forscher nicht die Zähne an sich waren, sondern das Stillverhalten der Vormenschen, über das sie mithilfe der Zahnanalyse Informationen erhalten konnten.

Frage 5:

Schlüsselwörter: „Barium-Werte", „Schwanken", „bis 18 Monaten"; „sinkende", „von eineinhalb bis fünf Jahren"; „kontinuierlichen Anstieg", „während ersten Lebensjahres"; „keinen Anstieg", „nach fünf Jahren"

Relevante Textstelle:

> Danach wiederholte sich ein ähnliches Auf und Ab der Barium-Werte regelmäßig, bis die kleinen Australopithecinen vier oder fünf Jahre alt waren.

Die Barium-Werte in den Zahnschichten schwankten, solange die Kinder gestillt wurden. Nach dem Stillen steigen sie nicht mehr. Das entspricht **Antwortoption d**.

➲ Die kommentierten Lösungen zu Frage 6 und 7 finden Sie auf S. 163.

Sprachhandlungen zuordnen

- Bei diesem Prüfungsteil sollen Sie die kommunikative Absicht eines Sprechers / einer Sprecherin erkennen.
- Kommunikative Absichten können auf verschiedene Weise sprachlich realisiert werden, zum Beispiel durch bestimmte Redemittel.
- Kommunikative Ziele können aber auch implizit vorhanden sein.

Vorübungen

1. a **Markieren Sie im Text die Redemittel, die die kommunikative Absicht eines Sprechers / einer Sprecherin erkennen lassen, und notieren Sie sie.**

Uni-Rankings

Uni-Rankings sind umstritten. Tatsächlich ist es fragwürdig, ob man damit die richtige Hochschule für sein Studium finden kann. Es steht zwar außer Zweifel, dass es Unterschiede bei der Leistung der Hochschulen gibt. Allerdings lässt sich einwenden, dass Rankings im Allgemeinen die Hochschulen als Ganzes bewerten und daher wenig dabei helfen, die Qualität eines bestimmten Studienfaches zu beurteilen. Man sollte sich daher bewusst sein, dass der allgemeine Ruf einer Hochschule wenig für „Orchideenfächer“ nutzt, da er sich meist nur auf die „großen“ Fächer bezieht. Bedenken sollte man außerdem, dass es in Deutschland insgesamt über 500 Hochschulen gibt – und viele, viele Tausend Studienfächer. Das macht es schwierig, über alle Einrichtungen aktuelle und korrekte Daten zu ermitteln. Die große Bedeutung, die Rankings für viele zukünftige Studierende haben, ist angesichts der vorhandenen Defizite durchaus zu beklagen. Es wäre daher wünschenswert, dass die jungen Menschen auch noch andere Kriterien berücksichtigen würden.

Redemittel: *Tatsächlich ist es fragwürdig, ...* ____________________

____

b **Welcher Satz bringt die jeweilige kommunikative Absicht zum Ausdruck? Kreuzen Sie an.**

1. vor etwas warnen

- ◯ **a)** Es ist dringend davon abzuraten, die Aussagekraft von Hochschulrankings überzubewerten.
- ◯ **b)** Es ist unbestritten, dass Hochschulrankings eine enorme Aussagekraft haben.
- ◯ **c)** Ich kann mir nicht vorstellen, dass Hochschulrankings eine große Aussagekraft haben.

2. etwas prognostizieren

- ◯ **a)** Ein steigender Einfluss der Hochschulrankings auf die Studienwahl ist zu erwarten.
- ◯ **b)** Ich schlage vor, beim Erstellen von Hochschulrankings die Meinung der Studierenden stärker zu berücksichtigen.
- ◯ **c)** Wie viele Studierende ihre Studienwahl von Rankings abhängig machen, ist erstaunlich.

3. etwas kritisieren

- ◯ **a)** Die finanzielle Förderung einiger Fakultäten durch private Sponsoren ist nicht verwerflich.
- ◯ **b)** Die wachsende finanzielle Abhängigkeit mancher Fakultäten von privaten Sponsoren ist zu verurteilen.
- ◯ **c)** Wahrscheinlich werden bald mehr Fakultäten durch private Sponsoren unterstützt.

4. an etwas zweifeln

- ◯ **a)** Es ist fraglich, welche Institutionen und Interessen hinter manchen Rankings stecken.
- ◯ **b)** Es ist fraglos, dass hinter jedem Ranking bestimmte Institutionen und Interessen stecken.
- ◯ **c)** Dass sich hinter allen Rankings bestimmte Interessen verbergen, steht außer Frage.

5. etwas bedauern

- ◯ **Den Professoren ist zu raten, sich mehr auf ihre Publikationen zu konzentrieren.**
- ◯ **b)** Es ist schade, dass sich manche Professoren nur noch auf ihre Publikationen konzentrieren.
- ◯ **c)** Wir rufen die Professoren dazu auf, sich nicht nur auf ihre Publikationen zu konzentrieren.

6. etwas begrüßen

- ◯ **a)** Ein größeres Mitspracherecht der Studierenden heiße ich willkommen.
- ◯ **b)** Die Studierenden sollten zwar mehr Mitsprachemöglichkeiten haben, aber nicht in allen Bereichen.
- ◯ **c)** Ich plädiere für ein größeres Mitspracherecht für die Studierenden.

7. etwas vermuten

- ◯ **a)** Die Einführung weiterer neuer Studiengänge ist verfehlt.
- ◯ **b)** Es könnte sein, dass weitere neue Studiengänge eingeführt werden.
- ◯ **c)** Ich halte es für undenkbar, dass weitere neue Studiengänge eingeführt werden.

8. etwas empfehlen

- ◯ **a)** Es ist am besten, dass die Studierenden sich persönlich informieren.
- ◯ **b)** Man kann davon ausgehen, dass viele Studierende sich lieber persönlich informieren.
- ◯ **c)** Mir wäre es lieber, wenn die Studierenden sich persönlich informieren würden.

c **Wie ist die kommunikative Absicht in den verschiedenen Sätzen sprachlich realisiert? Markieren Sie die Redemittel in 1. b und ordnen Sie sie in der Tabelle der entsprechenden Redeabsicht zu. Ergänzen Sie auch die Redemittel aus 1. a.**

prognostizieren:	vermuten:	warnen: *Es ist dringend davon abzuraten ...*	kritisieren:	ablehnen:
appellieren:	empfehlen:	wünschen:	begrüßen:	verteidigen:
bedauern:	zweifeln:	relativieren, abwägen:	überzeugt sein:	überrascht sein:

Hinweis: Es gibt natürlich noch viele weitere kommunikative Ziele, wie z.B. abwerten, zustimmen, widerlegen, hinterfragen, beruhigen, anklagen, …

Tipp: Legen Sie sich selbst eine Liste mit weiteren kommunikativen Zielen an und ergänzen Sie nach und nach die entsprechenden Redemittel.

Manche kommunikativen Ziele haben bestimmte Gemeinsamkeiten, aber gleichzeitig unterscheiden sie sich auch. In dieser Situation muss man besonders gut überlegen, um die kommunikative Absicht präzise zu erfassen. Der Kontext spielt eine wichtige Rolle dafür.

2. a Ordnen Sie die kommunikativen Absichten im Schüttelkasten den entsprechenden Erklärungen zu.

ablehnen | appellieren | begrüßen | empfehlen | kritisieren | prognostizieren | warnen | vermuten | wünschen | zweifeln

	Kommunikative Absicht	Erklärung
1. a)	______________________	: unverbindlich etwas vorschlagen
b)	______________________	: zum Handeln auffordern
2. a)	______________________	: etwas positiv bewerten, zustimmend aufnehmen
b)	______________________	: auf etwas hoffen, dass es noch nicht gibt
3. a)	______________________	: eine künftige Entwicklung vorhersagen
b)	______________________	: deutlich auf eine Gefahr oder Schwierigkeit aufmerksam machen
c)	______________________	: etwas annehmen, ohne es sicher zu wissen
4. a)	______________________	: unsicher sein in Bezug auf etwas
b)	______________________	: mit etwas nicht einverstanden sein, etwas negativ beurteilen
c)	______________________	: etwas nicht akzeptieren, etwas verneinen

b Überlegen und beschreiben Sie: Welche Gemeinsamkeiten gibt es jeweils zwischen den kommunikativen Zielen in den vier Gruppen? Was sind die Unterschiede?

Hinweis: Kommunikative Ziele lassen sich auch ohne die Verwendung bestimmter Redemittel implizit zum Ausdruck bringen.

3. Welche kommunikative Absicht wird zum Ausdruck gebracht? Kreuzen Sie an.

1. Bei jedem Hochschulranking wird durch die Auswahl und Gewichtung der Kriterien eine Wahl getroffen. Lehre und Forschung umfasst aber viele Facetten, die durch einen Platz in einer Rangliste nicht angemessen ausgedrückt werden können.

- ◯ **a)** Der Autor kritisiert etwas.
- ◯ **b)** Der Autor lehnt etwas ab.
- ◯ **c)** Der Autor zweifelt an etwas.

2. Was in Hochschulrankings auf fragwürdiger empirischer Basis zu einem Ort „guter" oder „schlechter" Ausbildung erklärt wird, entwickelt sich möglicherweise auf lange Sicht auch in der Realität zu einem solchen, wenn nämlich die zugeteilten finanziellen Mittel sich an den Rankings orientieren. Meiner Ansicht nach gilt es das zu verhindern.

- ◯ **a)** Der Autor prognostiziert etwas.
- ◯ **b)** Der Autor vermutet etwas.
- ◯ **c)** Der Autor warnt vor etwas.

3. Die Methodik unseres Hochschulrankings wird von nationalen und internationalen Ranking-Experten als vorbildlich bezeichnet. Die Entscheidung einiger Universitäten, daran nicht mehr teilzunehmen, kommt daher völlig unerwartet.

- ◯ **a)** Der Autor bedauert etwas.
- ◯ **b)** Der Autor ist von etwas überrascht.
- ◯ **c)** Der Autor kritisiert etwas.

Beispielaufgabe mit Lösungshinweisen

- Für Lesen 4 haben Sie 6 Minuten Zeit.
- Sie bekommen einen kurzen Text von 220 bis 270 Wörtern, in dem ein Thema des allgemeinen Interesses kontrovers diskutiert wird.
- In dem Text sind vier Sätze markiert und nummeriert. Sie müssen die kommunikativen Absichten erkennen, die in diesen Sätzen zum Ausdruck kommen.
- Um das zu tun, gibt es zum Text acht Items, die jeweils ein anderes kommunikatives Ziel nennen. Den vier Sätzen im Text müssen Sie vier dieser Items korrekt zuordnen.

So gehen Sie vor:

1. Zuerst **lesen** Sie die **Überschrift**, um einen Hinweis auf das Thema zu erhalten.
2. Danach **lesen** Sie zügig den gesamten **Text** durch. Überlegen Sie schon beim ersten Lesen, ob Sie in den markierten Sätzen kommunikative Ziele erkennen. **Achten** Sie darauf, ob bestimmte **Redemittel** für kommunikative Ziele in den Sätzen verwendet werden, oder ob Sie andere Wörter finden, die die kommunikative Intention des Sprechers zeigen. **Markieren** Sie diese **Redemittel** und Wörter im Text. So können Sie sich beim zweiten Lesen schneller orientieren. Machen Sie sich eine kleine Notiz, wenn Sie glauben, dass Sie in einem der nummerierten Sätze eine kommunikative Absicht erkennen. Berücksichtigen Sie auch den Kontext der markierten Sätze, also die Sätze davor und danach. Sie können helfen, die kommunikative Absicht zu erkennen.
3. Nach dem Text **lesen** Sie die acht **Items**. Vielleicht sehen Sie gleich beim ersten Lesen der Items ein kommunikatives Ziel, das Sie selbst schon erkannt haben. Seien Sie besonders aufmerksam bei kommunikativen Absichten, zwischen denen eine Ähnlichkeit besteht.
4. **Lesen** Sie nun jeden der vier markierten **Sätze** noch einmal durch und **vergleichen** Sie ihn mit den zur Auswahl stehenden **Items**.
5. **Entscheiden** Sie, welches **kommunikative Ziel** in jedem Satz enthalten ist und **ordnen** Sie jeden Satz dem passenden Item zu.

1. **Ordnen Sie die Textstellen (1 – 4) den Aussagen darunter zu.**

Kommentar einer Expertin zum Zentralabitur

Es gibt keinen Zweifel: die Qualität des Abiturs unterscheidet sich nicht nur zwischen den Bundesländern. Von Ort zu Ort, von Schule zu Schule, ja selbst innerhalb einer Einrichtung lassen sich die Ergebnisse beim Abitur nicht vergleichen. **[1]** Unter solchen Voraussetzungen die Zulassung zum Studium von Zehntelnoten nach dem Komma abhängig zu machen, ist nicht nur falsch, es ist unverantwortlich gegenüber den Bewerbern und den aufnehmenden Hochschulen. Beide haben einen Anspruch auf ein transparentes und faires Zulassungsverfahren.

Versuche, die Abiturnoten vergleichbarer zu gestalten, sind bislang gescheitert. Die Voraussetzungen bei den Prüfungen und den Beurteilungen sind zu verschieden, als dass gerechtere Ergebnisse erwartet werden können. Auch ein Zentralabitur mit einheitlichen Aufgaben wird das Problem nicht lösen. **[2]** Selbst wenn die Anforderungen gleich gestaltet würden, würden Unterschiede bei der Bewertung bleiben. Man sollte ehrlich zugeben, dass auf diese Weise keine Abhilfe eintreten kann.

Der Zustand ist aber so unbefriedigend, dass Handlungsbedarf besteht. Eine Möglichkeit wäre, das komplizierte Verfahren bei der Vergabe von Studienplätzen zu ändern. **[3]** Man sollte die Zulassung allein den Hochschulen überlassen. Auf jeden Fall müsste das für die Universitäten gelten. Eine Freigabe bei der Bewerbung um Studienplätze würde zunächst Chaos verursachen, weil Mehrfachbewerbungen die zuständigen Stellen überfordern würden. Nach einiger Zeit aber würde sich das Verfahren einpendeln. Es würde bekannt sein, welche Anforderungen einzelne Universitäten stellen, wo welche Schwerpunkte die Chancen der Bewerberinnen und Bewerber verbessern.

Auch das wäre vermutlich kein ideales System, aber auf jeden Fall besser als die Zulassung nach unvergleichbaren, insofern nichtssagenden Abiturnoten, die darüber entscheiden, wie der zukünftige Ausbildungs- und Lebensweg eines Menschen verlaufen wird. **[4]** Schaffen wir also fairere Bedingungen für unsere junge Generation.

Hinweis: Die Nummerierung bezieht sich immer auf den **nachfolgenden Satz.**

Aussagen

- **a)** Die Expertin appelliert an jemanden.
- **b)** Die Expertin begrüßt etwas.
- **c)** Die Expertin empfiehlt etwas.
- **d)** Die Expertin kritisiert etwas.
- **e)** Die Expertin sorgt sich über etwas.
- **f)** Die Expertin stellt eine Hypothese auf.
- **g)** Die Expertin warnt vor etwas.
- **h)** Die Expertin zweifelt an etwas.

So finden Sie die richtige Lösung:

Satz 1:
Im Text wird gesagt, dass sich die Ergebnisse beim Abitur nicht vergleichen lassen, und dass es deshalb gegenüber Studierenden und Hochschulen falsch und unverantwortlich ist, die Zulassung zum Studium von Abiturnoten abhängig zu machen.
Durch die Adjektive „falsch" und „unverantwortlich" bringt der Satz eine deutlich negative Bewertung der bestehenden Situation zum Ausdruck. Wenn wir die kommunikativen Absichten in den Items analysieren, stellen wir fest, dass sich d, e, g und h grundsätzlich mit negativen Äußerungen in Verbindung bringen lassen. „sich sorgen" und „zweifeln" wären aber in ihrer Bedeutung zu schwach für das sehr negative Urteil in Satz 1. „warnen" passt auch nicht, weil es sich auf eine zukünftige Entwicklung bezieht, während Satz 1 über eine schon bestehende Situation spricht. Es bleibt also nur **Option d „kritisieren"**. Dieses Verb passt sehr gut. Mit seinem negativen Urteil will der Sprecher die aktuelle Situation kritisieren.

Satz 2:
In Satz 2 stellt der Autor eine Behauptung auf: Selbst wenn alle Schüler dieselben Abituraufgaben bekommen würden, würden die Lehrer die Prüfungen unterschiedlich bewerten, wodurch die Abiturergebnisse immer noch nicht vergleichbar wären. Diese Annahme ist jedoch rein hypothetisch und es gibt dafür keinen Beweis. Zu Satz 2 gehört demnach **Option f „eine Hypothese aufstellen"**. „warnen" wäre keine zutreffende Beschreibung der kommunikativen Absicht des Autors, da die Vorhersage recht nüchtern vorgebracht und nicht als drohende Gefahr dargestellt wird.

Satz 3:
In Satz 3 erklärt der Autor, was seiner Meinung nach eine gute Vorgehensweise bei der Vergabe von Studienplätzen wäre: Ausschließlich die Hochschulen entscheiden zu lassen, wen sie zum Studium zulassen wollen. Er nutzt in seiner Formulierung das Modalverb „sollen" und den Konjunktiv II. „sollen" in der Form des Konjunktiv II verwendet man generell, um eine Empfehlung auszusprechen. Zu Satz 3 gehört also **Option c „empfehlen"**. „begrüßen" würde hier nicht passen, da die vorgeschlagene Maßnahme ja nur ein Wunsch ist, aber noch keine Realität.

Satz 4:
In Satz 4 formuliert der Autor eine Aufforderung zum Handeln: Er ruft dazu auf, mehr Gerechtigkeit bei der Verteilung von Bildungschancen herzustellen. Dafür nutzt er den Imperativ, also die sprachliche Form, die für Aufforderungen und Befehle verwendet wird. Der Imperativ zeigt an, dass es sich hier nicht um eine unverbindliche Empfehlung handelt, sondern um einen Appell. Zu Satz 4 gehört also **Option a „appellieren"**.

Aussagen Kategorien zuordnen

- Bei Aufgabentyp 5 des Leseverstehens lesen Sie einen Text, in dem verschiedene Konzepte, Ansätze oder Kategorien vergleichend vorgestellt und diskutiert werden.
- Anschließend sollen Sie kurze Aussagen über diesen Text der richtigen Kategorie zuordnen.
- Die Items folgen nicht dem Textverlauf.

Vorübungen

1. **Welche der drei Aussagen a) bis c) gibt den Inhalt korrekt wieder? Kreuzen Sie an.**

1. Es ist möglich, so sagen Forscher, Rohstoffe, die auf alten Mülldeponien lagern, zu recyceln. Das ist aufwendig, aber es lohnt sich angesichts immer knapper werdender Ressourcen.

◯ **a)** Forscher halten es für keinesfalls unmöglich, auf alten Mülldeponien lagernde Stoffe wiederzuverwerten.
◯ **b)** Man kann auf alten Mülldeponien lagernde Stoffe problemlos recyceln.
◯ **c)** Weil die natürlichen Ressourcen immer knapper werden, sieht man sich gezwungen, Rohstoffe, die auf alten Mülldeponien lagern, zu recyceln.

2. Wenn man in Deutschland einen PKW besitzt, muss man nicht nur Kraftfahrzeugsteuer bezahlen, sondern auch eine Haftpflichtversicherung abschließen. Diese stellt sicher, dass der Unfallgegner seinen Schaden ersetzt bekommt, wenn der Fahrer einen Unfall verursacht. Der Abschluss einer Teil- oder Vollkaskoversicherung ist bei neueren Autos ebenfalls empfehlenswert.

◯ **a)** Wenn man einen Neuwagen kauft, muss man eine Teil- oder Vollkaskoversicherung abschließen.
◯ **b)** Der Besitzer eines PKWs muss weder eine Haftpflichtversicherung noch eine Teil- oder Vollkaskoversicherung abschließen.
◯ **c)** Im Falle eines selbstverschuldeten Unfalls zahlt die Haftpflichtversicherung dem Unfallgegner seinen Schaden.

2. **Lesen Sie den kurzen Text und markieren Sie, welche Aussagen richtig (R) und welche falsch (F) sind.**

Frühstücken ist gesund, wie eine Analyse des Deutschen Diabetes-Zentrums in Düsseldorf gezeigt hat. Menschen, die auf ein Frühstück verzichten, haben ein um 55 % erhöhtes Risiko, an Diabetes zu erkranken. Den möglichen Grund dafür sehen Wissenschaftler darin, dass Menschen, die nicht frühstücken, tagsüber häufiger Getränke oder Snacks zu sich nehmen, die viele Kalorien enthalten.

◯ **a)** Bei Menschen, die nicht frühstücken, sinkt das Risiko, an Diabetes zu erkranken.
◯ **b)** Menschen, die nicht frühstücken, greifen den Tag über zu kalorienreichen Lebensmitteln.
◯ **c)** Wenn man frühstückt, ist die Gefahr, an Diabetes zu erkranken, geringer.
◯ **d)** Die Wissenschaftler haben nachgewiesen, dass Menschen, die nicht frühstücken, tagsüber ein Vielfaches an Kalorien zu sich nehmen.
◯ **e)** Eine kalorienarme Ernährung ist typisch für Menschen, die frühstücken.
◯ **f)** Menschen, die frühstücken, haben ein geringeres Risiko, Diabetes zu bekommen.
◯ **g)** Forscher vermuten, dass nicht-frühstückende Menschen am Tag mehr kalorienreiche Imbisse zu sich nehmen.

3. Lesen Sie den folgenden Text und ordnen Sie anschließend die Stichpunkte aus dem Schüttelkasten den Kategorien zu.

Seit Johannes Gutenberg den Buchdruck erfunden hatte, wurden Bücher für eine breitere Masse zugänglich – zuvor wurden Bücher mit der Hand geschrieben und nur eine privilegierte Schicht konnte sich diese leisten. Vor einigen Jahren hat Gutenbergs Erfindung Konkurrenz bekommen: das E-Book. Gegenüber dem gedruckten Buch hat es den klaren Vorteil, dass es viel weniger wiegt – im Schnitt 180 Gramm – und in jede Handtasche passt. Zudem spart es Stauraum, denn man kann dort bis zu 2000 Bücher speichern. Praktisch ist das vor allem auf Reisen, und den Platz, den die Bücherregale in der Wohnung oder im Haus einnehmen würden, kann man für etwas anderes nutzen. Andererseits sehen gedruckte Bücher mit einem schönen Cover sehr dekorativ aus und vermitteln den Eindruck von Bildung. Neuerscheinungen kann man allerdings viel schneller als E-Book bekommen, in der Regel schon innerhalb von Sekunden. Und man ist auch nicht an Ladenöffnungszeiten gebunden. Auch findet man Zitate schneller, weil es eine Suchfunktion gibt. Anhänger gedruckter Bücher dagegen nennen als Vorteil das positive Gefühl, wenn sie das Papier anfassen und den guten Geruch eines neuen Buchs. Und gedruckte Bücher kann man besser verleihen oder verschenken. Immer noch sind Bücher beliebte Geschenke – wer möchte schon einen Gutschein zum Herunterladen eines E-Books unter dem Weihnachtsbaum finden?

1. bequem auf Reisen | 2. spart Platz | 3. als Geschenk geeignet | 4. besser zu lesen bei Sonnenschein | 5. gutes Gefühl beim Anfassen | 6. empfindlich, geht schnell kaputt | 7. geringes Gewicht | 8. dekorativ | 9. kann man problemlos weiter verkaufen |10. schnell verfügbar | 11. Zitate schnell zu finden | 12. jederzeit zu kaufen |13. ist preiswerter

gedrucktes Buch: ______________________________

E-Book: ______________________________

nicht im Text: ______________________________

4. Lesen Sie nun einen kurzen Text zum Thema „Leben in der Stadt oder auf dem Land?". In der Tabelle auf der nächsten Seite sind die Aussagen den Kategorien bereits zugeordnet. Unterstreichen Sie die jeweils passende Textstelle. Warum passen die Aussagen 5 und 6 nicht? Begründen Sie.

Mit der zunehmenden Zahl der Weltbevölkerung ist zu beobachten, dass auch die Bevölkerungszahl in den Städten wächst. Für diese Tatsache ist eine Reihe von Gründen verantwortlich: Zwar ist das Leben auf dem Land ruhiger und die Luft ist besser, aber es gibt auch weniger Arbeitsmöglichkeiten. Das liegt zum einen daran, dass vor allem in den sogenannten Entwicklungsländern immer mehr Maschinen in der Landwirtschaft eingesetzt werden, aber zum anderen auch daran, dass es auf dem Land wenig Geschäfte, Banken oder Dienstleistungsbetriebe gibt, die Mitarbeiter benötigen. Trotz der schlechteren Luft in der Stadt, des Verkehrslärms und der Verkehrsdichte zieht es deshalb die Menschen in die Stadt.

Allgemein wird behauptet, dass das Leben auf dem Land weniger anonym als in der Stadt ist, weil im Dorf jeder jeden kennt. Doch auch in den Stadtvierteln der großen Städte ist zunehmend zu beobachten, dass sich soziale Netzwerke ausbilden, sodass die Menschen einander besser kennenlernen. Daneben bieten die Städte aber auch sehr viele Freizeitmöglichkeiten wie Theater, Kinos, Museen, Gaststätten usw. Nicht zu vergessen ist auch die Tatsache, dass es eine bessere medizinische Versorgung gibt, weil viele niedergelassene Ärzte Spezialisten sind und auch viele Krankenhäuser zur Verfügung stehen. Zudem gibt es in den Städten bessere Ausbildungsmöglichkeiten. Stadtkinder haben die Wahl zwischen vielen verschiedenen Schulen, während es im Dorf meist nur eine einzige Schule gibt, sodass die Kinder und Jugendlichen, die eine weiterführende Schule, z. B. ein Gymnasium besuchen möchten, oft sehr lange Strecken mit dem Bus in die nächste Stadt zurücklegen müssen.

	Stadt	Land	beide	passt nicht
1. Hier gibt es bessere Bildungsmöglichkeiten.	X			
2. Hier gibt es gute soziale Kontakte.			X	
3. Hier gibt es weniger Luftverschmutzung.		X		
4. Hier gibt es viele Fachärzte.	X			
5. Die Schüler, die hier wohnen, haben immer lange Schulwege.				X
6. Hier gibt es kaum Freizeitmöglichkeiten.				X
7. Hier findet man schlechter eine Arbeitsstelle.		X		

Aussage 5 passt nicht: ______________________________

Aussage 6 passt nicht: ______________________________

Beispielaufgabe mit Lösungshinweisen

- In Aufgabentyp 5 sollen Sie Textaussagen bestimmten Kategorien zuordnen.
- Der Text umfasst 320 bis 370 Wörter.
- Es werden im Text zwei oder mehr Konzepte, Vorstellungen, Ansätze oder Kategorien vorgestellt, in den Items werden jedoch nur zwei Konzepte abgefragt.
- Es sind insgesamt sieben Items. Diese folgen **nicht** dem Textverlauf.
- Sie müssen die Aussagen vier Kategorien zuordnen. Für jede Aussage gibt es nur **eine** richtige Lösung.
- Sie haben für diese Aufgabe 9 Minuten Zeit.

So gehen Sie vor:

1. Lesen Sie zunächst die Überschrift des Textes. Diese gibt Ihnen einen Hinweis auf das Thema.
2. Bevor Sie den Text lesen, schauen Sie sich im nächsten Schritt die Tabelle an: Lesen Sie die Aussagen 1 bis 7 sowie die vier Kategorien in der obersten Zeile der Tabelle. Diese Informationen geben Ihnen schon wichtige Hinweise, worauf Sie beim Lesen des Textes achten müssen.
3. Lesen Sie den Text beim ersten Mal zügig durch. Markieren Sie ggf. Schlüsselwörter oder Textpassagen, die Ihnen wichtig erscheinen. Werden in dem Text mehr als zwei Kategorien, Konzepte oder Ansätze verglichen? Wenn ja, welche Aspekte sind in der Tabelle nicht abgebildet? Sie könnten dazu dienen, die Items, die nicht passen, abzubilden!
4. Schauen Sie sich dann die Items noch einmal genau an und vergleichen Sie sie mit dem Text.
5. Ordnen Sie jeder Aussage eine Kategorie zu.

1. **Lesen Sie den Text und ordnen Sie die Aussagen 1–7 den vier Kategorien zu: Entscheiden Sie für jede Aussage, ob sie zur GmbH, zur KG, zu beiden oder gar nicht passt.**

Die Unternehmensformen in Deutschland

In Deutschland gibt es eine ganze Reihe verschiedener Formen von Unternehmen.

Bei einer Gesellschaft mit beschränkter Haftung, abgekürzt GmbH genannt, handelt es sich um eine Handelsgesellschaft, bei der die persönliche Haftung der Gesellschafter, also der Unternehmer, ausgeschlossen ist. Das bedeutet, dass die Unternehmer nicht direkt mit ihrem privaten Vermögen haften. Eine GmbH ist Rechtsträger, was bedeutet, dass sie unter anderem vor Gericht klagen und auch verklagt werden kann. Eine GmbH kann durch eine oder mehrere Personen gegründet werden. Bei der Gründung ist ein Mindestkapital festzulegen, das sogenannte Stammkapital, das durch die Personen, die die Gesellschaft gründen, aufgebracht werden muss und während des Bestehens der GmbH nicht an die Unternehmer ausgezahlt werden darf. Das Kapital kann auch in Form von Sacheinlagen aufgebracht werden, das können z. B. Immobilien oder Maschinen sein.

Eine Aktiengesellschaft ist eine Unternehmensform, die sich für Firmen anbietet, die einen großen Bedarf an Kapital haben. Sie zeichnet sich dadurch aus, dass sie Anteile (Aktien) an Personen – auch Privatpersonen – verkauft. Die Haftung der Mitglieder, die man Aktionäre nennt, ist auf den Geldbetrag, beschränkt, den sie für die Aktien bezahlt haben.

Eine Gesellschaft bürgerlichen Rechts (Abkürzung GbR, GdbR oder auch BGB-Gesellschaft) ist eine Gemeinschaft von mindestens zwei Rechtssubjekten. Rechtssubjekte können natürliche Personen sein, also Menschen, aber auch sogenannte juristische Personen wie z. B. Vereine. Sie ist durch ein Urteil des deutschen Bundesgerichtshofs seit dem Jahr 2001 ebenfalls Rechtsträgerin. Durch einen Gesellschaftsvertrag verpflichten sich die Gesellschafter dazu, einen gemeinsamen Zweck zu fördern, der durch den Vertrag festgelegt ist.

Der Begriff „Kommanditgesellschaft“ (abgekürzt KG) ist aus dem Französischen abgeleitet, wo „commandite“ „Geschäftsanteil“ bedeutet. Es handelt sich hier um eine Handelsgesellschaft, bei der mindestens ein Gesellschafter für die eventuellen Schulden des Unternehmens persönlich mit seinem gesamten Vermögen haftet. Der andere Gesellschafter – oder zumindest einer, wenn es mehrere gibt – haftet nur mit der Geldsumme, die bei Vertragsabschluss im Handelsregister, d. h. einem öffentlichen Verzeichnis, in dem Eintragungen über die angemeldeten Kaufleute verzeichnet sind, eingetragen wurde. Auch eine KG ist Rechtsträgerin und kann somit verklagt werden bzw. selbst vor Gericht gehen.

	GmbH	KG	beide	passt nicht
1. Mindestens einer der Unternehmer haftet mit allem, was er besitzt.				
2. Diese Unternehmensform ist für Firmen geeignet, die sehr viele finanzielle Mittel benötigen.				
3. Diese Unternehmensform ist eine Handelsgesellschaft.				
4. Die Unternehmer haften nicht mit ihren eigenen Vermögen.				
5. Bei dieser Unternehmensform werden Firmenanteile an andere Personen verkauft.				
6. Unternehmen dieser Form können verklagt werden.				
7. Die Unternehmer dieser Unternehmensform sind verpflichtet, einen bestimmten Zweck zu fördern.				

So finden Sie die richtige Lösung:

Aussage 1:

Um entscheiden zu können, welche der vier Kategorien auf Aussage 1 zutrifft, gehen Sie den Text noch einmal Absatz für Absatz durch und suchen nach Entsprechungen. Erst im vierten Abschnitt zur „Kommanditgesellschaft“ finden Sie die passende Information. Statt „Unternehmer“ wird im Text das Synonym „Gesellschafter“ verwendet. Und „mit allem, was er besitzt“ ist die Umschreibung für „persönlich mit seinem gesamten Vermögen“. Das Wort „mindestens“ kommt sowohl in der Aussage als auch im Text vor. Es ist ein gutes Schlüsselwort, das Ihnen bestätigt, dass Sie die richtige Stelle im Text identifiziert haben.

Der Begriff „Kommanditgesellschaft“ ist aus dem Französischen abgeleitet, wo „commandite“ „Geschäftsanteil“ bedeutet. Es handelt sich hier um eine Handelsgesellschaft, bei der **mindestens ein Gesellschafter** für die eventuellen Schulden des Unternehmens **persönlich mit seinem gesamten Vermögen haftet**.

Aussage 2:
Die entscheidende Information ist hier, dass diese Unternehmen viel Kapital (finanzielle Mittel) brauchen. Im zweiten Abschnitt über die Aktiengesellschaft steht:

Eine Aktiengesellschaft ist eine Unternehmensform, die sich für **Firmen** anbietet, **die einen großen Bedarf an Kapital haben**.

Die Kategorie „Aktiengesellschaft“ ist in der Tabelle nicht abgebildet. Die Information bezüglich der großen Kapitalmenge findet sich an keiner anderen Stelle im Text, deshalb muss man hier „passt nicht“ ankreuzen, obwohl die Information im Text steht.

Aussage 3:

Hier ist die Schlüsselinformation „sind Handelsgesellschaften". Wenn Sie diese Information im Text suchen, finden Sie sie an zwei Stellen:

a) Bei einer Gesellschaft mit beschränkter Haftung, abgekürzt GmbH genannt, handelt es sich um eine Handelsgesellschaft [...]

b) Der Begriff „Kommanditgesellschaft ist aus dem Französischen abgeleitet, wo „commandite" „Geschäftsanteil" bedeutet. Es handelt sich hier um eine Handelsgesellschaft [...]

Beide Kategorien sind in der Tabelle abgefragt, deshalb muss man hier „beide" ankreuzen.

Aussage 4:

Die wichtigen Wörter sind hier „haften nicht" und „mit eigenem Vermögen". „Eigenes Vermögen" bedeutet so viel wie „Privatvermögen". Dazu gibt es nur eine Textstelle, die sich auf die GmbH bezieht:

Bei einer Gesellschaft mit beschränkter Haftung, abgekürzt GmbH genannt, handelt es sich um eine Handelsgesellschaft, bei der die persönliche Haftung der Gesellschafter, also der Unternehmer, ausgeschlossen ist. Das bedeutet, dass **die Unternehmer nicht** direkt **mit ihrem privaten Vermögen haften**.

Aussage 5:

Hier sind die wichtigen Wörter „Firmenanteile verkauft". Diese Information finden Sie an folgender Textstelle:

Eine Aktiengesellschaft ist eine Unternehmensform, die sich für Firmen anbietet, die einen großen Bedarf an Kapital haben. Sie zeichnet sich dadurch aus, dass sie Anteile (Aktien) an Personen – auch Privatpersonen – verkauft.

Diese Textstelle bezieht sich auf Aktiengesellschaften, da diese Kategorie nicht in der Tabelle abgebildet ist, müssen Sie hier „passt nicht" ankreuzen.

Aussage 6:

Diese Aufgabe ist etwas schwieriger. Am Anfang des Textes erfahren Sie, dass eine GmbH ein „Rechtsträger" ist und was „Rechtsträger" bedeutet:

Eine GmbH ist Rechtsträger, was bedeutet, dass sie unter anderem vor Gericht klagen und auch **verklagt werden kann**.

Im weiteren Verlauf taucht das Wort „Rechtsträger" noch zweimal auf, einmal in Bezug auf die Gesellschaft bürgerlichen Rechts, am Ende des Textes in Bezug auf die KG:

Auch **eine KG ist Rechtsträgerin** und kann somit verklagt werden bzw. selbst vor Gericht gehen.

Also müssen Sie hier „beide" ankreuzen.

Aussage 7:

Die Schlüsselwörter sind hier „einen bestimmten Zweck zu fördern". Dies findet sich in folgender Textstelle:

Eine Gesellschaft bürgerlichen Rechts (Abkürzung GbR, GdbR oder auch BGB-Gesellschaft) ist eine Gemeinschaft von mindestens zwei Rechtssubjekten. Rechtssubjekte können natürlich Personen sein, also Menschen, aber auch sogenannte juristische Personen wie z.B. Vereine. Sie ist durch ein Urteil des deutschen Bundesgerichtshofs seit dem Jahr 2001 ebenfalls Rechtsträgerin. Durch einen Gesellschaftsvertrag **verpflichten sich die Gesellschafter** dazu, **einen gemeinsamen Zweck zu fördern**, der durch den Vertrag festgelegt ist.

Sie sehen aber, dass sich diese Textstelle auf die Gesellschaft bürgerlichen Rechts bezieht und auf keine der beiden abgefragten Kategorien. Also ist die passende Antwort „passt nicht".

Aussagen einem Begriffspaar zuordnen

- Im sechsten Aufgabentyp des Leseverstehens sollen Sie Aussagen einem Begriffspaar zuordnen.
- Es gibt insgesamt acht Aussagen, von denen vier falsch sind.

Vorübungen

1. **Ordnen Sie die Begriffspaare aus dem Schüttelkasten den Beispielen a) bis h) zu.**

Argument – Begründung | Maßnahme – Schwierigkeit | Problem – Lösung (2x) |
Ursache – Wirkung | Anforderung – Schwierigkeit (2x) | Maßnahme – Wirkung

Umweltprobleme

a) Ein Fahrverbot in den Innenstädten erscheint sinnvoll, da es durch den immer dichter werdenden Verkehr und den vermehrten Ausstoß von Abgasen zu einer stärkeren Luftverschmutzung kommt.

____

b) Ein Fahrverbot in den Innenstädten ist problematisch, weil man die Pendler davon überzeugen muss, auf öffentliche Verkehrsmittel umzusteigen.

____

c) Die deutsche Automobilindustrie wird nicht darum herumkommen, Autos mit umweltfreundlichen Antriebstechnologien zu bauen. Das stellt eine große Herausforderung dar, weil die Stärke der deutschen Autohersteller immer noch der Verbrennungsmotor ist.

____

d) Um die von der EU vorgegebenen CO2-Grenzwerte einzuhalten, dürfte ein Auto, das mit Benzin fährt, nur zwei bis drei Liter Kraftstoff auf 100 Kilometern verbrauchen. Es ist aber physikalisch kaum möglich, ein Fahrzeug zu bauen, dessen Verbrauch im normalen Betrieb unter sechs Litern liegt.

____

e) Bevor die Wissenschaftler feststellen konnten, wie genau Wolken den Nachthimmel über Großstädten verändern, musste dafür eigens ein geeignetes Messgerät entwickelt werden.

____

f) Dadurch dass Wolken das Licht der Metropolen reflektieren, sind dort heutzutage bewölkte Nächte heller als klare Nächte.

____

g) Indem man Straßenbeleuchtungen dort abschaltet, wo sie nicht notwendig sind, und das Licht von Straßenlaternen besser fokussiert, kann die Lichtverschmutzung verringert werden.

____

h) Im Hinblick darauf, dass sich in den Weltmeeren riesige Inseln aus Plastik bilden, sollte in der Zukunft auf die Verwendung von Plastikverpackungen, z. B. bei Lebensmitteln, verzichtet werden.

____

2. Lesen Sie die Sätze 1 bis 5 und entscheiden Sie, welche der beiden Varianten a) und b) den Inhalt des vorgegebenen Satzes besser wiedergibt.

Impfungen

1. Die Bereitschaft, sich impfen zu lassen, nimmt in Deutschland immer mehr ab.

- ○ **a)** Die Bereitschaft, sich impfen zu lassen, ist in Deutschland ziemlich groß.
- ○ **b)** Immer weniger Deutsche sind willig, Impfungen wahrzunehmen.

2. Die vorgesehenen Impftermine werden oft nicht konsequent wahrgenommen.

- ○ **a)** Hinsichtlich der Einhaltung der Impftermine mangelt es nicht an Konsequenz.
- ○ **b)** Die Termine für Impfungen werden nicht immer richtig eingehalten.

3. Die Gründe dafür liegen zum Teil darin, dass aufgrund von Impfungen in der Vergangenheit früher gefürchtete Krankheiten nicht mehr auftreten.

- ○ **a)** Weil Krankheiten, vor denen man früher Angst hatte, heute nicht mehr auftreten, versäumen es die Menschen, sich impfen zu lassen.
- ○ **b)** Angesichts des häufigeren Auftretens früher gefürchteter Krankheiten verzichten viele Menschen auf die Wahrnehmung ihrer Impftermine.

4. Die Erreger dieser Krankheiten, die man früher gefürchtet hat, verursachen nur deshalb keinen Schaden mehr, weil die Bevölkerung ausreichend geimpft ist.

- ○ **a)** Aufgrund ausreichender Impfung der Bevölkerung richten die Erreger früher gefürchteter Krankheiten heute mehr Schaden an.
- ○ **b)** Die Erreger früher gefürchteter Krankheiten sind heute nur deshalb nicht mehr schädlich, weil die Menschen genügend geimpft sind.

5. Manche Leute lehnen Impfstoffe ab, weil sie denken, dass sie mehr dem Profit des Herstellers als dem Schutz des Patienten dienen.

- ○ **a)** Impfstoffe dienen eher dem Gewinn ihres Herstellers als dem Wohl des Patienten, deshalb begrüßen viele Leute Impfungen.
- ○ **b)** Manche Leute sind gegen Impfstoffe, denn sie glauben, dass es eher darum geht, dem Produzenten zu einem Gewinn zu verhelfen als den Patienten zu schützen.

3. Lesen Sie einen kurzen Beispieltext. Welche logische Konsequenz ergibt sich aus den Informationen? Kreuzen Sie an.

In vielen Lebensmitteln ist sehr viel mehr Wasser enthalten als der Verbraucher normalerweise glaubt, das sogenannte virtuelle Wasser. Damit ist die Menge Wasser gemeint, die z. B. bei der Produktion des Lebensmittels gebraucht wird. So stecken z. B. in einem Kilogramm Tomaten aus Südspanien 85 Liter virtuelles Wasser, in einem Kilogramm Tomaten aus Ägypten sogar 230 Liter. Hingegen kommen Tomaten aus den Niederlanden pro Kilogramm mit nur 10 Litern aus.

- ○ **a)** Man sollte weniger Tomaten essen.
- ○ **b)** Man sollte bevorzugt Tomaten aus den Niederlanden kaufen.
- ○ **c)** Man schont die Wasserressourcen, wenn man Tomaten aus Spanien kauft.

Beispielaufgabe mit Lösungshinweisen

- Im sechsten Aufgabentyp des Leseverstehens sollen Sie kausale Zusammenhänge in einem Text erkennen, z. B. Ursache / Wirkung oder Problem / Lösung.
- Der Text umfasst 280 bis 320 Wörter.
- Sie müssen vier Aussagen zwei Kategorien zuordnen und haben dafür sieben Minuten Zeit.
- Die Items folgen nicht dem Textverlauf.

So gehen Sie vor:

- Lesen Sie den Text aufmerksam durch.
- Sehen Sie sich dann die Items und die Tabelle mit den beiden Kategorien an.
- Es hilft, wenn Sie kurz überlegen, welche Items überhaupt zu welchem Begriff passen würden, bevor Sie entscheiden, ob Sie dem Text entsprechen oder nicht.
- Schreiben Sie dann die Ihrer Meinung nach richtigen Items in die Tabelle.
- Sie sollten beim Lesen unbedingt auf Synonyme achten.

Hinweis: In der digitalen Version müssen Sie die Aussagen an die entsprechende Stelle in der Tabelle ziehen (Drag & Drop).

Roboterhand

Alle drei Minuten erleidet ein Mensch in Deutschland einen Schlaganfall. Ein Drittel aller Betroffenen behalten Lähmungserscheinungen zurück, können z. B. eine Hand nicht mehr richtig oder gar nicht bewegen.

Die Arbeitsgruppe „Angewandte Neurotechnologie“ der Universitätsklinik Tübingen möchte Menschen mit gelähmten Händen das Greifen im Alltag wieder ermöglichen. Das ist möglich über elektrische Impulse des Hirns, denn Gedanken erzeugen elektrische Signale, die gemessen werden können. Dazu wird dem Betroffenen eine Haube mit Elektroden auf den Kopf gesetzt, die die elektrischen Signale messen und in Steuersignale für die Roboterhand übersetzen.

Diese Hand wird – fast wie ein Handschuh – über die gelähmte Hand gestülpt und funktioniert wie ein Knochengerüst, nur eben äußerlich. Fachleute nennen das „Exoskelett“.

Zunächst mussten die Forscher herausfinden, welche Gehirnströme welche Bewegung steuern. Sie konnten dann die elektrischen Hirnsignale, die für die Bewegung der Hand zuständig sind, genau identifizieren. Die Schwierigkeit dabei war allerdings, dass sich sowohl die Frequenz der Signale als auch der Bereich des Gehirns, wo diese Signale am stärksten sind, von Mensch zu Mensch unterscheiden.

Im nächsten Schritt wurde eine Software entwickelt, die mithilfe von Algorithmen die Gedanken in Bewegung umsetzt. Diese Software erkennt die gemessenen Signale und wandelt sie in Befehle für die Steuerung der Hand um. Dabei lernt die Software, die optimalen Einstellungen selbstständig herauszufinden.

Darüber hinaus müssen die Sensoren, die sich in der Roboterhand befinden, selbst erkennen, was in die Hand genommen werden soll, z. B. ob es sich um eine Flasche oder ein rohes Ei handelt. Außerdem muss erkannt werden, wie weit der zu greifende Gegenstand entfernt ist. Das sind wichtige Informationen, damit die Hand optimal funktioniert, und das ist kompliziert, denn aus der Vielfalt der Signale, die das Gehirn aussendet, muss der Computer selbst die richtigen herausfinden und verarbeiten. Aber die Forscher sind sehr zuversichtlich, dass das in kurzer Zeit möglich sein wird.

a) Die Frequenzen der Hirnsignale sind bei verschiedenen Menschen unterschiedlich.
b) Das Gehirn sendet viele Signale aus, was es für den Computer erschwert, die richtigen auszuwählen.
c) Die Gedanken müssen Algorithmen erzeugen, die die Roboterhand in Bewegung setzen.
d) Es gelang nicht festzustellen, welche Hirnströme welche Bewegungen der Hand steuern.
e) Eine Haube mit Elektroden erzeugt elektrische Signale, die zu messen sind.
f) Die Software kann nicht selbst feststellen, wie die Hand am besten gesteuert werden muss.
g) Die Software muss erkennen, nach welchem Gegenstand der Mensch greift.
h) Man musste feststellen, für welche Bewegungen welche Hirnströme verantwortlich sind.

Roboterhand		
Anforderungen		Probleme bei der Verwirklichung
1		3
2		4

So finden Sie die richtige Lösung:

Aussage a):

Dieses Item ist richtig und gehört zur Kategorie „Probleme bei der Verwirklichung". Man muss hier verstehen, dass mit dem Verweiswort „dabei" gemeint ist, dass die für die Bewegungen der Hand zuständigen Hirnareale genau identifiziert werden mussten.

> Sie konnten dann die elektrischen Hirnsignale, die für die Bewegung der Hand zuständig sind, genau identifizieren. Die Schwierigkeit dabei war allerdings, dass sich sowohl die **Frequenz der Signale** als auch der Bereich des Gehirns, wo diese Signale am stärksten sind, **von Mensch zu Mensch unterscheiden**.

Aussage b):

Das besagt folgende Textstelle (statt „auswählen" wird im Text das Verb „herausfinden" verwendet):

> Das sind wichtige Informationen, damit die Hand optimal funktioniert, und **das ist kompliziert**, denn aus der **Vielfalt der Signale**, die das Gehirn aussendet, **muss der Computer selbst die richtigen herausfinden** und verarbeiten.

Die Aussage ist richtig und gehört unter die Kategorie „Probleme", denn es wird gesagt, dass die Auswahl der richtigen Signale kompliziert ist.

Aussage c):

> Im nächsten Schritt wurde eine **Software entwickelt, die mithilfe von Algorithmen die Gedanken in Bewegung umsetzt**. Diese Software erkennt die gemessenen Signale und wandelt sie in Befehle für die Steuerung der Hand um.

Das Wort „Algorithmen" ist ein gutes Schlüsselwort, da es dafür kein Synonym gibt. Deshalb ist die Textstelle leicht auszumachen. In dem Relativsatz wird erklärt, dass die Software mittels Algorithmen Gedanken in Bewegungen übersetzen kann und nicht etwa die Gedanken Algorithmen erzeugen. Die Aussage ist also falsch.

Aussage d):

Zunächst mussten die Forscher herausfinden, welche Gehirnströme welche Bewegung steuern. Sie **konnten** dann **die elektrischen Hirnsignale**, die für die **Bewegung der Hand zuständig** sind, **genau identifizieren.**

Also ist ihnen dieser Schritt gelungen, deshalb ist diese Aussage falsch.

Aussage e):

Diese Aussage ist falsch, wie folgende Textstelle zeigt:

Das ist möglich über elektrische Impulse des Hirns, denn **Gedanken erzeugen elektrische Signale**, die gemessen werden können. Dazu wird dem Betroffenen eine Haube mit Elektroden auf den Kopf gesetzt, die die elektrischen Signale messen und in Steuersignale für die Roboterhand übersetzen.

Es sind die Gedanken, die elektrische Impulse erzeugen, nicht die Haube mit den Elektroden.

Aussage f):

Dabei **lernt** die Software, die **optimalen Einstellungen selbstständig herauszufinden.**

Als Schlüsselwörter sollten Sie hier „die optimalen Einstellungen" und „feststellen" betrachten.
Im Text heißt es, dass die Software dieses lernt, also kann sie es dann, deshalb passt das Item nicht.

Aussage g):

Das Wort „muss" signalisiert schon, dass es sich hier um eine Anforderung handelt. Bleibt nur noch die Frage, ob die Aussage dem Text entspricht. Das Wort „Gegenstand" taucht in dem entsprechenden Satz nicht auf, dafür aber Beispiele:

Darüber hinaus **müssen die Sensoren**, die sich in der Roboterhand befinden, **selbst erkennen, was** in die Hand genommen werden soll, ob es sich etwa um **eine Flasche oder ein rohes Ei** handelt.

Mit „Software" ist natürlich die gemeint, die die Roboterhand steuert, also ist das Item richtig und gehört in die Spalte „Anforderungen".

Aussage h):

Zunächst **mussten** die Forscher **herausfinden, welche Gehirnströme welche Bewegung steuern.**

Statt „verantwortlich" steht im Text „steuern", was in diesem Falle ein Synonym ist. Also ist das Item richtig. Das Verb „müssen" zeigt an, dass es sich um eine Anforderung handelt.

Fehler in Zusammenfassung erkennen

- Bei Aufgabe 7 des Leseverstehens sollen Sie Informationen aus drei verschiedenen Quellen miteinander vergleichen: einem Lesetext, einer Grafik und einer Zusammenfassung.
- Die Zusammenfassung enthält Fehler, die Sie erkennen sollen.

Vorübungen

Bei diesem Aufgabentyp kommt es unter anderem darauf an, dass Sie eine Grafik richtig verstehen und die Angaben aus der Grafik in der Zusammenfassung wiedererkennen. Häufig werden Zahlen aus einer Grafik (z. B. Prozentangaben) in der Zusammenfassung nicht exakt wiedergegeben, sondern auf- oder abgerundet bzw. paraphrasiert.

1. **Ordnen Sie die Ausdrücke aus dem Schüttelkasten den entsprechenden Prozentangaben zu. Manchen Prozentangaben sind mehrere Ausdrücke zuzuordnen.**

~~mehr als die Hälfte~~ | drei Viertel | knapp die Hälfte | mehr als ein Drittel | fast niemand | fast alle | ein verschwindend geringer Anteil | gut ein Drittel | so gut wie jeder | die Hälfte | gut die Hälfte | ein gutes Drittel | zwei Drittel | ein Drittel | fast die Hälfte

50 % ______

33 % ______

75 % ______

98 % ______

3 % ______

47 % ______

54 % *mehr als die Hälfte*

37 % ______

66 % ______

2. **Grafiken stellen oft auch eine Entwicklung dar. Ordnen Sie den Sätzen 1) bis 7) die jeweils entsprechenden Sätze a) bis e) zu.**

1) Der Anteil ist von 25 % auf 50 % gestiegen.

2) Es konnte eine Reduzierung von 66 % auf 33 % festgestellt werden.

3) Man konnte feststellen, dass der Anteil um 100 % zugenommen hat.

4) Die Anzahl hat sich verdreifacht.

5) Ein Anstieg um 50 % war festzustellen.

6) Die Zahl ist von 3000 auf 1500 gesunken.

7) Der Anteil stieg von 30 % auf 45 %.

a) Der Anteil hat sich halbiert.

b) Man konnte feststellen, dass die Zahl von 1500 auf 4500 gestiegen ist.

c) Die Anzahl hat sich halbiert.

d) Der Anteil hat um die Hälfte zugenommen. (2x)

e) Der Anteil hat sich verdoppelt. (2x)

1e, ______

3. **Schauen Sie sich die folgende Grafik an und ergänzen Sie die nachfolgende Grafikbeschreibung mit den Begriffen aus dem Schüttelkasten. Achten Sie bei den Verben auf die richtige Konjugation.**

Medien dominieren unseren Alltag
Die häufigsten Freizeitbeschäftigungen der Deutschen

Von je 100 Befragten nennen als regelmäßige Freizeitaktivität (mindestens einmal pro Woche):

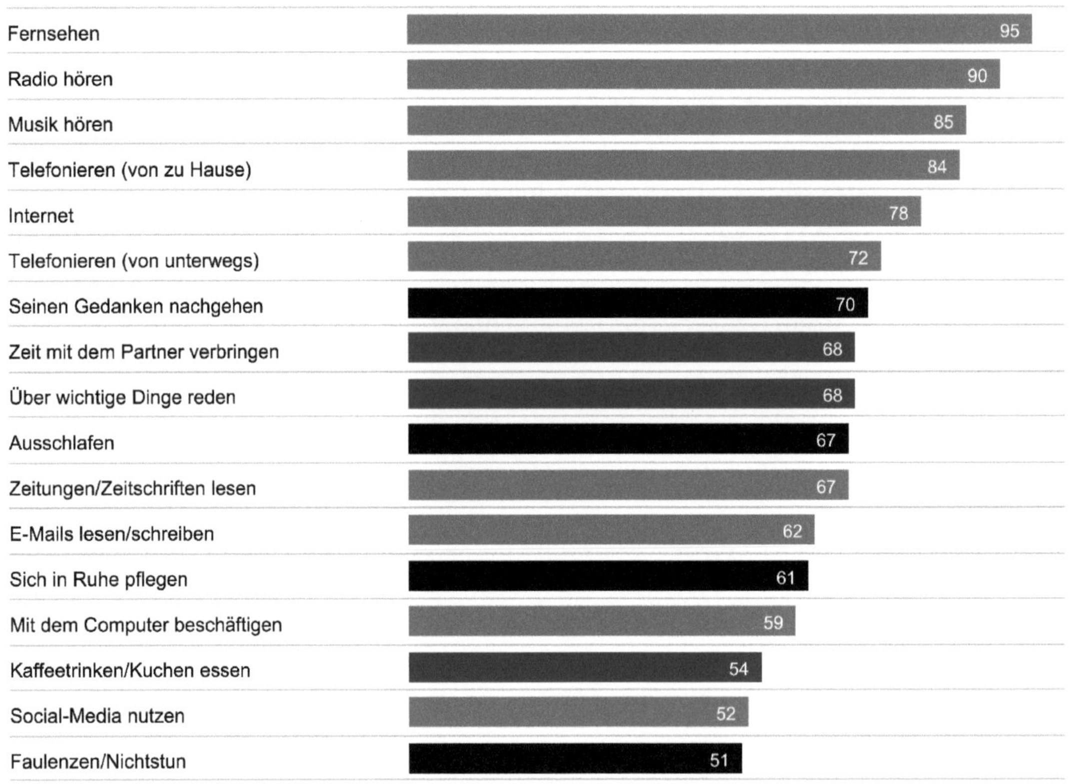

Grün: Medial / Blau: Regenerativ / Grau: Sozial
www.stiftungfuerzukunftsfragen.de

gefolgt von | im Mittelfeld stehen | das Schlusslicht bilden | nicht vorkommen |
gut die Hälfte der Befragten | an erster Stelle stehen | beliebt sein

Die vorliegende Grafik mit dem Titel „Medien dominieren unseren Alltag" zeigt, womit sich die Deutschen in ihrer Freizeit am liebsten beschäftigen. Deutlich wird auf den ersten Blick, dass immer mehr Deutsche bevorzugen, sich in ihrer Freizeit mit Medien zu beschäftigen. (1)______________________ der Freizeitbeschäftigungen ________________, mit satten 94 % der Befragten, das Fernsehen, dicht (2)________________________ „Radio hören" mit 88 %. Auch das Telefonieren von zu Hause und Musik hören (3)_________________ und wurden von 87 bzw. 83 % der Befragten genannt. Zeitungen bzw. Zeitschriften lesen, Zeit mit dem Partner verbringen oder E-Mails lesen oder schreiben (4)____________________________________. Erstaunlich ist, dass nur (5)____________________________________ angab, in der Freizeit soziale Medien zu benutzen. Mit 51 % (6) _____________ dieser Wert ____________________________ unter den beliebtesten Freizeitbeschäftigungen. Erstaunlich ist, dass „Sport treiben", „ins Kino gehen" oder „Bücher lesen" in dieser Statistik überhaupt (7)______________________.

4. a **Schauen Sie sich die vorliegende Grafik an. Die nachfolgende Beschreibung dieser Grafik enthält vier Fehler, die Sie finden sollen. Unterstreichen Sie die fehlerhaften Sätze.**

Top 10 der schönsten Urlaubsreisen

Von je 100 Befragten haben ihre schönste Urlaubsreise in ... verbracht:

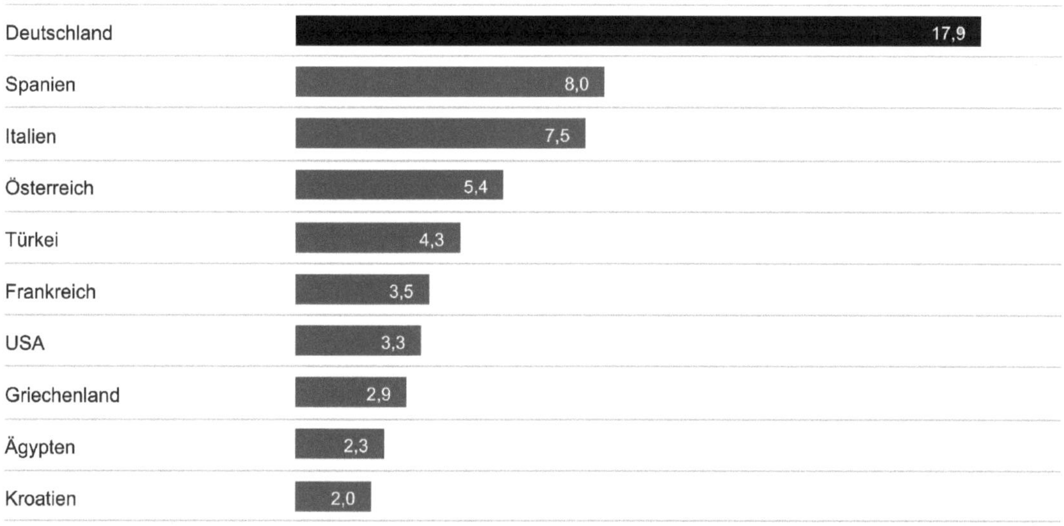

Repräsentativbefragung von 4.000 Personen ab 14 Jahren in Deutschland, 2016
www.stiftungfuerzukunftsfragen.de

Die vorliegende Grafik mit dem Titel „Top 10 der schönsten Urlaubsreisen" zeigt, in welchem Land die Berfragten ihre schönste Urlaubsreise verbracht haben. Die Angaben sind in absoluten Zahlen. Der Spitzenreiter ist Deutschland, hier gaben 17,9 % der Befragten an, ihre schönste Urlaubsreise verbracht zu haben, dicht gefolgt von Italien mit 7,5 %. Im Mittelfeld liegen die Türkei und Frankreich mit 3,5 bzw. 4,3 %. Ägypten und Kroatien stehen an der letzten Stelle: Nur 2,3 bzw. 2 % nannten diese Ziele.

b **Berichtigen Sie nun die fehlerhaften Sätze aus Übung a.**

1. ______________________
2. ______________________
3. ______________________
4. ______________________

Beispielaufgabe mit Lösungshinweisen

- In Aufgabentyp 7 kommt es darauf an, dass Sie Informationen aus drei Quellen abgleichen sollen: aus einem Lesetext, einer Grafik und einer Zusammenfassung, die Informationen aus der Grafik und dem Lesetext enthält.
- Der Lesetext umfasst 200 bis 250 Wörter, die Zusammenfassung ungefähr 100 Wörter.
- Die Zusammenfassung folgt **nicht** dem Textverlauf und besteht aus neun Sätzen.
- Sie müssen in der Zusammenfassung **drei** Sätze identifizieren, die nicht dem Lesetext bzw. der Grafik entsprechen, und diese markieren.
- Der Text passt zwar inhaltlich zu der Grafik, aber die Informationen des Textes gehen **nicht** auf die Grafik ein.
- Sie haben für diese Aufgabe 7 Minuten Zeit.

Hinweis: In der digitalen Version müssen Sie die falschen Sätze anklicken, ein erneuter Klick löscht Ihre Auswahl dann wieder.

So gehen Sie vor:

- Sehen Sie sich die Überschrift des Textes an und überfliegen Sie die Grafik.
- Lesen Sie dann den Text aufmerksam durch.
- Schauen Sie sich die Zusammenfassung an und vergleichen Sie sie mit dem Text und der Grafik.

Lebensmittelverschwendung

Allein in Deutschland werden jedes Jahr rund 11 Millionen Tonnen Lebensmittel verschwendet. Das sind ungefähr 55 Kilogramm pro Person. Ein großer Teil der Lebensmittelverschwendung könnte mit einfachen Lösungen vermieden werden. Die Ursachen für Lebensmittelverschwendung sind vielfältig: Da ist die verschimmelte Wurst zu Hause im Kühlschrank, die zu große Portion im Restaurant oder das nicht so schön anzusehende Obst, das schon länger im Gemüsefach liegt: Weggeworfene Lebensmittel finden sich überall in der Kette zwischen Produktion und Endverbrauchern. In der Industrie entstehen die meisten Lebensmittelverluste durch Transportschäden, falsche Lagerung und technische Ursachen bei der Produktion.

Ein weiterer Faktor ist das Mindesthaltbarkeitsdatum: Viele Verbraucher glauben, dass das Mindesthaltbarkeitsdatum ein Verfallsdatum sei. Das stimmt aber nicht, denn es zeigt lediglich an, bis zu welchem Datum ein noch nicht geöffnetes Lebensmittel typische Eigenschaften wie Geschmack, Farbe oder Nährwerte garantiert behalten sollte. Die Voraussetzung hierfür ist allerdings eine korrekte Lagerung. Essen mit abgelaufenem Mindesthaltbarkeitsdatum ist also nicht automatisch verdorben, sondern häufig noch genießbar. Grundsätzlich sollte man jedoch immer vor dem Verzehr eines Produktes darauf achten, ob es noch essbar ist. Dabei kann man sich auf seine Sinne verlassen: Alles was untypisch riecht, schmeckt oder die Farbe verändert hat, sollte nicht mehr verzehrt werden.

Auch die richtige Lagerung kann dazu beitragen, dass weniger Lebensmittel im Müll landen. Ein Speiseplan für die Woche beispielsweise hilft bei der Planung des Großeinkaufs. Und nicht alle Nahrungsmittel gehören in den Kühlschrank. So halten sich zum Beispiel exotische Früchte wie Ananas, Mangos oder Bananen länger in einer Obstschale.

Zusammenfassung

(1) Pro Jahr wandern in Deutschland 11 Millionen Tonnen Lebensmittel in den Müll, die man noch verwenden könnte. (2) Bei dem Großteil dieser Lebensmittel handelt es sich um Fisch und Fleisch. (3) Das könnte leicht vermieden werden, wenn man einige Regeln beachtet, z. B. bei der Lagerung. (4) So sollte man exotische Früchte wie Ananas, Mangos oder Bananen auf jeden Fall im Kühlschrank aufbewahren. (5) Außerdem ist das Mindesthaltbarkeitsdatum nicht das Verfallsdatum. (6) Wenn das Mindesthaltbarkeitsdatum abgelaufen ist, heißt das nicht, dass das Lebensmittel nicht mehr essbar ist. (7) Noch essbares Obst und Gemüse macht die Hälfte der weggeworfenen Lebensmittel aus. (8) Ein weiterer Schritt kann ein wöchentlicher Speiseplan sein. (9) Damit kann man den wöchentlichen Großeinkauf planen.

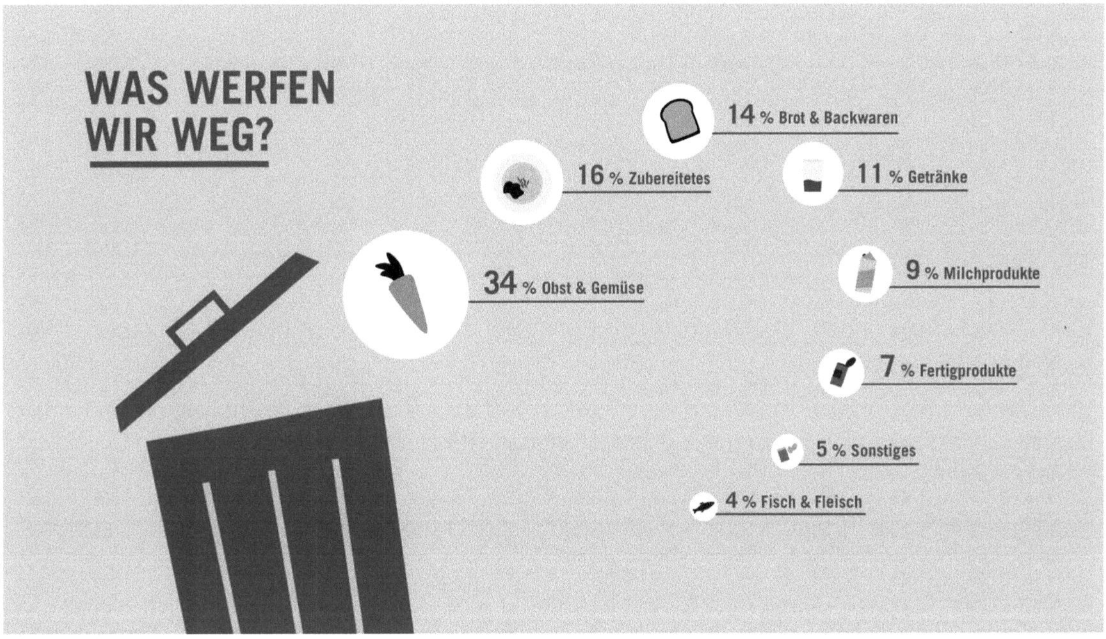

So finden Sie die richtige Lösung:

Item 1: Pro Jahr wandern in Deutschland jährlich 11 Millionen Tonnen Lebensmittel in den Müll, die man noch verwenden könnte.

Im Text heißt es:

> Allein in Deutschland werden jedes Jahr rund 11 Millionen Tonnen Lebensmittel verschwendet.

„Pro Jahr" entspricht der Formulierung „jedes Jahr", „verschwendet" ist in der Zusammenfassung ausgedrückt mit „verwenden könnte". Dieser Satz ist also korrekt.

Item 2: Bei dem Großteil dieser Lebensmittel handelt es sich um Fisch und Fleisch.

Worum es sich bei den Lebensmitteln handelt, steht nicht im Text. Daher findet sich die Information in der Grafik, die aber besagt, dass Fleisch und Fisch nur 4 % ausmachen. Also ist Satz 2 falsch.

Item 3: Das könnte leicht vermieden werden, wenn man einige Regeln beachtet, z. B. bei der Lagerung.

Im Text heißt es:

> In der Industrie entstehen die meisten Lebensmittelverluste durch Transportschäden, falsche Lagerung […].

Also ist dieser Satz richtig.

Item 4: So sollte man exotische Früchte wie Ananas, Mangos oder Bananen auf jeden Fall im Kühlschrank aufbewahren.

Im Text heißt es:

> Und nicht alle Nahrungsmittel gehören in den Kühlschrank. So halten sich zum Beispiel exotische Früchte wie Ananas, Mangos oder Bananen, länger in einer Obstschale.

Man sollte exotische Früchte also nicht im Kühlschrank, sondern in einer Obstschale aufbewahren, denn dort „halten sie sich länger", sie sind also außerhalb des Kühlschranks länger haltbar. Satz 4 ist daher falsch.

Item 5: Außerdem ist das Mindesthaltbarkeitsdatum nicht das Verfallsdatum.

Im Text heißt es, dass viele Verbraucher zwar der Meinung wären, es handle sich bei „Mindesthaltbarkeitsdatum" und „Verfallsdatum" um Synonyme, dies aber ein Irrtum sei:

> Viele Verbraucher glauben, dass das Mindesthaltbarkeitsdatum ein Verfallsdatum sei. Das stimmt aber nicht, [...]

Also ist Satz 5 richtig.

Item 6: Wenn das Mindesthaltbarkeitsdatum abgelaufen ist, heißt das nicht, dass das Lebensmittel nicht mehr essbar ist.

Um entscheiden zu können, ob dieser Satz richtig oder falsch ist, müssen Sie im Text die Stelle finden, wo erklärt wird, was genau unter „Mindesthaltbarkeitsdatum" zu verstehen ist.
Im Text heißt es:

> [...] es zeigt lediglich an, bis zu welchem Datum ein noch nicht geöffnetes Lebensmittel typische Eigenschaften wie Geschmack, Farbe oder Nährwerte garantiert behalten sollte. [...] Essen mit abgelaufenem Mindesthaltbarkeitsdatum ist also nicht automatisch verdorben, sondern häufig noch genießbar.

Wenn etwas verdorben ist, ist es schlecht und nicht mehr essbar. Dies ist aber nicht unbedingt der Fall, wenn das Mindesthaltbarkeitsdatum abgelaufen ist. Hier stimmen der Text und die Zusammenfassung überein. Also ist Satz 6 korrekt.

Item 7: Noch essbares Obst und Gemüse macht die Hälfte der weggeworfenen Lebensmittel aus.

Hier ist wieder ein Blick auf die Grafik zu werfen, denn die Anteile der weggeworfenen Lebensmittel werden im Text nicht genannt. Die Grafik zeigt zwar, dass Obst und Gemüse den größten Teil der weggeworfenen Lebensmittel ausmachen, aber es sind 34 %, das kann man nicht als die Hälfte bezeichnen. Daher ist Satz 7 falsch.

Item 8: Ein weiterer Schritt kann ein wöchentlicher Speiseplan sein.

Item 9: Damit kann man den wöchentlichen Großeinkauf planen.

Im Text heißt es:

> Ein Speiseplan für die Woche beispielsweise hilft bei der Planung des Großeinkaufs.

Wenn man den Einkauf plant, kauft man nicht zu viel und wirft weniger weg, daher sind diese beiden Sätze richtig.

Hören

Beschreibung des Prüfungsteils Hören

Was wird getestet?

- Sie sollen zeigen, dass Sie in der Lage sind, gesprochene Texte, die in unterschiedlichen Situationen mündlicher Kommunikation an der Hochschule vorkommen können, angemessen zu rezipieren und zu verarbeiten.

Was müssen Sie können?

- Selektives Verstehen: Spezifische Informationen aus einem Hörext herausfiltern, dazu gehört auch, Schlüsselwörter zu erkennen.
- Globalverstehen: Hauptideen bzw. das Thema eines Textes erkennen; Wichtiges von Unwichtigem unterscheiden.
- Detailverstehen: Das Gehörte genau und in allen Einzelheiten verstehen.
- Implizite Informationen verstehen, d.h. auf Grundlage eines Textes Schlussfolgerungen ziehen. Hierzu gehört auch, dass Sie die kommunikative Funktion einer Äußerung oder die Meinung und Absicht einer sprechenden Person erkennen.
- Verbindungen zwischen einzelnen Aussagen in einem Text herstellen und hierbei die Organisation eines Textes und kausale Zusammenhänge erkennen.
- Informationen aus verschiedenen gesprochenen oder geschriebenen Quellen analysieren und zueinander in Beziehung setzen.

Aufbau

- Der Prüfungsteil besteht aus insgesamt sieben Aufgaben.
- Es handelt sich teilweise um geschlossene Aufgaben. Das heißt, dass die Antworten vorgegeben sind und Sie die korrekte Lösung ankreuzen müssen. Sie brauchen dann also keine Antworten selbst zu formulieren. Teilweise müssen Sie aber auch selbst kurze Antworten formulieren. Für die in der deutschen Sprache üblichen Umlaute bzw. das „ß" steht Ihnen eine separate Leiste zur Verfügung, die Sie auf dem Bildschirm anklicken können.
- Bei der ersten Aufgabe handelt es sich um ein informelles oder halbinformelles Gespräch aus dem Studienalltag, z.B. zwischen zwei Kommilitonen. Hier müssen Sie in einer Tabelle, beispielsweise einem Stundenplan, die fehlenden Informationen ergänzen.
- Bei der zweiten Aufgabe hören Sie eine Diskussion zu einem gesellschafts- oder sozialwissenschaftlichen Thema. Hier ist es Ihre Aufgabe, kausale Verbindungen zu erkennen, verschiedene Textstellen aufeinander zu beziehen und den sprechenden Personen zuzuordnen.

- Bei der dritten Aufgabe hören Sie einen Vortrag oder eine Vorlesung und lesen danach eine schriftliche Zusammenfassung, in der Sie zwei Sätze mit fehlerhaften Informationen erkennen und markieren müssen.
- Bei der vierten Aufgabe sehen Sie ein Video, das eine Diskussion zu einem gesellschafts- oder sozialwissenschaftlichen Thema zeigt. Hier müssen Sie die Hauptideen und Einstellungen der sprechenden Personen erkennen und sie den Personen zuordnen. Die Aussagen sind vorgegeben und Sie müssen sie per Klick einer Person, beiden, oder keiner zuordnen.
- Bei der fünften Aufgabe geht es darum, Hauptaussagen, aber auch Einzelinformationen aus einer Vorlesung oder einem Vortrag zu erkennen und zu vorgegebenen Gliederungspunkten Stichpunkte in Textfeldern zu ergänzen.
- Bei der sechsten Aufgabe handelt es sich ebenfalls um eine Vorlesung, einen Vortrag oder eine Präsentation zu einem gesellschafts-, sozial-, natur-, wirtschafts- oder ingenieurwissenschaftlichen Thema. Hier sollen Sie zu fünf Fragen aus jeweils vier vorgegebenen Antwortmöglichkeiten die richtige auswählen.
- Bei der siebten Aufgabe geht es um den Abgleich von Wort- und Schriftbild: Sie hören einen Text zu einem bestimmten Thema, den Sie gleichzeitig mitlesen. Sie müssen Gehörtes und Gelesenes vergleichen und in dem Lesetext vier Wörter anklicken, die nicht dem Hörtext entsprechen.

Wie läuft der Prüfungsteil ab?

- Alle Aufgaben im digitalen TestDaF laufen linear nacheinander ab. Sie können die Aufgaben nur in der vorgegebenen Reihenfolge bearbeiten. Jede Aufgabe hat eine maximale Bearbeitungszeit, nach deren Ablauf eine automatische Weiterleitung erfolgt. Wenn Sie schon vor Ablauf der jeweiligen Aufgabenbearbeitungszeit fertig sind, können Sie eigenständig zur nächsten Aufgabe weitergehen. Es ist nicht möglich, zu bereits bearbeiteten und abgeschlossenen Aufgaben zurückzugehen.
- Sie hören die Aufgabenstellung über Kopfhörer und lesen Sie am Bildschirm mit.

Wichtiger Hinweis:
Hilfsmittel wie Wörterbücher oder ein Handy sind in der Prüfung nicht erlaubt.

Übersicht über die Aufgabentypen beim Prüfungsteil Hören

Aufgabentyp	Zeit	Item-Format	Items
Kurzantwort: Übersicht ergänzen	3:30 Min.	Tabelle oder Gliederung ergänzen	5
Kurzantwort: Textstellen zu Begriffspaar notieren	5:30 Min.	2 Personen jeweils 2 Elemente zuordnen	4
Fehler in Zusammenfassung erkennen	6:30 Min.	In Zusammenfassung falsche Inhalte erkennen	2
Aussagen Personen zuordnen	5:30 Min.	Multiple Choice	6
Kurzantwort: Gliederungspunkte zu Vortrag ergänzen	5:30 Min.	Stichworte zu Gliederungspunkten notieren	4
Multiple Choice	6:50 Min.	Multiple Choice	5
Laut- und Schriftbild abgleichen	1:30 Min.	Abweichungen markieren	4

Gesamtzeit inklusive Pausen zwischen den Aufgaben: ca. 40 Minuten **Items gesamt: 30**

Kurzantwort: Übersicht ergänzen

- Beim ersten Aufgabentyp des Hörverstehens handelt es sich um ein halbformelles oder informelles Gespräch zwischen zwei bis vier Personen.
- Ihre Aufgabe ist es, präzise Informationen selektiv aus dem Gespräch zu entnehmen und mit einer vorgegebenen Tabelle oder Gliederung abzugleichen.
- Dazu ist es notwendig, auf sogenannte Schlüsselwörter zu hören, die Ihnen zeigen, wo die Lösung ist. Sie müssen damit rechnen, dass im Hörtext nicht dieselben Wörter wie in der Tabelle, sondern Synonyme verwendet werden.

Vorübungen

1 **1. Sie hören einen Dialog zwischen zwei Studierenden. Notieren Sie die Antworten in Stichpunkten.**

a) Warum fällt die Vorlesung bei Professor Dr. Schmied heute aus? ______________________

b) In welchem Fachgebiet lehrt er? ______________________

c) Um welche Uhrzeit hätte die Vorlesung stattfinden sollen? ______________________

d) Wo hätte die Vorlesung stattfinden sollen? ______________________

e) Was sollen sie Studierenden tun? ______________________

f) Wann findet die Vorlesung wieder statt? ______________________

Tipp: Achten Sie auf Schlüsselwörter, die Ihnen einen Hinweis darauf geben, wann welche Lücke gefragt ist.

Eine Schwierigkeit bei diesem Aufgabentyp ist, dass die Items nicht dem Textverlauf folgen. Dadurch muss man beim Hören immer die gesamte Tabelle, die Liste, den Wochenplan etc. im Blick haben.

2 **2. Sie hören zu jeder der folgenden Fragen ein kurzes Gespräch. Welche Antwort ist zutreffend? Kreuzen Sie an.**

Gespräch 1: Was macht Bernd am Freitagvormittag?

- ◯ **a)** Er schreibt eine Klausur in Statistik.
- ◯ **b)** Er muss seine Hausarbeit abgeben.
- ◯ **c)** Er geht schwimmen.

Gespräch 2: Welche Arbeit muss Sina in zwei Wochen abgeben?

- ◯ **a)** Sie muss eine Hausarbeit in Frühromantischer Lyrik abgeben.
- ◯ **b)** Sie muss die Niederschrift einer Präsentation abgeben.
- ◯ **c)** Sie muss eine Hausarbeit zu Goethes „Faust" abgeben.

Gespräch 3: Wann muss Lisa das Referat über Bachs „Goldbergvariationen" halten?

- ◯ **a)** Am Montagvormittag.
- ◯ **b)** Im Seminar über Bachs Klavierwerke.
- ◯ **c)** Erst nach den Semesterferien.

Gespräch 4: Wann trifft sich die Arbeitsgruppe?

- ◯ **a)** Am Dienstag nach der Vorlesung.
- ◯ **b)** Freitagnachmittag nach der Statistikübung.
- ◯ **c)** Montagmittag bei Julius.

3 **3. Eine Arbeitsgruppe diskutiert über die Aufgabenverteilung: Wer macht was? Hören Sie das Gespräch und ergänzen Sie die Begriffe aus dem Schüttelkasten.**

Informationsmaterial anfordern | Präsentation erstellen | Vortrag halten | Bilder / Fotos suchen

Thema der Präsentation: Auswirkungen des Klimawandels auf die Gletscher

Julia: ____________________

Hanne: Infomaterial sichten und ____________________

Jennifer: ____________________

Arne: ____________________

4 **4. Hören Sie das Sprechstundengespräch zwischen Annika und Prof. Dr. Krause und ergänzen Sie die Gliederung ihrer Hausarbeit.**

Folgen des Klimawandels für die Landwirtschaft

1. Gründe für den Klimawandel
2. Folgen allgemein
2.1. Überblick über die Folgen
2.2. Auswirkungen auf ____________________
3. Folgen in der Landwirtschaft
3.1. ____________________
3.2. ____________________
4. Mögliche Maßnahmen: z.B. ____________________

5 **5. Synonyme erkennen: Wie heißt es im Hörtext? Hören Sie die kurzen Gespräche und notieren Sie, welche Formulierungen anstelle der unterstrichenen Elemente verwendet werden.**

1. Die Vorlesung von Frau Professor Meier verspricht sehr interessant zu werden.

   ____

2. Sandra promoviert zum Thema „Das Kantatenwerk von Johann Sebastian Bach"

   ____

3. Die Marketing-Übung fällt am Montag aus.

   ____

4. Aishe macht eine Präsentation zum Thema „Ethnomarketing".

   ____

5. Der Arbeitsphysiologe präsentiert seine Forschungsergebnisse zum Thema „Auswirkungen der Fließbandarbeit auf das menschliche Gehirn".

   ____

Beispielaufgabe mit Lösungshinweisen

- Bei diesem Aufgabentyp wird Ihre Fähigkeit zum selektiven Hören abgeprüft.
- Es geht bei dieser Aufgabe darum, explizite Einzelinformationen bzw. Schlüsselbegriffe im Hörtext zu erkennen und fünf Lücken in einer Gliederung oder Tabelle zu ergänzen.
- In dieser Aufgabe werden häufig Gespräche unter Studierenden, Gespräche in Sprechstunden oder Beratungen abgebildet, bei denen man sich Notizen macht. Solche Gespräche folgen in der realen Situation normalerweise keinem festen Ablauf. Aus diesem Grund entspricht die Reihenfolge der fünf Items nicht dem Gesprächsverlauf im Hörtext.
- Sie hören den Hörtext einmal.
- Der Umfang des Gesprächs liegt bei 400-500 Wörtern.

Vor dem Hören

1. **Sehen Sie sich die Tabelle an und erfassen Sie den Aufbau.**

- Sie erkennen anhand der Wochentage, dass es sich um einen Wochenplan handelt, der beschreibt, was der Studierende wann und wo tut oder plant zu tun.
- Suchen Sie die fünf Lücken in der Tabelle und überlegen Sie am besten schon kurz, wonach hier gefragt wird. Soll ein Ort oder eine Tätigkeit eingetragen werden?
- Sie haben nur 15 Sekunden Zeit für diese erste Orientierung. Konzentrieren Sie sich auf die Schlüsselwörter.

Claudius macht ein Auslandssemester in (1) ____________

	Dienstag	Mittwoch	Donnerstag	Freitag
Vormittag	(2) ____________	Vorlesung in (3) ____________	Restliche Bücher abgeben	Sachen packen
Wo?	Im Studentenwerk	Hörsaalgebäude 1 Hörsaal 7	Universitätsbibliothek	Zu Hause
Nachmittag	Klausur schreiben in (4) ____________	Mit Irene Kaffee trinken	Claudius hat (5) ____________	Abschiedsparty geben
Wo?	Hörsaalgebäude 2, Hörsaal 5	Zu Hause	Seminar für Romanistik Raum 11	Gemeinschaftsraum im Studentenwohnheim

6 Während des Hörens

2. **Hören Sie jetzt das Gespräch und füllen Sie die Items aus.**

- Tragen Sie die Antwort direkt in die betreffende Lücke ein, da Sie nach dem Hören nur 20 Sekunden Zeit haben, Ihre Antworten zu kontrollieren. In der Prüfung bzw. in der digitalen Version klicken Sie hierfür auf die Lücken und tippen die Antwort ein.
- Schreiben Sie pro Lücke maximal zwei Wörter.
- Wenn Sie eine Lücke in der kurzen Zeit nicht oder nicht komplett ausfüllen können, konzentrieren Sie sich auf den weiteren Verlauf des Gesprächs, damit Sie die Lösung der anderen Items nicht verpassen. Sie können nach Ende des Gesprächs versuchen, die unvollständige Lösung durch Ihr Kontextwissen noch zu ergänzen.

Nach dem Hören

- Kontrollieren Sie, ob Sie alle Lücken ausgefüllt haben.
- Überlegen Sie auch, ob die Ergänzung logisch zu den Informationen passt, die schon im Item gegeben sind.
- Überprüfen Sie die Rechtschreibung.

So finden Sie die richtige Lösung:

Item 1:
Auszug aus dem Transkript:

> **Claudius:** Mit den Klausuren bin ich fast durch, am Dienstagnachmittag habe ich noch eine in englischer Literaturwissenschaft. Aber das ist nicht der eigentliche Grund, ich mache doch im nächsten Semester ein Auslandssemester und da muss ich vorher noch so einiges erledigen.
> **Sina:** Oh, toll, wo machst du das Auslandssemester denn?
> **Claudius:** In London, du weißt, ich studiere ja neben Philosophie auch Anglistik […]

Hinweis: Beim digitalen TestDaF sind die einzelnen Lücken nicht nummeriert, da die Items nicht dem Textverlauf folgen.

In der Tabelle heißt es „Claudius macht ein Auslandssemester in …". Das deutet schon an, dass hier nach einem Ort im Ausland gefragt ist. Also ist zu erwarten, dass auf jeden Fall der Name eines Landes oder auch einer Stadt genannt wird. Zusätzlich erfahren Sie, dass er Anglistik studiert, was Ihnen auch einen Hinweis darauf gibt, dass er sein Auslandssemester in einem englischsprachigen Land macht.

Item 2:

> **Claudius:** Würde ich gern, aber ich muss unbedingt noch zum Studentenwerk mein Zimmer kündigen, Dienstag ist die letzte Möglichkeit, sonst muss ich noch zwei Monatsmieten bezahlen. Und das Geld gebe ich lieber für etwas anderes aus.

Die Tätigkeit, die in Item 2 abgefragt wird, findet laut Tabelle im Studentenwerk statt. Dass er dort sein Zimmer bzw. seine Wohnung kündigen muss, bevor er ins Ausland geht, kann man vermuten, auch wenn man die Lösung nicht gehört hat. Und der Wochenplan zeigt, dass er Dienstagmorgen etwas zu tun hat, also ist „Dienstag" das Schlüsselwort, auf das sie beim Hören achten sollten.

Item 3:

> Am Nachmittag treffe ich mich schon mit Irene, und vormittags habe ich noch eine Vorlesung in allgemeine Didaktik. Der Prof ist echt gut, und die Vorlesung will ich nicht verpassen, im nächsten Semester bin ich dann ja nicht da.

Hier ist die Information gegeben, dass der Studierende eine Vorlesung hat. Also ist nach einem Studienfach gefragt. Um welche Lücke es geht, wird schon durch die Frage von Sina deutlich, die sich konkret nach Claudius´ Plänen am Mittwoch erkundigt. Ferner kann das Treffen mit Irene am Mittwochvormittag als Hinweis dienen, denn das wird in der Tabelle erwähnt.

Item 4:

> Mit den Klausuren bin ich fast durch, am Dienstagnachmittag habe ich noch eine in englischer Literaturwissenschaft.

In Lücke 4 erfahren Sie, dass Claudius am Dienstagnachmittag eine Klausur schreibt. Dienstagnachmittag ist Ihr Schlüsselwort, auf das Sie hören sollten. Und wenn von „Klausur" die Rede ist, ist zu erwarten, dass nach dem Fach gefragt ist, in dem der Studierende die Klausur zu schreiben hat.

Item 5:

Sina: Kann ich verstehen. Und wie sieht es denn bei dir am Donnerstag aus?
Claudius: Vormittags muss ich in die Bibliothek, die restlichen Bücher abgeben und nachmittags ist mein Italienischkurs, [...]

Tipp: Denken Sie daran, beim Hören auf die Schlüsselwörter zu achten.

Die Gesprächspartnerin nennt explizit den Wochentag, nämlich Donnerstag. Das ist Ihr erstes Schlüsselwort. Aus der Tabelle erfährt man bereits, dass Claudius morgens in die Bibliothek muss, was er auch im Gespräch erwähnt.

Kurzantwort: Textstellen zu Begriffspaar notieren

- In diesem Aufgabentyp des Hörverstehens sollen Sie zeigen, dass Sie eine vorgegebene Textstruktur in einem Hörtext erkennen, zum Beispiel Forderung und Argument, Argument und Beispiel, Maßnahme und Folge, Beobachtung und Schlussfolgerung.
- Sie müssen hier verschiedene Textstellen aufeinander beziehen und sie den betreffenden Personen zuordnen.

Vorübungen

1. Ordnen Sie die Redemittel aus dem Schüttelkasten den entsprechenden Sprechabsichten zu.

~~1. Ich bin der Ansicht, dass …~~ | 2. Aufgrund … | 3. Meiner Meinung nach … | 4. Die vorherrschende Überzeugung ist, dass … | 5. vermutlich | 6. möglicherweise | 7. Meine Vermutung ist, dass … | 8. Viele Studien haben gezeigt, dass … | 9. wegen | 10. einschlägige Untersuchungsergebnisse zeigen, dass… | 11. Die Regierung sollte … | 12. Ein Hindernis könnte sein, dass … | 13. Es ist häufig zu sehen, dass… | 14. Es ist unbedingt erforderlich, dass… | 15. Wenn Sie mich fragen, so denke ich, dass … | 16. Lassen Sie uns alle dieses Problem in Angriff nehmen | 17. wahrscheinlich | 18. Infolge von … | 19. Schwierig ist die Tatsache, dass … | 20. Eine Schwierigkeit dabei ist, dass… | 21. vielleicht ist es so, dass …,

Hinweis: Wenn Sie in der Prüfungsaufgabe z.B. die Forderung eines Sprechers notieren sollen, müssen Sie damit rechnen, dass der Sprecher nicht „Ich fordere, dass …" sagt, sondern Synonyme verwendet.

die eigene Meinung äußern: 1, ______

eine Annahme äußern: ______

eine Beobachtung wiedergeben: ______

eine Forderung formulieren: ______

eine Ursache nennen: ______

ein Problem benennen: ______

7 **2. Hören Sie die folgenden kurzen Aussagen und kreuzen Sie die entsprechende Absicht des Sprechers / der Sprecherin an.**

Tipp: Die Beiträge sind recht kurz, deshalb können Sie die Aussagen zweimal hören oder das Transskript hinzuziehen.

	begründet eine Forderung / Maßnahme	begründet eine Annahme	nennt ein Beispiel	schlussfolgert etwas	nennt ein Ziel
Sprecher 1					
Sprecher 2					
Sprecher 3					
Sprecher 4					
Sprecher 5					
Sprecher 6					
Sprecher 7					

In diesem Aufgabentyp ist es wichtig, dass Sie kausale Verbindungen und Zusammenhänge erkennen und verstehen. Es gibt viele Möglichkeiten, wie diese Zusammenhänge sprachlich ausgedrückt werden können. Die folgenden Übungen 3 und 4 zeigen Ihnen eine Vielzahl dieser Strukturen auf.

3. **Ergänzen Sie die Tabelle mit den passenden Wörtern. Sie dürfen ein Wörterbuch benutzen.**

Substantiv (+ Artikel)	**Verb (+ Präposition) + Kasus oder Funktionsverbgefüge**	**Adjektiv oder Partizip**
die Ursache	verursachen + Akk.	ursächlich
		folglich
die Maßnahme		-
	fordern + Akk.	
die Auslösung		
	beobachten + Akk.	
		beispielsweise
die Möglichkeit		
		begründend
die Schlussfolgerung		
	behaupten + Akk.	
die Annahme		
		vermutlich
das Argument		
die Kritik		

4. **Markieren Sie in den kurzen Beiträgen die Strukturen, die den genannten kausalen Zusammenhang herstellen, in zwei unterschiedlichen Farben.**

Ursache – Folge

Beispiel:
Nach der Meinung von Erziehungswissenschaftlern sind die Eltern schuld daran, dass viele Kinder im Alter zwischen drei und vier Jahren aggressives Verhalten zeigen. Wenn die Kinder zu Hause geschlagen werden oder zu Hause Gewalt in anderer Form erfahren, geben sie diese Gewalt dann an andere Kinder weiter, zum Beispiel im Kindergarten oder auf dem Spielplatz.

a) Es gibt noch einen weiteren Grund für die Aggressivität: Viele Eltern verwenden Lob und Strafe falsch, denn sie loben ihre Kinder nicht, wenn sie etwas Gutes gemacht haben, zum Beispiel eine Bitte erfüllt haben, aber wenn die Kinder ihrer Meinung nach etwas falsch gemacht haben, bestrafen sie sie. Oft wirken die Strafen dann nicht mehr, oder müssen gesteigert werden. Wieder andere Eltern sind süchtig nach Alkohol oder Drogen und schaffen es darum nicht, ihre Kinder zu erziehen.

b) Es gibt viele Studierende, die der Meinung sind, dass das Semesterticket, das automatisch mit dem Semesterbeitrag bezahlt wird, abgeschafft werden soll. Wenn sie mit dem Rad zur Universität fahren oder zu Fuß gehen, bezahlen sie für etwas, das sie gar nicht nutzen.

Forderung – Begründung

c) Die Mitarbeiter des Studierendenwerks denken, ungeachtet eventueller studentischer Proteste, auf ihrer monatlichen Konferenz darüber nach, ob es sinnvoll ist, einen „fleischlosen Tag" in der

Mensa einzuführen. Sie wollen damit einen Beitrag zum Umweltschutz leisten, denn durch die Fleischproduktion entsteht sehr viel Methan, das das Klima schädigt.

d) Viele Krankenkassenmitglieder plädieren dafür, dass Menschen, die gefährliche Sportarten wie zum Beispiel Extrem-Bergsteigen, Bungeespringen oder Fallschirmspringen treiben, höhere Beiträge für die Krankenversicherung zahlen sollen. Damit soll das höhere Risiko abgedeckt werden, das sie für die Krankenkassen darstellen.

Beobachtung - Beispiel

e) Statistiken belegen, dass die Kriminalitätsrate in großen Städten wesentlich höher ist als auf dem Land. Reizüberflutung, eine höhere Bevölkerungsdichte und allgemein höhere Preise machen die Menschen aggressiver.

5. Finden Sie nun selbst heraus, welche logischen Strukturen vorliegen. Markieren Sie die Konnektoren.

~~Ursache – Folge~~ | Forderung - Begründung | Ursache - Folge (2x) | Zweifel - Begründung | Argument - Begründung | Meinung - Begründung (2x)

a) „Bio" ist heute angesagt: Angesichts des Klimawandels und immer knapper werdender Ressourcen plädieren immer mehr Menschen für die Verwendung nachwachsender Rohstoffe.

Ursache – Folge

b) Ob das ethisch akzeptabel ist, wird kontrovers diskutiert, denn viele sogenannte Biokraftstoffe stehen in Konkurrenz zur Nahrungsmittelproduktion.

____

c) Da ist zum Beispiel der Trend zu Getreideheizungen, die viele Landwirte befürworten, weil sie dann „Selbstversorger" sind.

____

d) Getreideheizungen werden, wie der Name schon sagt, nicht mit Öl oder Gas, sondern mit Getreide betrieben. Da werden aber Stimmen laut, die argumentieren, dass das Getreide, das zum Beispiel in Deutschland im Überschuss produziert wird, lieber in Länder geschickt werden solle, die Probleme mit der Nahrungsmittelproduktion haben und selbst nicht genug Getreide anbauen können, um damit die Bevölkerung zu ernähren.

____

e) Andere hingegen sind der Ansicht, dass das für die jeweilige einheimische Landwirtschaft nachteilig sein könne, weil dann die Preise fallen würden.

____

f) Der andere große Sektor ist die Herstellung von Biokraftstoffen für Kraftfahrzeuge: Mittlerweile bauen viele Landwirte auf ihren Feldern Raps an, den man zur Herstellung von Biokraftstoff, zum Beispiel Bio-Diesel, verwendet. Das ist gut für die Umwelt und schont die knappen Erdölvorräte.

____

g) Auch hier lautet der Einwand, dass man die vorhandene Ackerfläche besser für die Produktion von Nahrungsmitteln verwenden sollte, damit man genug Nahrungsmittel für alle Menschen auf der Welt produzieren kann.

____

h) In vielen geisteswissenschaftlichen Fächern wird heute noch das Latinum verlangt, das viele Studierende an der Universität noch nachholen müssen, wodurch sich die Gesamtstudienzeit häufig verlängert.

____

Beispielaufgabe mit Lösungshinweisen

- Sie hören eine Debatte, ein Fachgespräch oder eine Podiumsdiskussion von 300 bis 400 Wörtern zu einem gesellschafts- oder sozialwissenschaftlichen Thema. Das Thema ist fachübergreifend verständlich.
- Bei diesem Aufgabentyp geht es nicht darum, dass Sie konkrete Einzelinformationen verstehen. Vielmehr sollen Sie die Textstruktur erkennen und kausale Zusammenhänge verstehen.
- Ferner wird erwartet, dass Sie verschiedene Textstellen aufeinander beziehen und bestimmte Textstellen den sprechenden Personen zuordnen können.
- Sie hören das Gespräch einmal.

So gehen Sie vor:

Vor dem Hören

1. Die **Aufgabenstellung** wird Ihnen vorgelesen und Sie können sie dabei mitlesen. Im **ersten Satz** der Aufgabenstellung wird immer das **Thema** des Gesprächs genannt.
2. Anders als bei Aufgabentyp 1 liefert die vorgegebene Tabelle hier sehr wenige Informationen über den zu erwartenden Inhalt. Lediglich die beiden Namen der sprechenden Personen sowie die gesuchten Strukturelemente können Sie der Tabelle bereits entnehmen.
3. Sie können an dieser Stelle allerdings bereits Ihr Vorwissen zu dem genannten Thema aktivieren. Deshalb sollten Sie aufgrund des Themas Vermutungen anstellen. In diesem Fall: Was wissen Sie über das System der Krankenversicherung in Deutschland?

Während des Hörens

8 1. **Hören Sie jetzt das Gespräch. Notieren Sie in der linken Spalte, was beide Personen fordern, und in der rechten Spalte, welches Argument sie jeweils anführen.**

Hinweis: In der Prüfung hören Sie das Gespräch einmal, zur Übung können Sie es sich aber auch zweimal anhören.

- Konzentrieren Sie sich nicht auf die einzelnen Details, sondern auf die **Argumentationsstruktur** und achten Sie dabei auf Formulierungen, wie Sie sie in den Vorübungen kennengelernt haben.
- Schreiben Sie beim Hören nicht mehr mit, als für die Antwort nötig ist.
- Ihre Antworten können Sie in Form von **Stichwörtern** oder **kurzen Sätzen** notieren.
- Machen Sie sich beim Hören in der Form **Notizen**, in der Sie **schneller schreiben können**: Wenn Sie schnell auf einer Tastatur tippen können, dann tippen Sie Ihre Notizen direkt in das Textfeld. Wenn Sie beim Tippen relativ langsam sind, dann schreiben Sie Ihre Notizen zuerst auf Papier und übertragen Sie sie nach dem Hören in das Textfeld.
- **Zeitsparender** ist es aber natürlich, die **Notizen direkt einzutippen**.

Herr Lindemann	
Forderung	Argument
Frau Dr. Sauer	
Forderung	Argument

Nach dem Hören

- Sie haben nun **drei Minuten** Zeit, Ihre Antworten zu überprüfen bzw. Ihre Notizen in die Textfelder einzutippen, wenn Sie diese auf Papier notiert haben.
- Überprüfen Sie, ob Forderung und Argument logisch zusammenpassen.
- Überprüfen Sie die Rechtschreibung.

So finden Sie die richtige Lösung:

Begriffspaar Herr Lindemann:

Moderator: Guten Tag, meine Damen und Herren, ich heiße Sie herzlich willkommen zu unserer Podiumsdiskussion, bei der es um das Thema „Rauchen" geht. Meine heutigen Gäste sind Frau Dr. Sabine Sauer, Lungenfachärztin, und Herr Paul Lindemann von der Kassenärztlichen Vereinigung. Wir wollen uns über ein zurzeit kontrovers diskutiertes Thema unterhalten, und zwar über den Vorschlag, dass Raucherinnen und Raucher höhere Krankenkassenbeiträge zahlen sollen. Herr Lindemann, Sie sind der Meinung, dass man Raucher zur Kasse bitten sollte, ist das richtig?

Herr Lindemann: Ja, das ist richtig, ich bin der Meinung, dass jeder Raucher und jede Raucherin höhere Kassenbeiträge zahlen sollte, denn diese Personengruppe verursacht deutlich mehr Kosten als die Nichtraucher. Raucher erkranken erwiesenermaßen deutlich häufiger z. B. an Lungenkrebs …

Herr Lindemanns Forderung, die Kassenbeiträge für rauchende Personen zu erhöhen, wird bereits in der Einleitung des Moderators antizipiert und dann noch einmal von Herrn Lindemann selbst wiederholt. Man nennt solche Wiederholungen Redundanzen. Achten Sie auf solche Redundanzen, denn Sie geben Ihnen die Chance, eine Information noch einmal genauer zu notieren oder etwas zu ergänzen, was Sie beim ersten Mal nicht verstanden haben. Die Begründung, die der Sprecher anführt, ist deutlich durch den kausalen Konnektor „denn" gekennzeichnet. Dies wäre das Argument, das für Herrn Lindemann in der rechten Spalte einzutragen ist.

Achten Sie auf den Sprecherwechsel. Dieser wird für Sie gut zu erkennen sein, denn es diskutieren immer eine männliche und eine weibliche Stimme miteinander.

Begriffspaar Frau Dr. Sauer:

Frau Dr. Sauer: Ich halte die Erhöhung der Kassenbeiträge für eine bestimmte Personengruppe für problematisch, denn zum einen ist eine Krankenkasse eine Solidargemeinschaft, und da sollten alle gleich behandelt werden, zum anderen wüsste ich nicht, wie die Krankenkassen kontrollieren sollen, ob ein Mitglied raucht oder nicht. Außerdem ist auch bei einem Raucher nicht immer das Rauchen die Ursache für zum Beispiel Lungenkrebs. Und es kommt auch immer darauf an, wie viel jemand raucht. Die Warnhinweise auf den Zigarettenpackungen sind schon ein guter Anfang.

Bis zu diesem Punkt begründet die Sprecherin, weshalb sie gegen eine Erhöhung des Krankenkassenbeitrages ist. Ihre Aufgabe ist aber, Frau Dr. Sauers Forderung zu formulieren. Daher sollten Sie zu dieser Textstelle keine Notizen machen, um sich auf den weiteren Gesprächsverlauf konzentrieren zu können:

Meiner Meinung nach sollte man aber noch weiter gehen: Mein Vorschlag wäre, dass man einen gewissen Anteil des Verkaufspreises der Zigaretten an die Krankenkassen zahlt. Auf diese Weise würde man erreichen, dass diejenigen, die viel rauchen, automatisch mehr bezahlen.

„Mein Vorschlag wäre" deutet an, dass hier eine Forderung oder eine Maßnahme formuliert wird, deshalb sollten Sie die folgende Aussage bei „Forderung" notieren. Frau Dr. Sauers Argument schließt sich direkt an ihre Forderung an: Wer viel raucht, sollte auch mehr bezahlen.

Fehler in Zusammenfassung erkennen

- In diesem Aufgabentyp des Hörverstehens geht es darum, das globale, also allgemeine Verständnis des Hörtextes zu testen.
- Sie hören einen kurzen Vortrag und machen sich dazu Notizen. Im Anschluss sollen Sie mithilfe Ihrer Notizen eine schriftliche Zusammenfassung des Vortrags mit den gehörten Inhalten vergleichen.
- Ihre Aufgabe ist es, die in der Zusammenfassung enthaltenen fehlerhaften Informationen zu identifizieren.

Vorübungen

Um sinnvolle Notizen machen zu können, muss man zunächst entscheiden, was wichtig und was nicht so wichtig an einer Aussage ist.

1. a **Markieren Sie in den folgenden Sätzen 1 – 6 zunächst die Schlüsselwörter.**

1. Auf dem in Potsdam veranstalteten Ärztekongress hielt Professor Dr. Scheider einen sehr interessanten Vortrag zum Thema „Neue Techniken bei der Nierentransplantation".
2. Der 14. Juli 1789 ist jener Tag, an dem in Paris der Sturm auf die Bastille stattfand und damit die Französische Revolution begann.
3. Im Grunde genommen hat der Politiker recht, wenn er fordert, eine Steuer auf ungesunde Lebensmittel nach dem Beispiel von Dänemark zu erheben.
4. Wenn man sich Statistiken anschaut, bemerkt man, dass in ländlichen Regionen heutzutage immer weniger Menschen wohnen als früher.
5. Als Grund für seine Forderung, das Licht von Straßenlaternen in der Nacht abzuschalten, nannte der Redner die Tatsache, dass durch das Licht viele Insekten stürben.
6. Der Politiker begründete seine ablehnende Haltung gegenüber einer Steuererhöhung damit, dass eine solche zu sozialen Ungerechtigkeiten führen würde.
7. Durch neuartige Infrarot-Scanner kann der über das duale System gesammelte Abfall besser sortiert und dadurch auch besser recycelt werden.

b **Verkürzen Sie im zweiten Schritt die Sätze aus Übung a auf die Notizen, die Sie beim Hören festhalten würden.**

1. Ärztekongress: Vortrag über neue Techniken bei Nierentransplantation (Prof. Schneider)
2. ______
3. ______
4. ______
5. ______
6. ______
7. ______

9 **2. Sie hören vier kurze Hörbeispiele. Lesen Sie jeweils die Sätze a) und b) und kreuzen Sie an, welcher Satz inhaltlich dem Hörbeispiel entspricht.**

Tipp: Lesen Sie vor dem Hören die beiden Sätze a) und b) aufmerksam durch und überlegen Sie, worin sie sich unterscheiden.

Tipp: Machen Sie sich während des Hörens Notizen. Wenn nötig, können Sie auch die Transkriptionen hinzuziehen.

Hörbeispiel 1:

◯ **a)** Forscher haben festgestellt, dass sich sowohl Kakaobäume als auch andere Pflanzen durch gutartige Pilze schützen lassen. Das ist sehr hilfreich, denn der Kakaobaum wird oft von krankmachenden Pilzen, Viren oder anderen Schädlingen befallen. Auf diese Weise werden jährlich 20 % der Kakaobäume vernichtet.

◯ **b)** Gutartige Pilze können Kakaobäume und auch andere Pflanzen vor Viren, Pilzen und anderen Schädlingen schützen. Zu diesem Ergebnis sind Wissenschaftler gekommen. Das ist wichtig, weil pro Jahr ein Großteil der Kakaopflanzen von diesen Schädlingen vernichtet wird.

Hörbeispiel 2:

◯ **a)** Entwicklungshelfer denken, dass der technische Fortschritt vermutlich dafür verantwortlich ist, dass das kulturelle Erbe in einigen Entwicklungsländern verlorengeht, denn man hat die Idee des quantitativen Wirtschaftswachstums und damit des technischen Fortschritts, die man bis in die siebziger Jahre verfolgte, ohne weiter nachzudenken von den Industrieländern auf die Entwicklungsländer übertragen. Aber deren kulturelle und gesellschaftliche Strukturen sind ganz anders.

◯ **b)** Entwicklung wurde bis in die siebziger Jahre vor allem mit technischem Fortschritt und quantitativem Wirtschaftswachstum assoziiert und deshalb hat man auch versucht, diese Idee auf die zu entwickelnden Länder zu übertragen. Das kann aber nur funktionieren, wenn sich das kulturelle Erbe und die sozialen Strukturen denen der Industrienationen anpassen.

Hörbeispiel 3:

◯ **a)** Aus mehreren Studien schlussfolgern Wissenschaftler, dass die Mehrheit der Kinder, die im Elternhaus körperliche Gewalt erlebt, diese später an andere Kinder weitergibt. Eltern fügen ihren Kindern aus verschiedenen Gründen Gewalt zu, z. B. weil sie selbst unter Stress stehen oder Probleme mit dem Partner haben.

◯ **b)** Oft erfahren Kinder zu Hause physische Gewalt, weil ihre Eltern Stress bei der Arbeit haben oder sich in einer problematischen familiären Situation befinden. Wissenschaftler schließen aus einer Studie, dass ca. ein Drittel der Kinder, die zu Hause körperliche Gewalt erfahren, diese später an andere Kinder weitergibt.

Hörbeispiel 4:

◯ **a)** Vor allem durch Plastikabfälle, die direkt in den Ozeanen entsorgt werden, bilden sich in den Meeren Inseln aus Plastik. Durch sie werden nicht nur die Meeresbewohner gefährdet, sondern auch wir Menschen, weil wir mit unserer Nahrung ebenfalls diese Plastikteile aufnehmen.

◯ **b)** Oft wird Plastikmüll einfach ins Meer geworfen, z. B. von Schiffen aus. Aber auch indirekt kommt Plastikmüll in die Ozeane, weil er durch Flüsse oder Wind dorthin getragen wird. Dieser Müll bildet, bedingt durch Strudel im Meer, Inseln. Diese gefährden uns Menschen und auch die Lebewesen, die in den Ozeanen wohnen.

Hörbeispiel 5:

- **a)** Ein Hybridfahrzeug ist sowohl mit einem Elektro- als auch mit einem Verbrennungsmotor ausgestattet. In der Stadt fährt das Auto mit Strom – es fährt dann leise und es entstehen keine Abgase. Bei höherem Tempo ist der Antrieb durch den Verbrennungsmotor ökonomischer, deshalb schaltet das Fahrzeug auf der Autobahn auf den Benzinmotor um. Beim Betrieb des Verbrennungsmotors lädt sich der Elektromotor auf.
- **b)** Weil bei höherer Geschwindigkeit ein Benzinmotor sparsam läuft, stellt ein Hybridfahrzeug, das sowohl über einen Elektro- als auch über einen Benzinmotor verfügt, auf der Autobahn automatisch auf den Verbrennungsmotor um. Im Stadtverkehr, wo es vor allem darauf ankommt, dass das Auto leise fährt und möglichst keine Abgase emittieren soll, kommt der Verbrennungsmotor zum Einsatz, der an den sogenannten Stromzapfsäulen aufgeladen werden muss.

10 3. **Hören Sie nun drei längere Beispiele. Kreuzen Sie nach dem Hören an, welches das Hauptthema ist.**

Hörbeispiel 1: In dem Text geht es …

- **a)** um die Gründe für Übergewicht bei Kindern und Jugendlichen.
- **b)** darum, dass Kinder und Jugendliche zu viel Fastfood essen.
- **c)** darum, dass Kinder und Jugendliche sich zu wenig bewegen.

Hörbeispiel 2: Der Text behandelt …

- **a)** die Vorteile von Printmedien.
- **b)** die Einflüsse des Internets auf die Medienlandschaft.
- **c)** die Gefahren von Fake News.

Hörbeispiel 3: In dem Text geht es …

- **a)** um die Entwicklung der kognitiven Fähigkeiten bei Kindern durch das Schreiben am Computer.
- **b)** um die Nachteile des Schreibens per Hand.
- **c)** darum, ob es besser ist, mit dem Computer oder mit der Hand zu schreiben.

Beispielaufgabe mit Lösungshinweisen

- In diesem Aufgabentyp des Hörverstehens sollen Sie eine Vorlesung oder einen Vortrag von 400-500 Wörtern in seiner Gesamtheit erfassen und anschließend die Informationen aus dem gehörten Text mit einer schriftlichen Zusammenfassung vergleichen.
- Ihre Aufgabe ist es dabei, zwei Sätze in der Zusammenfassung, die fehlerhafte Informationen enthalten, zu identifizieren und in der eingeblendeten Zusammenfassung zu markieren bzw. anzuklicken.
- Die Zusammenfassung wird erst nach dem Ende des Hörtextes eingeblendet, damit Sie sich auf das globale Verständnis des Hörtextes konzentrieren und Ihre Aufmerksamkeit nicht gleichzeitig auf die schriftliche Zusammenfassung richten müssen.
- Die Zusammenfassung enthält nur Hauptaussagen des Textes und keine Details, wie z. B. Zahlen.
- Sie sollten sich während des Hörens unbedingt Notizen machen.
- Nach dem Hören haben Sie zwei Minuten und 30 Sekunden Zeit, um die Aufgabe zu bearbeiten.
- Sie hören den Text einmal.

So gehen Sie vor:

Vor dem Hören

- Die **Aufgabenstellung** wird Ihnen vorgelesen und Sie können dabei mitlesen. Im **ersten Satz** der Aufgabenstellung wird immer das **Thema** der Vorlesung bzw. des Vortrags genannt.
- Aktivieren Sie Ihr Vorwissen zu diesem Thema.

Während des Hörens

- Machen Sie sich unbedingt handschriftlich Notizen auf Papier, aber notieren Sie keine Details, sondern lediglich die Hauptaussagen. Diese Notizen werden nicht bewertet.
- Um effizient mitzuschreiben, können Sie Abkürzungen verwenden (z. B., etc., d. h.). Des Weiteren können Sie auch grafische Mittel benutzen, z. B. Pfeile, um Grund und Folge zu markieren.
- Versuchen Sie auf keinen Fall, alles mitzuschreiben, sondern konzentrieren Sie sich auf die Hauptaussagen.

11 1. **Hören Sie jetzt den Ausschnitt aus einer Vorlesung im Fach Stadtplanung zum Thema „Lichtverschmutzung" und machen Sie sich Notizen.**

Nach dem Hören

2. **Lesen Sie jetzt die Zusammenfassung. Markieren Sie die Sätze mit den falschen Informationen.**

Hinweis: In der digitalen Version müssen Sie die beiden falschen Sätze anklicken, ein zweiter Klick löscht Ihre Auswahl wieder.

Die Lichtverschmutzung schreitet immer weiter fort: Schuld daran ist unter anderem die Tatsache, dass zunehmend LED-Leuchten eingesetzt werden, weil sie kostengünstig sind und deshalb immer hellere Lampen gekauft werden. Doch die nächtliche Helligkeit stört unsere Ökosysteme und schadet auch der Gesundheit der Menschen. Vor allem das LED-Licht, das ähnlich wie Tageslicht ist und z. B. von Fernsehern abgestrahlt wird, lässt uns nicht richtig schlafen.
Wenn die Schlafumgebung zu hell ist, produziert der menschliche Körper kein Melatonin. Wir leben dann zwar nicht gegen unsere innere Uhr, aber wir schlafen zu wenig und unsere Körperzellen können sich nicht ausreichend erholen.
Auf die Tiere hat die künstliche Beleuchtung ebenfalls Auswirkungen: Nachtaktive Vögel verlieren die Orientierung, Straßenlaternen töten Insekten, denn sie umkreisen das Licht, weil sie es für das Mondlicht halten, und sterben vor Erschöpfung.
Der Weltatlas der Lichtverschmutzung zeigt, dass 2016 zwar noch eine Minderheit der Weltbevölkerung unter einem lichtverschmutzten Himmel lebte, aber das wird sich bald ändern.

- Gleichen Sie die Sätze, die Sie markiert haben, noch einmal mit Ihren Notizen ab. Sie haben dafür zwei Minuten und 30 Sekunden Zeit.

So finden Sie die richtige Lösung:

Erste falsche Information in der Zusammenfassung:

> Wenn die Schlafumgebung zu hell ist, produziert der menschliche Körper kein Melatonin. Wir leben dann zwar nicht gegen unsere innere Uhr, aber wir schlafen zu wenig und unsere Körperzellen können sich nicht ausreichend erholen.

Der erste Satz des zweiten Abschnitts ist noch korrekt, falsch ist aber der zweite Satz, wo es heißt, dass wir nicht gegen unsere innere Uhr leben.

Im **Hörtext** heißt es dazu:

> Zu viel Kunstlicht macht auf Dauer krank, sagen Schlafforscher. Insbesondere das blaue, kalte Licht der LEDs von Leuchtreklamen und modernen Straßenbeleuchtungen, aber auch von Fernsehern, Mobiltelefonen oder Laptops wirkt auf uns wie Tageslicht und hält uns wach. Aber nur in der Dunkelheit produziert unser Körper das Schlafhormon Melatonin. Ohne Dunkelheit leben wir gegen unsere innere Uhr und schlafen zu wenig.

Im Vortrag heißt es also, dass die Lichtverschmutzung durchaus dazu führt, dass wir gegen unsere innere Uhr leben.

Zweite falsche Information in der Zusammenfassung:

> Der Weltatlas der Lichtverschmutzung zeigt, dass 2016 zwar noch eine Minderheit der Weltbevölkerung unter einem lichtverschmutzten Himmel lebte, aber das wird sich bald ändern.

Im **Hörtext** heißt es zu diesem Punkt aber:

> Der von einem internationalen Wissenschaftlerteam herausgegebene Weltatlas der Lichtverschmutzung dokumentiert, wie massiv künstliche Beleuchtung den Nachthimmel mittlerweile weltweit erhellt: Mehr als 80 Prozent der Weltbevölkerung lebten demnach bereits 2016 unter einem lichtverschmutzten Himmel.

Es war also nicht eine Minderheit der Weltbevölkerung, die schon im Jahr 2016 mit der Lichtverschmutzung konfrontiert war, sondern die Mehrheit, nämlich 80 Prozent.

Aussagen Personen zuordnen

- In diesem Aufgabentyp des Hörverstehens sollen Sie bestimmte Aussagen einer Person bzw. beiden Personen zuordnen oder feststellen, dass keine der beiden Personen diese Aussage gemacht hat. Dazu ist es notwendig, dass Sie sowohl Hauptaussagen als auch Einzelinformationen gut verstehen.
- Diese Aufgabe setzt auch voraus, dass Sie in der Lage sind, die kommunikative Absicht der sprechenden Person zu erkennen, d.h. dass Sie verstehen, ob er / sie etwas begründen möchte oder ob der Meinung des Gesprächspartners widersprochen oder zugestimmt wird.
- Zu diesem Aufgabentyp wird ein Video gezeigt. Sie sehen das Video einmal.

Vorübungen

1. **Lesen Sie die Ausdrücke in dem Schüttelkasten und entscheiden Sie: Stimmt der Sprecher / die Sprecherin der Meinung des Gesprächspartners / der Gesprächspartnerin zu, teilweise zu oder lehnt er / sie sie ab? Ordnen Sie die Redemittel den Spalten in der Tabelle zu.**

Tipp: Bestimmte Redemittel helfen Ihnen dabei, die Sprechabsichten von Personen zu erkennen.

Das stimmt. | Da bin ich anderer Ansicht. | Sie haben recht. | Es könnte sein, dass Sie recht haben, aber es ist auch zu bedenken, dass … | Ich halte Ihre Ansicht für fragwürdig. | Glauben Sie wirklich, dass das der Fall ist? | Ich hingegen bin der Auffassung, dass … | In diesem Punkt gebe ich Ihnen recht | Möglicherweise stimmt das, aber ich gebe zu bedenken, dass … | Da stimme ich Ihnen zu. | Nun ja, jedem steht seine eigene Meinung zu, aber ich denke doch eher, dass … | Naja, aber in der Regel ist es doch so, dass … | Nun, da bin ich anderer Meinung. | Ganz genau so ist es! | In diesem Punkt irren Sie sich. | Meinen Sie nicht, dass Sie auch berücksichtigen sollten, dass …?

Zustimmung	teilweise Zustimmung	Ablehnung

2. **Lesen Sie verschiedene Aussagen. Entscheiden Sie, welche der beiden Formulierungen jeweils die Meinung der Person wiedergibt. Kreuzen Sie an.**

1. „Die Zahl übergewichtiger Kinder nimmt immer mehr zu. Ich bin der Meinung, dass dieses Übergewicht bei Kindern vor allem darauf zurückzuführen ist, dass Kinder falsch ernährt werden und sich zu wenig bewegen."

- ◯ **a)** Die Person sieht für das Übergewicht bei Kindern vornehmlich zwei Ursachen.
- ◯ **b)** Die Person geht davon aus, dass für das Übergewicht bei Kindern ausschließlich zwei Ursachen verantwortlich sind.

Tipp: Markieren Sie in den Formulierungen, die Sie nicht angekreuzt haben, die falsche Information.

2. „Studierende, die ihr Studium abbrechen, studieren vor allem die sogenannten MINT-Fächer, also Mathematik, Informatik, Naturwissenschaften und Technik. Dass die Zahl der Abbrecher in diesen Fächern so hoch ist, liegt vor allem daran, dass die Studierenden falsche Vorstellungen von den Inhalten dieser Fächer haben und sich vor Studienbeginn nicht ausreichend informieren."

- ◯ **a)** Die Person vertritt die Meinung, dass die Universitäten die Studierenden der MINT-Fächer vor Beginn ihres Studiums nicht genug über das gewählte Studienfach informieren und die Studierenden mit falschen Erwartungen ihr Studium aufnehmen.
- ◯ **b)** Die Person geht davon aus, dass vor allem Studierende der Mathematik, Informatik, Naturwissenschaften und Technik ihr Studium vorzeitig abbrechen, weil sie sich vor Aufnahme des Studiums nicht genügend informieren und falsche Vorstellungen über die Studieninhalte haben.

3. „Eine Untersuchung hat gezeigt, dass Mücken Krebspatienten meiden, was vermutlich darin begründet liegt, dass diese Personen bestimmte Stoffe in ihrem Blut haben, die die Mücken nicht mögen."

- ◯ **a)** Die Person denkt, dass Menschen, die Krebszellen im Körper haben, bevorzugt von Mücken gestochen werden.
- ◯ **b)** Die Person ist sich sicher, dass Personen mit Krebszellen im Körper nicht so oft von Mücken gestochen werden, weil ihr Blut für die Mücken abstoßende Inhalte aufweist.

4. „Es ist der Forschung schon seit langem bekannt, dass eine falsche Ernährung aggressiv machen kann. Es wird vermutet, dass Gefangene, die zusätzlich zu ihrem normalen Essen Vitamine und Mineralstoffe in Tablettenform erhalten, sehr viel weniger aggressiv sind als ihre Mitgefangenen, die das nicht bekommen. Außerdem halten sich diese Gefangenen eher an die Regeln, die im Gefängnis gelten."

- ◯ **a)** Die Person meint, dass Gefangene weniger aggressiv sind, wenn sie statt normaler Mahlzeiten nur Vitamine und Mineralstoffe in Tablettenform bekommen.
- ◯ **b)** Die Person denkt, dass die Regeln, die im Gefängnis gelten, besonders von jenen Gefangenen eingehalten werden, die zusätzlich zu ihren Mahlzeiten Mineralstoffe und Vitamine bekommen.

12 3. **Hören Sie jetzt vier kurze Stellungnahmen zu unterschiedlichen Themen und kreuzen Sie an, welche sprachliche Handlung der Sprecher oder die Sprecherin jeweils vollzieht.**

Tipp: Markieren Sie im Hörtranskript die Formulierungen, durch die sich die Sprechabsicht zeigt.

	Sprecher 1	**Sprecher 2**	**Sprecher 3**	**Sprecher 4**
eine Meinung äußern				
appellieren				
etwas begründen				
einer Meinung widersprechen				

Beispielaufgabe mit Lösungshinweisen

- In diesem Aufgabentyp sehen Sie eine kurze Podiumsdiskussion von 400-550 Wörtern. Das Video sehen Sie nur einmal.
- Sie müssen beim Hören anklicken, zu wem die Aussagen passen. Für jede Aussage gibt es nur eine richtige Lösung.
- Es kann sein, dass die Aussagen auch zu beiden Personen passen oder zu keiner von beiden.
- Für das Lesen der Aussagen haben Sie 45 Sekunden Zeit.
- Nach dem Video haben Sie dann noch einmal 45 Sekunden Zeit, um Ihre Aussagen zu kontrollieren.
- Machen Sie sich gegebenenfalls beim Hören kurze Notizen.
- Wenn Sie sich bei einem Item nicht sicher sind, kreuzen Sie trotzdem etwas an, das erhöht Ihre Chancen.

Vor dem Hören

- Sie sehen eine Podiumsdiskussion zum Thema „Elektrobusse“. Aktivieren Sie Ihr Vorwissen zum Thema.
- Lesen Sie die sechs Aussagen und markieren Sie die Schlüsselwörter. Hierfür haben Sie 45 Sekunden Zeit.
- Wenn Sie die Aussagen schon einmal gelesen haben, hilft Ihnen das beim Hören, die Bezüge zwischen dem Hörtext und den schriftlichen Aussagen zu erkennen.

1. **Lesen Sie nun die sechs Aussagen.**

	Herr Hansen	Frau Dr. Melchior	beide	keiner
1. Wenn die Batterien von E-Bussen mit Strom aus regenerativen Energiequellen fahren, entsteht kein CO_2.				
2. E-Busse fahren geräuscharm, deswegen finden die Anwohner diese Antriebsart gut.				
3. Um Lithium herzustellen, benötigt man viel Wasser.				
4. Auch in anderen Geräten aus unserem Alltagsleben ist Lithium verarbeitet.				
5. Lithium-Ionen-Batterien haben einen „Memory-Effekt“.				
6. Wenn eine Lithium-Ionen-Batterie entsorgt wird, landen viele Rohstoffe ungenutzt auf dem Müll.				

Während des Hörens

1 2. **Sehen Sie jetzt die Podiumsdiskussion und kreuzen Sie an, zu wem die Aussagen 1 – 6 passen.**

- Vergleichen Sie die Aussagen in den Items sehr genau mit den Aussagen im Hörtext. Manchmal ist es nur ein Wort, das entscheidet, ob eine Aussage richtig oder falsch ist.
- Achten Sie bei Sprecherwechsel darauf, wie die Person auf die Aussage des Vorredners / der Vorrednerin reagiert. Drückt sie Ablehnung oder Zustimmung aus?
- Sie müssen damit rechnen, dass die Sprecherin oder der Sprecher die Aussage der anderen Person nicht noch einmal wiederholt, sondern die Zustimmung durch Formulierungen wie „Da gebe ich Ihnen Recht“ oder „Das sehe ich genauso“ zum Ausdruck bringt.

Nach dem Hören

- Nach dem Video haben Sie 45 Sekunden Zeit, um Ihre Antworten zu überprüfen.
- Wenn Sie eine Antwort ändern möchten, klicken Sie in der Prüfung dafür einfach in ein anderes Feld.

So finden Sie die richtige Lösung:

Item 1: Wenn die Batterien von E-Bussen mit Strom aus regenerativen Energiequellen fahren, entsteht kein CO_2.

Bereits der Moderator gibt in seiner Einführung einen Hinweis darauf, dass Herr Hansen von den Verkehrsbetrieben in Hamburg befürwortet, auf Busse mit Elektroantrieb umzustellen:

> **Moderator:** Viele Betriebe des öffentlichen Nahverkehrs planen, auf Elektrobusse umzustellen bzw. haben dies bereits getan. Man möchte damit eine Reduktion der umweltschädlichen CO_2-Emissionen in den Städten erreichen. [...] Ich diskutiere heute mit Herrn Hansen von den Verkehrsbetrieben in Hamburg und Frau Dr. Melchior vom Umweltbundesamt über dieses Problem. Herr Hansen, warum sollten Ihrer Meinung nach die Verkehrsbetriebe auf E-Busse umstellen?

Man kann also schon an dieser Stelle vermuten, dass Item 1 Herrn Hansen zuzuordnen ist, was die Aussage von ihm dann bestätigt:

> **Herr Hansen:** Nun, die Vorteile liegen meiner Ansicht nach klar auf der Hand: E-Busse produzieren kein klimaschädliches CO_2, vorausgesetzt natürlich, dass der Strom, mit dem sie gespeist werden, aus regenerativen Energiequellen stammt.

Item 2: E-Busse fahren geräuscharm, deswegen finden die Anwohner diese Antriebsart gut.

Herr Hansen fährt mit dem Argument fort, dass die E-Busse leise fahren, was für die Anwohner angenehm ist. Zu diesem Zeitpunkt der Diskussion ist klar, dass diese Aussage wieder zumindest Herrn Hansen zuzuordnen ist:

> **Herr Hansen:** Und außerdem freut es die Anwohner, denn diese Busse sind sehr leise, fast geräuscharm, was man jetzt von Dieselbussen keineswegs behaupten kann.

Um entscheiden zu können, ob die Aussage auf „beide" oder nur auf Herrn Hansen zutrifft, müssen Sie die Diskussion jedoch noch weiterverfolgen. An dieser Stelle schaltet sich Frau Melchior ein, was vermuten lässt, dass sie auf das letzte Argument von Herrn Hansen reagieren wird.

> **Frau Melchior:** Dass das die Anwohner freut, ist sicherlich nicht zu bestreiten, doch bezüglich der Umweltfreundlichkeit möchte ich zu bedenken geben, dass ...

Sie gibt Herrn Hansen bezüglich des leisen Fahrens der E-Busse recht, deshalb ist diese Aussage beiden Personen zuzuordnen.

Item 3: Um Lithium herzustellen, benötigt man viel Wasser.

Schon zu Beginn ihrer Aussage meldet Frau Dr. Melchior Bedenken in Bezug auf die Umweltfreundlichkeit der Lithium-Ionen-Batterien an:

> **Frau Melchior:** [...] dass diese Fahrzeuge in der Regel mit sogenannten Lithium-Ionen-Batterien angetrieben werden. Für die Umwelt sind diese Batterien sehr viel schädlicher als die normalen Verbrennungsmotoren.

Und weiter heißt es im Hörtext:

> Vor allem die Gewinnung von Lithium schadet der Umwelt, weil dafür schwere Eingriffe in die Ökosysteme vorgenommen werden müssen.

Das Stichwort „Wasser" fällt aber erst kurz darauf:

Über die Hälfte der weltweiten Lithium-Vorkommen sind in Südamerika zu verorten. Es handelt sich hier um einige der trockensten Regionen unserer Erde, und der Lithium-Abbau verschlingt Millionen Liter von Wasser.

Da Herr Hansen nicht weiter auf dieses Argument eingeht, ist das Item Frau Dr. Melchior zuzuordnen.

Item 4: Auch in anderen Geräten aus unserem Alltagsleben ist Lithium verarbeitet.

Schlüsselwörter sind hier „Geräte", „Alltagsleben" und „Lithium".
Herr Hansen nennt in seiner Ausführung konkrete Beispiele, wo auch Lithium verarbeitet wird, nämlich z. B. in Smartphones und Laptops:

Herr Hansen: Aber Lithium-Batterien sind in unserem Alltag einfach nicht mehr wegzudenken. In jedem Smartphone, in jedem Laptop sind sie enthalten.

Also ist diese Aussage zumindest Herrn Hansen zuzuordnen. Da er in seinen Ausführungen weiter fortfährt und Frau Dr. Melchior darauf nicht eingeht, ist diese Aussage ihm allein zuzuordnen.

Item 5: Lithium-Ionen-Batterien haben einen „Memory-Effekt".

Herr Hansen führt weiter aus:

Und auch in Elektrofahrzeugen werden eher Lithium-Ionen-Batterien verbaut. Sie haben nämlich einen großen Vorteil, denn diese Batterien können ohne den gefürchteten „Memory-Effekt" immer wieder aufgeladen werden. Herkömmliche Batterien merken sich den letzten Füllstand und verlieren so beim Aufladen immer ein paar Prozent der Kapazität. Lithium-Ionen-Batterien dagegen haben eine längere Haltbarkeit und werden deshalb auch in Elektrobussen eingebaut.

Die Aussage bezüglich des „Memory-Effekts" bezieht sich nicht auf die Lithium-Ionen-Batterien, sondern auf herkömmliche Batterien. Die Aussage in dem Item ist demnach falsch und keinem der beiden Sprecher zuzuordnen.

Item 6: Wenn eine Lithium-Ionen-Batterie entsorgt wird, landen viele Rohstoffe ungenutzt auf dem Müll.

Frau Melchior: Bisher wird in der EU nur ein sehr geringer Teil der Lithium-Ionen-Batterien recycelt. Der Grund dafür ist, dass es bislang wegen fehlender Technik keinen effektiven Weg gibt, das Lithium aus den Batterien zu recyceln. Das führt dazu, dass die wertvollen Rohstoffe bisher meist einfach entsorgt werden, wenn eine Batterie ausgetauscht werden muss oder das Fahrzeug stillgelegt wird.

Sie sagt also, dass die wertvollen Rohstoffe heute immer noch verloren gehen, weil es nicht möglich ist, sie auf effektive Weise zu recyceln. Deshalb ist diese Aussage Frau Melchior zuzuordnen.
In seiner nächsten Aussage gibt Herr Hansen ihr Recht:

Ja, da muss ich Ihnen leider recht geben, aber es ist doch in nicht allzu ferner Zukunft, glaube ich, zu erwarten, dass …

Aus diesem Grund ist dieses Item beiden Personen zuzuordnen.

Kurzantwort: Gliederungspunkte zu Vortrag ergänzen

Tipp: Hören Sie so oft es geht Vorträge auf Deutsch in authentischer Sprache, um das Hörverstehen zu automatisieren. So werden Kapazitäten für andere kognitive Operationen, wie z. B. Mitschreiben, frei. Eine Quelle für Vorträge ist z. B. Campus Talks vom Bayerischen Rundfunk.

- Bei diesem Prüfungsteil sehen Sie ein Video einer Vorlesung oder eines Vortrags. Sie sollen dazu eine Gliederung oder ein Handout in Stichwörtern ergänzen.
- Wichtig ist hier, dass Sie genau verstehen, wonach gefragt wird, beim Zuhören nur die relevanten Informationen aufschreiben und verständliche Antworten formulieren.

Vorübungen

Notizen machen

Während des Videos sollen Sie Notizen zu vier vorgegebenen Gliederungspunkten machen. Dabei ist wichtig, dass Sie **nur die für die Antwort benötigten Informationen aufschreiben**, um keine Zeit mit dem Notieren unwichtiger Informationen zu verlieren und sich schnell wieder voll aufs Zuhören konzentrieren zu können.
Formulieren Sie Ihre Notizen **aber auch nicht zu knapp**, weil Sie sonst nach dem Hören nicht mehr wissen, was Ihre Notizen bedeuten.
Schreiben Sie **keine vollständigen Sätze**. Verwenden Sie **Abkürzungen** für Wörter, die sich wiederholen und für das Thema wesentlich sind.

13 1. **Hören Sie das Beispiel und kreuzen Sie an, welche Notiz dazu am besten ist. Begründen Sie Ihre Entscheidung.**

Warum schadet das Zusatzfutter im Winter den Rehen gesundheitlich?

- ◯ **a)** negativ Bakterien
- ◯ **b)** wirkt negativ auf Bakterien im Magen-Darm-System
- ◯ **c)** Es wirkt sich negativ auf die Bakterien im Magen-Darm-System der Tiere aus.

14 2. **Hören Sie die Beispiele und notieren Sie in Stichwörtern.**

Hinweis: Kontrollieren Sie nach dem Hören Ihre Notizen: Sind Ihre Antworten schon aussagekräftig und verständlich oder müssen Sie etwas korrigieren?

1. Am stärksten vom illegalen Handel betroffene Tierarten:
____
2. Gründe für den Handel mit Tieren:
____
3. Prognose der Forscher für den Wildtierhandel:
____
4. Vorgeschlagene Maßnahmen gegen illegalen Tierhandel:
____

Antworten formulieren

In der Prüfung haben Sie nach dem Hören drei Minuten Zeit, um Ihre mitgeschriebenen Notizen zu überarbeiten, damit Ihre Antworten inhaltlich vollständig und sprachlich verständlich sind. Sehen Sie sich das folgende Beispiel an und vollziehen Sie nach, welche Passagen aus dem Text für das Formulieren der Antwort relevant sind:

Auszug aus einem Vortrag:

Lesen ist heute eine unserer wichtigsten Fähigkeiten im Alltag. Aus evolutionärer Sicht ist diese Kulturtechnik allerdings noch sehr jung: Die Erfindung der ersten Schriften liegt nämlich nur wenige tausend Jahre zurück. Aus diesem Grund hat unser Gehirn noch keine Zeit gehabt, ein eigenes Lesezentrum zu entwickeln. Wenn wir lesen lernen, muss es also andere Hirnareale zu diesem Zweck umfunktionieren. Bereiche, die eigentlich für die Erkennung komplexer Objekte wie Gesichter oder Häuser zuständig sind, beginnen dann, empfindlich auf Buchstaben zu reagieren. Aber hat das irgendwelche Folgen?

Vorgegebener Gliederungspunkt dazu:

Im Gehirn gibt es kein spezielles Lesezentrum.

Folge: *Gehirn muss andere Hirnareale zum Lesen lernen umfunktionieren.*

↑ es ↑ zu diesem Zweck

15 **3. Hören Sie die Beispiele und verbessern Sie die mangelhaften Antworten.**

1. Meinung einiger Forscher:
Mangelhafte Antwort: Spezialisierung auf Schriftzeichen nachteilig für Gesichter

Verbesserte Antwort: ______

2. Probandengruppen bei der Studie:
Mangelhafte Antwort: Gruppe 1: Analphabeten, Gruppe 2: Analphabeten, Gruppe 3: Menschen, die lesen und schreiben konnten

Verbesserte Antwort: ______

3. Untersuchungsergebnis für Probandengruppe 1:
Mangelhafte Antwort: Netzwerke im Gehirn veränderten sich, negativ

Verbesserte Antwort: ______

4. Schlussfolgerung der Wissenschaftler:
Mangelhafte Antwort: Buchstaben und komplexe Objekte aktiviert

Verbesserte Antwort: ______

5. Zwei Fragestellungen für zukünftige Studien:
Mangelhafte Antwort: 1. wie genau sich Gehirn umstrukturiert, 2. Kinder

Verbesserte Antwort: ______

Hinweis: Lesen Sie die Gliederungspunkte immer aufmerksam, damit Sie gut verstehen, wonach genau gefragt wird.
In Übung 3, Frage 2 wird z. B. nach den Probandengruppen gefragt, aber nicht nach dem Ablauf der Studie, bei Frage 3 nach dem Ergebnis für Probandengruppe 1, nicht nach dem für alle lesefähigen Probanden.

Selektiv hören

Um nur die für die Antwort benötigten Informationen aufzuschreiben, müssen Sie während des Hörens auf die Schlüsselwörter aus den Gliederungspunkten achten.

16 **4. Hören Sie die Beispiele und notieren Sie in Stichwörtern.**

1. Phasen bei alternierendem Fasten:

______

2. Mögliche positive Effekte des Intervallfastens:

______

3. Erkenntnisziel der österreichischen Studie:

______

4. Ergebnisse der drei untersuchten Gruppen:

______

5. Kritik an Kontrollgruppe:

______

Hinweis: Die Gliederungspunkte sind im Allgemeinen sehr kurz. Fast alle Wörter in den Gliederungspunkten sind also wichtige Schlüsselwörter.

5. Wo finden Sie die Antwort? Markieren Sie im Ausschnitt aus dem Hörtext die Schlüsselwörter und Antworten zu Item 1 in Übung 4 in zwei verschiedenen Farben.

Intervallfasten liegt im Trend: Bei dieser speziellen Form des Fastens geht es darum, im Alltag längere Essenspausen einzulegen. Dafür wird die Nahrungsaufnahme entweder täglich auf ein Zeitfenster von acht Stunden beschränkt oder es werden mehrere Fastentage pro Woche eingeplant. Eine Variante davon ist das sogenannte alternierende Fasten, das einem 48stündigen Rhythmus folgt. Dabei verzichtet man 36 Stunden lang auf feste Nahrung und ernährt sich in dieser Zeit nur von Gemüsebrühe, Wasser und ungesüßtem Tee. In den folgenden zwölf Stunden darf man dagegen ohne Beschränkungen alles essen, was man will. Danach geht es wieder mit dem Fasten los.

17 **6. Hören Sie den Vortrag und notieren Sie die Antworten in Stichwörtern oder kurzen Sätzen.**

1. Das Gehirn lernt am besten:

___

2. Aktives Lernen heißt:

___

3. Gehirnjogging funktioniert nicht als Lerntechnik, weil:

___

4. Für Intelligenz spielt eine Rolle: (Nennen Sie einen Punkt.)

___

17 **7. Hören Sie den Vortrag in Übung 6 noch einmal und notieren Sie, wie die Stichpunkte in Übung 6 im Hörtext wiedergegeben sind:**

Hinweis: Die Gliederungspunkte sind im Hörtext zum Teil mit denselben Wörtern und zum Teil in umschriebener Form wiedergegeben.

Gliederungspunkt 1: ___

Gliederungspunkt 2: ___

Gliederungspunkt 3: ___

Gliederungspunkt 4: ___

Erkennen, wann ein neuer thematischer Aspekt beginnt

18 **8. Hören Sie die Vorlesung und notieren Sie die Antworten in Stichwörtern oder kurzen Sätzen.**

Hinweis: Die Gliederungspunkte zeigen Ihnen, wie der Hörtext inhaltlich aufgebaut ist. Beim Hören geben Ihnen sprachliche Signale Hinweise darauf, dass ein neuer thematischer Aspekt beginnt.

1. Funktion des bitteren Geschmacks:

___

2. Fragestellung der Studie:

___

3. Auf den Fragebögen erfasste Informationen:

___

4. Ergebnis der Studie:

___

5. Erklärung für das Ergebnis:

___

18 **9. Hören Sie die Vorlesung noch einmal und markieren Sie im Transkript des Hörtextes die sprachlichen Signale für den Beginn eines neuen thematischen Aspekts.**

Beispielaufgabe mit Lösungshinweisen

- Sie sehen ein Video mit einem Ausschnitt aus einer Vorlesung oder einem Vortrag von 300 bis 450 Wörtern zu einem gesellschafts-, sozial-, natur-, wirtschafts- oder ingenieurswissenschaftlichen Thema. Das Thema ist fachübergreifend verständlich.
- Bei dieser Aufgabe sollen Sie zeigen, dass Sie die Hauptaussagen und wichtige Details verstehen und gleichzeitig Notizen machen können.
- Zu der Vorlesung bzw. dem Vortrag bekommen Sie eine Gliederung oder ein Handout mit vier Items. Sie sollen diese vier Gliederungspunkte in Stichpunkten ergänzen.
- Die Items folgen dem Textverlauf.
- Sie sehen das Video einmal.

So gehen Sie vor:

Vor dem Hören

1. Die **Aufgabenstellung** wird Ihnen vorgelesen und Sie können sie dabei mitlesen. **Im ersten Satz** der Aufgabenstellung wird immer das **Thema** der Vorlesung bzw. des Vortrags und der Fachbereich genannt.
2. Anschließend haben Sie **zehn Sekunden** Zeit, um die **Gliederungspunkte** zu lesen. Diese geben Ihnen wichtige **Informationen** über den **Aufbau** und den **Inhalt** der Vorlesung bzw. des Vortrags.

- Die **Gliederungspunkte** sind oft knapp formuliert. Daher ist es nicht notwendig, Schlüsselwörter zu markieren, denn **alle Wörter** sind **wichtig**. **Lesen** Sie die **Items sorgfältig**, um genau zu verstehen, wonach gefragt wird.
- Die Formulierungen in den **Gliederungspunkten** werden im **Hörtext zum Teil paraphrasiert**, **zum Teil** hören Sie **dasselbe Wort** wie im Item.

Hinweis: Das Vorlesen der Aufgabenstellung dauert circa 30 Sekunden. Der erste Satz gibt Ihnen neue, wichtige Informationen. Die weiteren Sätze sind immer gleich.
Sie können ein paar Sekunden gewinnen, wenn Sie nur den ersten Satz lesen und sich dann direkt die Gliederungspunkte ansehen. So haben Sie etwas mehr Zeit, um diese gut zu verstehen.

1. **Sehen Sie sich nun die Gliederungspunkte an.**

Mehrsprachigkeit

1. Voraussetzung, dass Kinder eine hohe zweitsprachliche Kompetenz erwerben:

2. Vorteil der Erwachsenen beim Fremdsprachenlernen:

3. Früher vermutete Folgen von Mehrsprachigkeit: (nennen Sie eine)

4. Mangel vieler Studien zu Zweisprachigkeit:

Während des Hörens

2 **2. Sehen Sie jetzt den Vortrag und ergänzen Sie in Stichpunkten die Gliederungspunkte in den Textfeldern.**

Tipp: Üben Sie rechtzeitig das Tippen auf einer deutschen Tastatur. Trainieren Sie auch schnelles Schreiben mit der Hand.

- Sie sehen im Video den Vortragenden und zusätzlich einige Folien einer Präsentation. Die Folien können dabei helfen, den Inhalt des Vortags zu veranschaulichen. Allerdings werden auf den **Folien keine Informationen** gegeben, die Sie **für Ihre Antworten** brauchen. Sie können also die Gliederungspunkte ergänzen, ohne auf die Folien zu schauen. Der Wechsel zu einer neuen Folie kann aber einen Hinweis darauf geben, dass ein neuer Gliederungspunkt beginnt.
- Achten Sie auch auf andere **Signale für einen Themenwechsel**, wie bestimmte Formulierungen oder eine kleine Pause beim Sprechen. So erkennen Sie ebenfalls, wann ein neuer inhaltlicher Aspekt beginnt.
- Die **Gliederungspunkte** werden beim **Vortrag in derselben Reihenfolge** präsentiert, wie sie in der Aufgabe stehen. So können Sie sich beim Hören orientieren.
- Achten Sie beim Hören auf die **Schlüsselwörter** aus den Gliederungspunkten oder **Umschreibungen** davon. Die Informationen für Ihre Antwort werden niemals vor, sondern immer nach diesen Wörtern genannt. Manchmal müssen Sie aber ein klein wenig warten, bis die relevante Information kommt.
- Ihre Antworten können Sie in Form von **Stichwörtern** oder **kurzen Sätzen** notieren.
- Sie sind nicht gezwungen, in Ihrer Antwort die genaue Formulierung aus dem Hörtext zu übernehmen. Sofern die inhaltliche Bedeutung gleich ist, können Sie auch andere Wörter verwenden.
- **Schreiben** Sie beim Hören **nicht mehr mit, als** für die Antwort **nötig** ist.
- Machen Sie sich beim Hören in der Form **Notizen**, in der Sie **schneller schreiben können**: Wenn Sie schnell auf einer Tastatur tippen können, dann tippen Sie Ihre Notizen direkt in das Textfeld. Wenn Sie beim Tippen relativ langsam sind, dann schreiben Sie Ihre Notizen zuerst auf Papier und übertragen Sie sie nach dem Hören in das Textfeld.
- **Zeitsparender** ist es aber natürlich, die **Notizen direkt einzutippen**.

Hinweis: Die Informationen, die Sie für Ihre Antworten brauchen, sind so im Text verteilt, dass Sie bei jedem Item genug Zeit zum Notieren Ihrer Stichwörter haben, bevor die Antwort für das nächste Item genannt wird.

Nach dem Hören

- Sie haben **drei Minuten** Zeit, um Ihre **Antworten zu kontrollieren bzw. Ihre Notizen in die Textfelder einzutippen, wenn Sie diese auf Papier notiert haben**.
- Achten Sie darauf, dass Ihre Antworten **inhaltlich vollständig** und **sprachlich verständlich** sind.
- Ihre Antwort wird trotz **kleiner Fehler** als **richtig** gewertet, wenn man erkennen kann, dass Sie den **Text verstanden haben**.

So finden Sie die richtige Lösung:

1. Gliederungspunkt:

Bei diesem Item geht es darum, unter welchen Voraussetzungen Kinder eine Zweitsprache sehr gut lernen. Im Vortrag heißt es dazu:

> Wenn man mit einer zweiten Sprache aufwächst, lernt man sie dagegen perfekt. Um von diesem Effekt profitieren zu können, muss das Sprachenlernen aber unter ähnlichen Bedingungen erfolgen wie beim Muttersprachenerwerb.

Vergleich, wie der Gliederungspunkt im Hörtext wiedergegeben ist.

Item: Voraussetzung, dass	Kinder ↓	eine hohe zweitsprachliche Kompetenz erwerben ↓
Hörtext:	mit einer zweiten Sprache aufwächst	lernt perfekt

Die Voraussetzungen stehen nach dem Satz, der die Schlüsselwörter enthält. Die Antwort ist also: „Sprachenlernen muss unter ähnlichen Bedingungen erfolgen wie beim Muttersprachenerwerb"

2. Gliederungspunkt:

Bei diesem Item geht es um die Vorteile, die Erwachsene beim Lernen einer Fremdsprache haben. Im Vortrag heißt es dazu:

> Doch auch Erwachsene sind beim Fremdsprachenlernen nicht nur im Nachteil: Obwohl sie die Sprachen in der Regel nicht mehr fehlerlos und akzentfrei lernen, machen sie dabei viel schnellere Fortschritte als Kinder, weil sie über mehr und differenziertere Strategien für das Lernen verfügen.

Item:	Vorteil	der Erwachsenen	beim Fremdsprachenlernen
	↓	↓	↓
Hörtext:	nicht nur im Nachteil	Erwachsene	beim Fremdsprachenlernen

Der Vorteil der Erwachsenen besteht darin, dass sie über mehr und differenziertere Strategien verfügen. Das ist also Ihre Antwort. Aus diesem Vorteil ergibt sich die Folge, dass Erwachsene schnellere Fortschritte beim Lernen machen.

3. Gliederungspunkt:

Bei diesem Item geht es darum, was man früher als Folgen von Mehrsprachigkeit erwartete. Im Vortrag heißt es dazu:

> Noch bis circa Mitte des 20. Jahrhunderts haben Sprachwissenschaftler und Pädagogen vor den negativen Effekten des Aufwachsens mit mehreren Sprachen gewarnt. Sie befürchteten unter anderem Defizite im Bereich der Intelligenz, psychische Störungen oder sogar einen Verfall der Moral.

Item:	Früher	vermutete Folgen	von Mehrsprachigkeit
	↓	↓	↓
Hörtext:	Noch bis circa Mitte des 20. Jahrhunderts	negativen Effekten	Aufwachsens mit mehreren Sprachen

Im Hörtext werden drei Folgen genannt: Defizite im Bereich der Intelligenz, psychische Störungen, Verfall der Moral. Eine dieser Folgen schreiben Sie als Antwort.

4. Gliederungspunkt:

Bei diesem Item geht es um einen Mangel, den viele Studien zu Zweisprachigkeit haben. Im Vortrag heißt es dazu:

> Ab den Neunziger Jahren wurde eine Reihe von Studien publiziert, die Zweisprachigen höhere kognitive Fähigkeiten, größere soziale Kompetenzen und sogar eine bessere Gesundheit attestieren. Ob es diese positiven Effekte wirklich gibt, ist allerdings fraglich: Viele dieser Untersuchungen arbeiten nämlich mit sehr wenigen Probanden.

Item:	Mangel	vieler Studien zu Zweisprachigkeit
	↓	↓
Hörtext:	positive Effekte fraglich	Studien Zweisprachigen

Das Wort „Mangel" wird im Hörtext nicht explizit ausgedrückt. Aber die positiven Effekte, die der Zweisprachigkeit in vielen Studien zugesprochen wurden, werden in Frage gestellt. Der Grund für den Zweifel an diesen Ergebnissen wird dann im Folgenden genannt: An vielen dieser Untersuchungen wird nämlich bemängelt, dass sie mit sehr wenigen Probanden arbeiten. Das ist also der Mangel der Studien und die Antwort bei diesem Item.

Multiple Choice

Tipp: Hören Sie so oft es geht Vorträge auf Deutsch in authentischer Sprache.

- Bei diesem Prüfungsteil hören Sie einen Ausschnitt aus einer Vorlesung oder einem Vortrag. Sie sollen dazu fünf Fragen beantworten, indem Sie die korrekte Antwort anklicken.
- Bei den Fragen geht es um verschiedene Arten des Hörverstehens. Es gibt Fragen zu Details und zur Hauptaussage des Textes, zur Haltung oder Einstellung des Sprechers / der Sprecherin und zur Textorganisation.

Vorübungen

Bei den **Fragen zu Details und Hauptaussagen** geht es um Informationen, die im Text ausdrücklich, d.h. explizit, formuliert werden. Diese Informationen sind in den Items durch Synonyme und Paraphrasen wiedergegeben. Es ist daher wichtig, dass Sie denselben Inhalt in anderer Form wiedererkennen.

1. **Haben die Aussagen die gleiche Bedeutung? Kreuzen Sie an.**

◯ **1.** Roboter werden bald stellvertretend für den Menschen handeln.
Demnächst werden Roboter Aufgaben von Menschen übernehmen.

◯ **2.** Roboter werden Regeln anwenden, die wir im Vorhinein definiert haben.
Roboter handeln nach von uns zuvor festgelegten Vorgaben.

◯ **3.** Selbstlernende Maschinen könnten sich eigene Regeln geben, die wir möglicherweise gar nicht vorausgesehen haben.
Es ist kaum vorstellbar, dass selbstlernende Maschinen über die vorgegebenen Bestimmungen hinausgehen.

◯ **4.** Die Erwartungen, die an das autonom fahrende Auto gestellt werden, dürften zum Teil enttäuscht werden.
Selbstfahrende Autos werden die in sie gesetzten Hoffnungen möglicherweise nicht erfüllen.

2. **Welche Formulierungen haben die gleiche Bedeutung? Ordnen Sie zu.**

1. ein übergeordnetes Ziel haben
2. das tägliche Leben mit Sinn erfüllen
3. unermüdlich an etwas arbeiten
4. eine genetische Veranlagung haben
5. Eigenschaften sind kaum ausgeprägt

◯ **a)** seinem Dasein ein Gefühl von Bedeutung geben
◯ **b)** sich kontinuierlich und ausdauernd mit einer Sache beschäftigen
◯ **c)** Merkmale sind nur schwach vorhanden
◯ **d)** nach etwas streben, das über den Augenblick hinausgeht
◯ **e)** angeboren sein

19
3. **Hören Sie und markieren Sie die Aussagen, die dem gehörten Inhalt entsprechen. Es können auch mehrere Antworten markiert werden.**

Tipp: Markieren Sie vor dem Hören immer zuerst die Schlüsselwörter.

1. ◯ **a)** Maschinen werden uns in Zukunft häufiger unterstützen.
◯ **b)** Die Programmierung von Maschinen ist sehr gut planbar.
◯ **c)** Wir entwickeln für jede denkbare Situation ein Programm.

2. ◯ **a)** Es ist nicht so leicht zu sagen, was moralisch richtig ist.
◯ **b)** Ein selbstfahrendes Auto muss seinen Fahrer schützen.
◯ **c)** Verschiedene Faktoren müssen bei einer Entscheidung berücksichtigt werden.

3. ◯ **a)** Die Algorithmen lernen anhand von Beispielen.
◯ **b)** Lernende Algorithmen korrigieren sich selbst.
◯ **c)** Beim maschinellen Lernen erwerben wir mithilfe von Maschinen mehr Wissen.

4. ◯ **a)** Was richtig ist, bewertet jede Person unterschiedlich.
◯ **b)** Unsere Basis können allgemein gültige Werte sein.
◯ **c)** Roboter lernen am meisten in schwierigen Situationen.

20 **4. Hören Sie und markieren Sie die Aussagen, die dem gehörten Inhalt entsprechen. Hören Sie noch einmal und notieren Sie, wie die Informationen zu allen Aussagen im Hörtext formuliert sind.**

◯ **1.** Um erfolgreich zu sein, braucht man vor allem Intelligenz.

____

◯ **2.** Talent führt nicht automatisch zu guten Leistungen und wird überschätzt.

____

◯ **3.** Grit ist ein ausschließlich angeborenes Persönlichkeitsmerkmal.

____

◯ **4.** Eine Mischung verschiedener Charaktermerkmale führt zum Erfolg.

____

21 **5. Hören Sie und markieren Sie die richtige Aussage. Hören Sie noch einmal und notieren Sie, wie diese Aussage im Text formuliert ist.**

1. Die Gehgeschwindigkeit einer Person

◯ **a)** lässt Rückschlüsse auf den Zustand der Leistungsfähigkeit zu.
◯ **b)** gibt Hinweise darauf, wie alt sie ist.

Im Text heißt es: ______________________________

2. Die langsamsten erwachsenen Probanden

◯ **a)** sind schon als Dreijährige langsam gelaufen.
◯ **b)** waren als Dreijährige schlecht bei verschiedenen Tests.

Im Text heißt es: ______________________________

3. Die schnellsten Testpersonen

◯ **a)** waren mehrere Jahre jünger als die langsameren Versuchsteilnehmer.
◯ **b)** erschienen um einige Jahre jünger als die langsameren Probanden.

Im Text heißt es: ______________________________

4. Durch die Früherkennung von Krankheiten

◯ **a)** steigen die Heilungschancen bei verschiedenen Krankheiten.
◯ **b)** lassen sich bestimmte Krankheiten womöglich vermeiden.

Im Text heißt es: ______________________________

Bei einem **weiteren Fragetyp** geht es darum, dass Sie die **Haltung oder Einstellung der sprechenden Person** erkennen. Diese wird im Allgemeinen durch bestimmte Redemittel zum Ausdruck gebracht, sie kann jedoch auch implizit enthalten sein.

Hinweis: Sehen Sie dazu auch das Kapitel zu Lesen 4. Dort finden Sie zahlreiche Beispiele für Sprechabsichten und die dazugehörigen Redemittel.

22 **6. Hören Sie die Beispiele. Welche Haltung hat der Sprecher? Kreuzen Sie an.**

1. ◯ **a)** Der Sprecher kritisiert die späte Vergabe von Nobelpreisen.
◯ **b)** Der Sprecher kann die Abweichung des Komitees von den Vorgaben nachvollziehen.
◯ **c)** Der Sprecher hält die Vergabe des Nobelpreises für nicht mehr zeitgemäß.

2. ⬭ **a)** Der Sprecher bedauert, dass der Wissenschaftsbetrieb sich verändert hat.
⬭ **b)** Der Sprecher vermutet, dass heute keine echten Entdeckungen mehr möglich sind.
⬭ **c)** Der Sprecher ist zuversichtlich, dass es weiterhin wissenschaftliche Fortschritte geben wird.

3. ⬭ **a)** Der Sprecher kritisiert die Methode der Preisvergabe.
⬭ **b)** Der Sprecher begrüßt die neuen Arbeitsmethoden in der Wissenschaft.
⬭ **c)** Der Sprecher empfiehlt, mehr Forscher mit Preisen auszuzeichnen.

4. ⬭ **a)** Der Sprecher relativiert eine Forderung.
⬭ **b)** Der Sprecher appelliert, den Nobelpreis nicht mehr zu vergeben.
⬭ **c)** Der Sprecher prognostiziert, dass es in Zukunft keinen Nobelpreis mehr geben wird.

22 7. **Hören Sie die Beispiele in Übung 6 noch einmal und notieren Sie in Ihrem Heft die Wörter, durch die die Haltung zum Ausdruck kommt.**

Ein weiterer **Fragetyp** von Items überprüft Ihr Verständnis der **Textorganisation**. Sie müssen erkennen, wie die Informationen in einem Textabschnitt präsentiert werden.

23 8. **Hören Sie die Beispiele und markieren Sie die richtige Aussage. Notieren Sie dann die entsprechenden Formulierungen aus dem Text.**

Tipp: Sehen Sie sich zu dieser Aufgabe auch die Hörtranskripte an.

1. Wie vergleicht der Sprecher die US-amerikanischen und deutschen Universitäten?
⬭ **a)** Anhand ihrer ökonomischen Ressourcen.
⬭ **b)** Anhand ihres Platzes in Hochschulranglisten.
⬭ **c)** Anhand der Studiendauer.

Im Text heißt es: ____________________

2. Die Sprecherin nennt die Energieträger in der Reihenfolge
⬭ **a)** ihrer Kosten bei der Stromproduktion.
⬭ **b)** ihres Anteils an der Stromerzeugung.
⬭ **c)** ihrer Umweltverträglichkeit.

Im Text heißt es: ____________________

Die **letzte Frage** bezieht sich immer auf die **Gesamtaussage des Textes**. Sie müssen erkennen, was das Hauptziel oder das Hauptthema des Vortrags bzw. der Vorlesung ist.

24 9. **Hören Sie die Beispiele und markieren Sie die richtige Aussage. Hören Sie noch einmal und notieren Sie, wie sich die Gesamtaussage sprachlich im Text zeigt.**

Tipp: Sehen Sie sich dazu auch die Hörtranskripte an.

1. Worin besteht das Hauptziel des Vortrags?
⬭ **a)** Die geplanten Maßnahmen zur Wiederaufforstung zu kritisieren.
⬭ **b)** Die in die Wiederaufforstung gesetzten Hoffnungen zu relativieren.
⬭ **c)** Die Folgen von Maßnahmen zur Wiederaufforstung zu betonen.

Im Text heißt es: ____________________

2. Worin besteht das Hauptziel des Vortrags?
⬭ **a)** Eine moderne Diätform in Frage zu stellen.
⬭ **b)** Über aktuelle Studienergebnisse zu informieren.
⬭ **c)** Vor einer bestimmten Ernährung zu warnen.

Im Text heißt es: ____________________

25 10. **Hören Sie das Beispiel und schreiben Sie danach in einem Satz die Hauptaussage des Textes in Ihr Heft.**

Tipp: Führen Sie diese Übung fort und machen Sie das Gleiche mit Vorträgen im Internet.

Beispielaufgabe mit Lösungshinweisen

- Sie hören einen Ausschnitt aus einer Vorlesung oder einem Vortrag von 400 bis 500 Wörtern zu einem gesellschafts-, sozial-, natur-, wirtschafts- oder ingenieurswissenschaftlichen Thema. Das Thema ist fachübergreifend verständlich.
- Bei dieser Aufgabe sollen Sie zeigen, dass Sie die Hauptaussagen und wichtige Details verstehen, implizite Informationen wie z.B. die Meinung, Einstellung oder Absicht der sprechenden Person erfassen und die Textorganisation erkennen.
- Zu der Vorlesung bzw. dem Vortrag bekommen Sie fünf Fragen mit jeweils vier Antwortoptionen. Sie sollen die korrekte Antwort ankreuzen.
- Die Items folgen dem Textverlauf.
- Das letzte Item bezieht sich immer auf die Gesamtaussage.
- Sie hören den Ausschnitt einmal.

Hinweis: Sehen Sie sich auf der Webseite des TestDaF-Instituts die Modellaufgaben an.

So gehen Sie vor:

Vor dem Hören

1. Die **Aufgabenstellung** wird Ihnen vorgelesen und Sie können dabei mitlesen. Im **ersten Satz** der Aufgabenstellung wird immer das Thema der Vorlesung bzw. des Vortrags genannt.
2. Anschließend haben Sie **eine Minute und 30 Sekunden** Zeit, um die Items zu lesen. Klicken Sie jeweils auf die Frage, um die vier Antwortmöglichkeiten zu sehen.
3. **Markieren** Sie beim Lesen der Items die **Schlüsselwörter**. Um auf dem Bildschirm Markierungen zu machen, klicken Sie rechts auf das Stiftsymbol. Die Items sind im Allgemeinen kurz und präzise formuliert. Dennoch empfiehlt es sich, die wichtigsten Wörter farblich hervorzuheben.

- Beim Lesen und Markieren der Items erhalten Sie schon wichtige **Informationen** über den **Aufbau** und den **Inhalt** der Vorlesung bzw. des Vortrags und können Ihr **Vorwissen** zum Thema und den entsprechenden **Wortschatz aktivieren**.
- Achten Sie gut darauf, um welchen **Fragetyp** es sich bei jedem Item handelt.

Tipp: Das Vorlesen der Aufgabenstellung dauert circa 30 Sekunden. Der erste Satz gibt Ihnen neue, wichtige Informationen. Die weiteren Sätze sind immer gleich.
Sie können ein paar Sekunden gewinnen, wenn Sie nur den ersten Satz lesen und sich dann direkt die Items ansehen.

1. **Sehen Sie sich nun die Fragen an.**

Empathie

Frage 1: Wie führt die Sprecherin die verschiedenen Formen von Empathie ein?
- ◯ **a)** Anhand von Beispielen.
- ◯ **b)** Durch Abgrenzung zu anderen Fähigkeiten.
- ◯ **c)** Durch Beschreibung von Situationen aus dem Alltag der Zuhörer.
- ◯ **d)** Indem sie die Formen definiert.

Frage 2: Empathie im Alltagsleben
- ◯ **a)** ist unerlässlich für eine Partnerschaft.
- ◯ **b)** ist wichtiger als andere soziale Fähigkeiten.
- ◯ **c)** kann Beziehungen auch schaden.
- ◯ **d)** sollte bei beiden Partnern in gleichem Maß vorhanden sein.

Hinweis: Die Fragen sind entweder als Fragesätze oder in Form von Satzanfängen formuliert.

Frage 3: Die Fähigkeit zu Empathie
- ◯ **a)** ist abhängig vom Wunsch, andere zu verstehen.
- ◯ **b)** ist allein nicht ausreichend für empathisches Verhalten.
- ◯ **c)** ist bei Frauen ausgeprägter als bei Männern.
- ◯ **d)** kann von Männern erlernt werden.

Frage 4: Bei älteren Menschen
- ◯ **a)** ist keine Veränderung der empathischen Fähigkeiten festzustellen.
- ◯ **b)** verschlechtern sich die Voraussetzungen für mentale Empathie.
- ◯ **c)** verringert sich die kognitive und emotionale Empathie.
- ◯ **d)** zeigt sich eine Verstärkung der emotionalen Empathie.

Frage 5: Das Hauptziel des Vortrags besteht darin,
- **a)** Empfehlungen für empathisches Verhalten im Alltag zu geben.
- **b)** kontroverse Ansichten über Empathie vorzustellen.
- **c)** Möglichkeiten zur Steigerung der empathischen Fähigkeiten aufzuzeigen.
- **d)** über das Konzept der Empathie zu informieren.

26
Während des Hörens

2. Hören Sie jetzt den Vortrag und markieren Sie dabei die korrekten Antworten.

- In der Prüfung sehen Sie immer jeweils nur ein Item komplett mit Frage und Antwortoptionen. Von den anderen Items sehen Sie nur die Frage. Beim Hören müssen Sie sich daher vor allem **an den Fragen bzw. Satzanfängen** orientieren. Die jeweiligen Auswahlantworten sind erst dann zu sehen, wenn Sie die jeweilige Frage anklicken.
- In den Fragen stehen im Allgemeinen **dieselben Wörter wie im Hörtext**. In den Auswahloptionen sind die Inhalte in anderen Wörtern ausgedrückt.
- Bei Fragen zu **Details** und **Hauptaussagen** sind die Informationen des Textes in den **Items** in **paraphrasierter Form** wiedergegeben. Bei Fragen zur **Einstellung des Sprechers** müssen Sie diese anhand der Formulierungen im Text **erschließen**. Bei Fragen zur **Textorganisation** ist es notwendig, dass Sie die **Aussagen eines kompletten Abschnitts** berücksichtigen.
- Item 4 bezieht sich auf den letzten Teil des Textes, Item 5 auf den gesamten Text. Das heißt, dass es zu Item 5 keinen neuen Textabschnitt gibt. Es ist daher empfehlenswert, den Text zuerst bis zum Ende zu hören und direkt danach Item 5 zu beantworten.

Nach dem Hören

- Sie haben **eine Minute und 30 Sekunden** Zeit, um Ihre **Antworten zu kontrollieren**.

So finden Sie die richtige Lösung:

Frage 1:
Bei diesem Item wird gefragt, auf welche Weise die Sprecherin die verschiedenen Formen von Empathie einführt.
Die Schlüsselwörter sind: „führt ein", „Formen", „Empathie"; „Beispielen"; „Abgrenzung", „anderen Fähigkeiten"; „Beschreibung", „Situationen", „Alltag"; „Formen", „definiert"
Im Vortrag heißt es:

> Zum einen gibt es die kognitive Empathie. In der Psychologie bezeichnen wir so die Fähigkeit, sich gedanklich in einen anderen hineinversetzen zu können. Nur zu wissen, wie sich jemand fühlt, bedeutet aber noch nicht, auch mitzufühlen. Dafür verwenden wir den Begriff „emotionale" oder „affektive" Empathie. Von emotionaler Empathie sprechen wir aber auch, wenn man als Reaktion auf das Leid einer anderen Person Gefühle erlebt, die sich von denen des Gegenübers unterscheiden. Sich gedanklich in eine andere Person hineinzuversetzen und akkurat oder genau die Gefühle einer anderen Person zu erkennen, nennen wir empathische Akkuratheit.

Die Sprecherin führt die Formen anhand von Definitionen ein, d.h. sie bestimmt diese Begriffe, indem sie sie inhaltlich erklärt. Dafür nutzt sie bestimmte Formulierungen, die man üblicherweise in Definitionen verwendet. **Option d** ist also richtig.
Für die anderen Antwortoptionen gibt es keine Belege im Text und sie sind daher falsch.

Frage 2:
Bei diesem Item geht es um Empathie im alltäglichen Leben.
Die Schlüsselwörter sind: „Empathie", „Alltagsleben"; „unerlässlich", „Partnerschaft"; „wichtiger", „andere Fähigkeiten"; „kann", „Beziehungen schaden"; „beiden Partnern", „gleichem Maß vorhanden"
Im Vortrag wird dazu gesagt:

Es gibt aber auch Situationen, in denen es besser ist, nicht so empathisch akkurat zu sein. Zum Beispiel hat Forschung mit zufriedenen Paaren gezeigt, dass diese eine sogenannte motivierte Inakkuratheit aufweisen, wenn es um beziehungsgefährdende Gedanken oder Gefühle des Partners oder der Partnerin geht, wenn also zum Beispiel einer der beiden eine andere Person attraktiv findet. Wenn sich in solchen Situationen die Partner nicht so gut in den anderen hineinversetzen können beziehungsweise nicht so motiviert sind, das zu tun, scheint das der Aufrechterhaltung der Beziehung dienlich zu sein.

Die Sprecherin erklärt hier, dass weniger Empathie in manchen Fällen besser ist, nämlich wenn der Partner eine andere Person attraktiv findet. In solchen Situationen schützt eine geringere Empathie die Beziehung. Das heißt, eine stärkere Empathie würde in diesem Fall die Beziehung gefährden und ihr schaden. **Option c** ist daher richtig.
Zuvor spricht die Rednerin im Vortrag über den möglichen positiven Effekt von Empathie in Beziehungen unter Freundinnen. Solche Beziehungen würde man aber nicht als „Partnerschaften" bezeichnen. Im Text wird außerdem nicht gesagt, dass Empathie für eine Partnerschaft unverzichtbar ist. Option a ist deshalb falsch. Die Sprecherin sagt auch nicht, dass Empathie wichtiger als andere Fähigkeiten ist oder beide Personen gleichermaßen empathisch sein müssen. Die Optionen b und d sind deshalb ebenfalls nicht korrekt.

Frage 3:
Bei diesem Item geht es um verschiedene Aussagen über Empathiefähigkeit.
Die Schlüsselwörter sind: „Fähigkeit", „Empathie"; „abhängig", „Wunsch", „andere", „verstehen"; „nicht ausreichend", „empathisches Verhalten"; „Frauen", „ausgeprägter", „Männern"; „Männern", „erlernt"
Im Vortrag wird dazu gesagt:

Dieses Beispiel zeigt, wie ich finde, sehr schön, dass man, um empathisch zu sein, nicht nur die Fähigkeit dazu besitzen muss, sondern man muss auch motiviert sein, sich in eine andere Person einzufühlen. Die Forschung hat beispielsweise auch gezeigt, dass das bekannte Geschlechterstereotyp, Männer seien weniger empathisch als Frauen, sich dann aufheben lässt, wenn Männer entsprechend motiviert sind, sich in die andere Person hineinversetzen zu wollen.

Im Vortrag wird beschrieben, dass empathisches Verhalten von zwei Bedingungen abhängt: Zum einen von der Fähigkeit zur Empathie, und zum anderen von der Motivation dazu. Nur wenn beide Sachen vorhanden sind, ist empathisches Verhalten möglich. **Option b** ist daher richtig.
Option a ist falsch, denn im Text wird nicht gesagt, dass Empathiefähigkeit vom Wunsch nach empathischem Verhalten abhängig ist. Option c trifft ebenfalls nicht zu; die Behauptung, Frauen seien empathischer als Männer, wird hier als Stereotyp bezeichnet, dadurch wird dieser Behauptung widersprochen. Die Sprecherin sagt auch nicht, dass Männer empathisches Verhalten erlernen können; sie sagt nur, dass Männer empathisch sein können, wenn sie die Motivation dazu haben.

Frage 4:
Bei diesem Item geht es um die Empathiefähigkeit von älteren Menschen.
Die Schlüsselwörter sind: „älteren Menschen"; „keine Veränderung", „empathischen Fähigkeiten"; „verschlechtern sich", „Voraussetzungen", mentale Empathie"; „verringert", „kognitive", „emotionale", „Empathie"; „Verstärkung", „emotionalen Empathie"
Im Vortrag wird dazu gesagt:

Es gibt aber noch andere kognitive Fähigkeiten, die benötigt werden, um eine akkurate Einschätzung über das Befinden einer anderen Person machen zu können, etwa Informationen schnell aufzunehmen und zu verarbeiten. Und solche sogenannten fluiden kognitiven Fähigkeiten nehmen durchschnittlich mit dem Alter etwas ab. Daher wäre es auch denkbar, dass die kognitive Empathie mit dem Alter etwas abnehmen könnte.

Im Vortrag wird erklärt, dass eine der Voraussetzungen für kognitive, also mentale, Empathie fluide kognitive Fähigkeiten sind. Diese nehmen mit dem Alter ab, sie verschlechtern sich also. **Option b** ist korrekt.
Option a ist falsch, weil die kognitive Empathie mit dem Alter abnimmt. Option c und d sind auch falsch, da sich die emotionale Empathie nicht verändert.

➲ Die kommentierte Lösung zu Frage 5 finden Sie auf S. 169.

Laut- und Schriftbild abgleichen

- Bei diesem Aufgabentyp hören und lesen Sie gleichzeitig einen kurzen Text. Der gehörte und der geschriebene Text unterscheiden sich in vier Wörtern. Die Unterschiede sind sehr klein.
- Sie sollen diese vier Wörter erkennen und markieren.
- Diese Aufgabe enthält drei Herausforderungen: Sie müssen die Wörter beim Hören genau wahrnehmen, die korrekte Schreibweise der Wörter kennen und die Abweichungen zwischen den gehörten und den geschriebenen Wörtern erkennen.

Vorübungen

Es ist wichtig, dass Sie beim Hören die verschiedenen Laute identifizieren und unterscheiden können. Die folgenden Übungen helfen Ihnen dabei, Ihr Unterscheidungsvermögen zu trainieren. Indem Sie die gehörten Wörter selbst schreiben, konzentrieren Sie sich außerdem auf die Beziehung zwischen Lauten und Buchstaben.

Hinweis: Der Wortakzent kann auf einem langen oder kurzen Vokal liegen. Die Länge des Vokals ändert sich nicht, wenn er betont ist. D.h. ein kurzer betonter Vokal bleibt kurz.

27 1. **Hören Sie und markieren Sie in jedem Wort den betonten Vokal: — = lang, • = kurz**

Be̲e̲t - Bẹtt, lassen - lasen, Miete - Mitte, Qualen - Quallen, offen - Ofen, bist - Biest, Schaden - Schatten, siezen - sitzen, hoff - Hof, bieten - bitten, muss - Mus, Osten - Ostern, sieden - Sitten, schaffen - Schafen, Höhle - Hölle, Hüte - Hütte, Säge - Säcke

28 2. **Betrachten Sie die Tabelle und überlegen Sie, für welche Laute die phonetischen Zeichen jeweils stehen. Hören Sie dann die Wörter und schreiben Sie sie in die passende Spalte.**

Hinweis: Kennen Sie die phonetischen Zeichen in der Tabelle? Wenn nicht, recherchieren Sie im Internet nach dem Internationalen Phonetischen Alphabet (IPA) und suchen Sie die hier dargestellten Zeichen.

[ɑː]	[a]
[eː] *lesen, ...*	[ɛ]
[ɛː]	
[iː]	[ɪ]
[oː]	[ɔ]
[uː]	[ʊ]

29 3. **Sind die E-Laute gleich oder verschieden? Hören Sie und kreuzen Sie an.**

	gleich	verschieden		gleich	verschieden
1.	◯	◯	**6.**	◯	◯
2.	◯	◯	**7.**	◯	◯
3.	◯	◯	**8.**	◯	◯
4.	◯	◯	**9.**	◯	◯
5.	◯	◯	**10.**	◯	◯

30 4. **e, i oder ie? Hören Sie und ergänzen Sie die Vokale.**

1. w___r	w___r	**5.** l___st	l___st	**9.** b___ten	b___ten
2. s___ht	s___ht	**6.** spr___cht	spr___cht	**10.** St___lle	St___lle
3. l___ben	l___ben	**7.** tr___fft	tr___fft	**11.** fl___hen	fl___hen
4. F___nster	f___nster	**8.** l___gen	l___gen	**12.** W___lle	W___lle

31 **5. Hören Sie die Familiennamen und ergänzen Sie die fehlenden Buchstaben (ell, ill, oll, ull, öll, üll, ehl, iehl, ohl, uhl, ühl).**

1. M_____er	**4.** M_____er	**7.** M_____er	**10.** M_____er
2. M_____er	**5.** M_____er	**8.** M_____er	**11.** M_____er
3. M_____er	**6.** M_____er	**9.** M_____er	

32 **6. Gibt es einen Umlaut? Hören Sie und schreiben Sie alle Wörter.**

____

____

____

33 **7. Der Hauchlaut H. Welches Wort hören Sie? Kreuzen Sie an.**

1.	◯ Hans	◯ ans	**6.**	◯ Hund	◯ und	**11.**	◯ Hast	◯ Ast
2.	◯ Haus	◯ aus	**7.**	◯ Hals	◯ als	**12.**	◯ heiß	◯ Eis
3.	◯ helfe	◯ Elfe	**8.**	◯ her	◯ er	**13.**	◯ Hände	◯ Ende
4.	◯ hoffen	◯ offen	**9.**	◯ hin	◯ in	**14.**	◯ Herde	◯ Erde
5.	◯ hier	◯ ihr	**10.**	◯ halt	◯ alt	**15.**	◯ Hort	◯ Ort

34 **8. R-Laute. Hören Sie und schreiben Sie die Wörter.**

____

____

____

35 **9. r/R oder l/L? Hören Sie und ergänzen Sie die Konsonanten.**

1.	____eise	____eise	**5.**	____eiten	____eiten	**9.**	We____k	we____k
2.	____aufen	____aufen	**6.**	he____	He____	**10.**	F____oh	f____oh
3.	____ektor	____ektor	**7.**	a____t	A____t	**11.**	ha____t	ha____t
4.	____ang	____ang	**8.**	Wi____t	Wi____d	**12.**	____and	____and

Tipp: Sie können erst alle Vokale am Wortanfang klein schreiben und dann im zweiten Schritt die Nomen identifizieren.

36 **10. Vokalisierter R-Laut [ɐ] wie bei „wieder" oder Schwa-Laut [ə] wie bei „Bäume"? Hören Sie und ergänzen Sie die Endungen.**

1. jed____	**6.** bitt____	**11.** jed____	**16.** bitt____
2. kein____	**7.** einfach____	**12.** kein ____	**17.** einfach____
3. eh____	**8.** fahr____	**13.** eh____	**18.** Fahr____
4. Lehr____	**9.** lieb____	**14.** Lehr____	**19.** lieb____
5. schwer____	**10.** schön____	**15.** Schwer____	**20.** schön____

Hinweis: Der R-Laut wird nach langen Vokalen und in der Verbindung <-er, er-> vokalisiert. Der Schwa-Laut wird in nichtakzentuierten Silben gesprochen, u.a. beim Suffix -e. Beide Laute klingen ähnlich, es gibt aber dennoch einen klanglichen Unterschied.

37 **11. [p b], [t d], [k g]. Welches Wort hören Sie? Kreuzen Sie an.**

1.	◯ backen	◯ packen	**7.**	◯ Ecke	◯ Egge
2.	◯ danken	◯ tanken	**8.**	◯ Dorf	◯ Torf
3.	◯ Garten	◯ Karten	**9.**	◯ gönnen	◯ können
4.	◯ Paar	◯ Bar	**10.**	◯ Pulle	◯ Bulle
5.	◯ Liter	◯ Lieder	**11.**	◯ Gebäck	◯ Gepäck
6.	◯ Ober	◯ Oper	**12.**	◯ Tick	◯ dick

38 **12. [p b], [t d], [k g]. Hören Sie und ergänzen Sie die Konsonanten.**

1.	____ass	____ass	**6.**	Al____en	Al____en	**11.**	rau____en	Rau____en
2.	____er	____eer	**7.**	be____ehren	be____ehren	**12.**	____ier	____ir
3.	____unst	____unst	**8.**	Sei____e	Sei____e	**13.**	____rise	____rise
4.	Man____el	Man____el	**9.**	____reis	____reis	**14.**	Or____an	Or____an
5.	____renze	____ränze	**10.**	Bo____en	Bo____en	**15.**	lei____er	Lei____er

39 **13. [ng] und [nk]. Welches Wort hören Sie? Kreuzen Sie an.**

1.	◯ rinnen	◯ ringen	**9.**	◯ schlang	◯ schlank
2.	◯ Wanne	◯ Wange	**10.**	◯ länger	◯ Lenker
3.	◯ sinnen	◯ sinken	**11.**	◯ Finken	◯ fingen
4.	◯ drinnen	◯ dringen	**12.**	◯ Engel	◯ Enkel
5.	◯ bang	◯ Bank	**13.**	◯ Manko	◯ Mango
6.	◯ wanken	◯ Wangen	**14.**	◯ Anger	◯ Anker
7.	◯ singen	◯ sinken	**15.**	◯ Henker	◯ Hänger
8.	◯ Klinke	◯ Klinge			

40 **14. ng, nk oder nn? Hören Sie die Familiennamen und ergänzen Sie die Buchstaben.**

1.	Re______er	Re______er	Re______er
2.	Si______bach	Si______bach	Si______bach
3.	Ta______	Ta______	Ta______
4.	Bro______	Bro______	Bro______
5.	Bru______er	Bru______er	Bru______er

41 **15. [s/z], [t] und [ts]. Welches gehörte Wort entspricht dem geschriebenen Wort? Kreuzen Sie an.**

	1. Wort	2. Wort		1. Wort	2. Wort
1. Zangen	◯	◯	**9.** Zoo	◯	◯
2. reißen	◯	◯	**10.** Mützen	◯	◯
3. Satz	◯	◯	**11.** Wissen	◯	◯
4. Kasse	◯	◯	**12.** Kurs	◯	◯
5. Zeh	◯	◯	**13.** Saal	◯	◯
6. reizen	◯	◯	**14.** Zoll	◯	◯
7. kurz	◯	◯	**15.** heizen	◯	◯
8. Zeile	◯	◯	**16.** Zank	◯	◯

42 **16. [ç] und [ʃ]. Hören Sie und ergänzen Sie die Konsonanten.**

1.	Kir____e	Kir____e	**6.**	rußi____	russi____
2.	seeli____	seeli____	**7.**	Teppi____	täppi____
3.	Lö____er	Lö____er	**8.**	feil____en	Veil____en
4.	Herr____en	herr____en	**9.**	Fi____te	fi____te
5.	entwi____en	entwi____en	**10.**	bre____en	Bre____en

43 **17. [ç], [χ] und [k]. Sind die Laute gleich oder verschieden? Hören Sie und kreuzen Sie an. Hören Sie dann noch einmal und schreiben Sie die Wörter in Ihr Heft.**

	gleich	verschieden		gleich	verschieden
1.	◯	◯	**6.**	◯	◯
2.	◯	◯	**7.**	◯	◯
3.	◯	◯	**8.**	◯	◯
4.	◯	◯	**9.**	◯	◯
5.	◯	◯	**10.**	◯	◯

44 **18. a) Hören Sie die Sätze und kreuzen Sie das Wort an, welches Sie hören.**

1. Wir ◯ fördern ◯ fordern die neuen Studierenden.
2. ◯ Liest ◯ Liegst du gerne auf dem Sofa?
3. Sag mir Bescheid, ◯ wann ◯ wenn du kommen möchtest.
4. In meiner Erinnerung ist die Straße viel ◯ enger ◯ länger.
5. Sie steht da drüben an der ◯ Ecke ◯ Hecke.
6. Und wann ◯ wurde ◯ würde der Computer repariert?
7. Die ◯ Elfte ◯ Hälfte habe ich leider nicht geschafft.
8. Zum Geburtstag wünsche ich mir eine ◯ Schwarzwalduhr ◯ Schwarzwaldtour.
9. Es ist wichtig, das richtig zu ◯ fühlen ◯ füllen.
10. Ich finde es schade, dass ◯ keine ◯ keiner gekommen ist.

18. b) Hören Sie die Sätze noch einmal und markieren Sie bei den mehrsilbigen Wörtern den Wortakzent.

45 **19. a) Hören Sie den Text und ergänzen Sie die Lücken.**

Hinweis: In zusammengesetzten Substantiven aus mehreren Wörtern gibt es neben einem Hauptakzent auch noch einen oder mehrere Nebenakzente. Markieren Sie hier den Hauptakzent.

Wenn (1) ________________ im Wasser landen, können sie sich (2) ________________ nicht wieder in die Lüfte (3) ________________. Mithilfe kräftiger Flügelbewegungen sind sie jedoch in der Lage, (4) ________________ zu erzeugen, die sie (5) ________________. Dabei fungieren die Bienenflügel als Tragflächen, wie sie etwa von Tragflächenbooten (6) ________________ sind. Sie (7) ________________ den Bienenkörper an und machen eine schnelle (8) ________________________ auf dem Wasser möglich. So schaffen die Insekten es, (9) ________________ rettende Land zu schwimmen.

Das (10) ________________, auf die Wasseroberfläche zu (11) ________________, steigt für Bienen vor allem an heißen Sommertagen. (12) ________________ dann bringen sie neben (13) ________________ und Nektar auch Wasser zum (14) ________________________, um die Temperatur dort auf einem (15) ________________ Niveau zu halten.

19. b) Hören Sie den Text noch einmal und markieren Sie bei den mehrsilbigen Wörtern den Wortakzent.

46 **20. Die Beziehungen zwischen Laut- und Schriftbild. Hören Sie und ergänzen Sie die Tabelle.**

Phoneme	Grapheme	Beispiele
ɑː	a, aa, ah	R**a**d, St**aa**t, Z**ah**n
a		M**a**nn
eː		L**e**sen, T**ee**, M**eh**l
ɛ		St**e**lle, K**ä**lte
ɛː		sch**ä**len, z**äh**len, Tr**ai**ning
iː		**I**gel, Sp**ie**gel, **ih**n, s**ieh**
ɪ		B**i**tte
oː		L**o**s, M**oo**s, S**oh**n, Niv**eau**
ɔ		v**o**n, Ch**au**ssee
uː		Sch**u**le, Sch**uh**, R**ou**te
ʊ		M**u**nd
yː		L**ü**ge, St**üh**le, T**y**p
ʏ		Gr**ü**nde, S**y**lt
øː		sch**ö**n, S**öh**ne, G**oe**the, Amat**eu**r
œ		zw**ö**lf
ə		Sitt**e**
ɐ		**er**, Wint**er**
aɪ		R**ei**se, K**ai**, Nordern**ey**, B**ay**ern
aʊ		Fr**au**, Kak**ao**
ɔɪ		B**eu**te, M**äu**se

Phoneme	Grapheme	Beispiele
p	p, pp, b	O**p**er, Tre**pp**e, Hie**b**
b		**B**aum, E**bb**e
t		**T**ank, Ri**tt**er, Sta**dt**, **Th**omas, Ma**tth**ias, Hel**d**
d		**D**ank, Pa**dd**el
k		**K**lang, Ha**ck**e, **C**oburg, **Ch**arakter, Sar**g**
g		**G**ans, Ba**gg**er
f		**F**reund, A**ff**e, **V**ater, **Ph**iloso**ph**ie
v		**W**and, **V**ase
s		Ei**s**, schlie**ß**en, Wa**ss**er, **C**ity
z		**S**onne
ʃ		**Sch**ule, **S**port, Mat**ch**
ʒ		Gara**g**e, **J**ournalist
ç		i**ch**, ruhi**g**
χ		a**ch**t
j		**J**oghurt, **Y**acht
ʁ		**R**aupe, He**rr**, **Rh**ein
h		**H**und
l		**L**and, Fa**ll**
m		**M**eer, Ha**mm**er
n		**N**acht, Gewi**nn**
ŋ		Gesa**ng**, Ba**n**k
ks		He**x**e, Ke**ks**, Kle**cks**, La**chs**
ts		**Z**aun, rech**ts**, Wi**tz**, **C**ent, Pi**zz**a
tʃ		Ma**tsch**, **C**ello, Ma**ch**o

Beispielaufgabe mit Lösungshinweisen

- Sie hören einen Text von 80 bis 120 Wörtern Länge zu einem populärwissenschaftlichen Thema und lesen ihn gleichzeitig mit. Der Hörtext und der schriftliche Text sind fast identisch, sie unterscheiden sich nur in vier Wörtern. Diese vier Wörter sollen Sie markieren.
- Bei den abweichenden Wörtern, die Sie hören, handelt es sich um Wörter, die tatsächlich existieren. Es sind keine Phantasiewörter.
- Bei dieser Aufgabe sollen Sie zeigen, dass Sie die gehörten und geschrieben Wörter (= das Lautbild und das Schriftbild) abgleichen und Abweichungen identifizieren können.
- Es ist nicht notwendig, dass Sie den Inhalt des Hörtextes im Detail verstehen.
- Sie hören den Text einmal.

Hinweis: Sehen Sie sich auf der Webseite des TestDaF-Instituts die Modellaufgaben an.

So gehen Sie vor:

Vor dem Hören

1. Die **Aufgabenstellung** wird Ihnen vorgelesen und Sie können dabei mitlesen. Im **ersten Satz** der Aufgabenstellung wird immer das **Thema** des Textes genannt.
2. Sobald das Vorlesen der Aufgabenstellung beendet ist, beginnt der Hörtext.

Während des Hörens

- **Konzentrieren** Sie sich beim **Hören** genau **auf jedes einzelne Wort**.
- **Sehen** Sie immer das **Wort an**, welches **gerade vorgelesen wird**.
- **Markieren** Sie die **Wörter**, die im schriftlichen Text anders als im Hörtext sind.
- Um auf dem Bildschirm Markierungen zu machen, **klicken** Sie einfach auf das **Wort**, das Sie auswählen möchten. Um die Markierung wieder zu entfernen, klicken Sie ein zweites Mal darauf.

47 2. **Hören und lesen Sie jetzt den Text zum Thema „Die Evolution der Pflanzen" und markieren Sie dabei die Wörter, die nicht identisch sind.**

Es war einer der wichtigsten Schritte im Rahmen der Evolutionsgeschichte: Vor ungefähr 500 Millionen Jahren breiteten sich die Vorfahren unserer heutigen Pflanzen vom Wasser aufs Land aus. Um sich in der neuen Umgebung etablieren zu können, entwickelten sie immer leistungsfähigere Wurzeln. Denn nur durch diese Organe war es ihnen an Land möglich, sich zu verankern und Wasser sowie Nährstoffe zu sammeln, um die Pflanzenteile über der Erde zu versorgen. Dabei war ein Aspekt besonders wichtig: Beim Wachstum mussten die Wurzeln der Schwerkraft folgen, um den Untergrund zu durchdringen.

Nach dem Hören

- Sie haben **20 Sekunden** Zeit, um Ihre **Antworten zu kontrollieren**.

So finden Sie die richtige Lösung:

1. Unterschied: Millionen / Billionen
Die Wörter unterscheiden sich in der Art der Artikulation durch einen nasalen und einen plosiven Laut: [m] und [b].

2. Unterschied: aus / auf
Die Wörter unterscheiden sich im Ort der Artikulation durch einen alveolaren und labiodentalen Reibelaut: [s] und [f].

3. Unterschied: ihnen / innen
Die Wörter unterscheiden sich in der Vokalquantität durch einen langen und einen kurzen Vokal: [iː] und [ɪ].

4. Unterschied: mussten / müssten
Die Wörter unterscheiden sich in der Stelle, wo sie im Mundraum gebildet werden: der Hinterzungenvokal [ʊ] und der Vorderzungenvokal [ʏ].

Schreiben

Beschreibung des Prüfungsteils Schreiben

Was wird getestet?

- Sie sollen zeigen, dass Sie unterschiedliche Texte schreiben können, die für ein Studium an einer Hochschule in Deutschland relevant sind.
- Die Aufgaben umfassen allgemeine und aktuelle Themen aus der Gesellschafts- und Bildungspolitik sowie den Geistes-, Sozial-, Wirtschafts-, Ingenieur-, Umwelt- und Naturwissenschaften.
- Fachwissen ist nicht erforderlich.

Aufbau

- Der Prüfungsteil besteht aus zwei Aufgaben.
- In der ersten Aufgabe schreiben Sie einen argumentativen Text und nehmen Stellung zu einem Thema. Dabei müssen Sie Vor- und Nachteile (bzw. positive und negative Aspekte) abwägen, eine Begründung geben, Beispiele nennen und ggf. ein bis zwei kurze Statements berücksichtigen. Es handelt sich um einen Beitrag auf einer Lernplattform, wo Sie mit Ihrem Hochschuldozenten und Kommilitonen eine Frage diskutieren.
- In der zweiten Aufgabe fassen Sie Informationen aus einem Text und einer Grafik im Hinblick auf eine konkrete Frage zusammen.

Was müssen Sie können?

- In der ersten Aufgabe: eigene Ideen sammeln, eine Reihenfolge für die Argumente festlegen, ggf. kurze Statements mit dem eigenen Standpunkt abgleichen, einen zusammenhängenden Text schreiben
- In der zweiten Aufgabe: relevante Informationen im Text und in der Grafik im Hinblick auf eine konkrete Frage identifizieren, Aussagen mit eigenen Worten wiedergeben, Reihenfolge für die Aussagen festlegen (der Aufbau der Zusammenfassung kann vom Aufbau des Textes abweichen)

Wie wird dieser Prüfungsteil bewertet?

Die folgenden Kriterien werden bewertet:

In Aufgabe 1:
- Verfügen Sie über ausreichend sprachliche Mittel (grammatikalische Strukturen, Wortschatz und Redemittel), um sich angemessen und präzise auszudrücken?
- Inwieweit beeinträchtigen sprachliche Fehler das Verständnis?
- In welchem Umfang wurden die Aspekte der Aufgabenstellung behandelt?
- Ist der Text nachvollziehbar und strukturiert?

In Aufgabe 2:
- Inwieweit wurden beide Quellen berücksichtigt?
- In welchem Maß sind die Informationen in Bezug auf die Fragestellung inhaltlich korrekt zusammengefasst?
- Inwieweit wurden eigene Formulierungen benutzt? (Schlüsselbegriffe dürfen Sie übernehmen, das Abschreiben von Textpassagen ist nicht erlaubt)
- Inwieweit beeinträchtigen sprachliche Fehler das Verständnis?

Wie läuft der Prüfungsteil ab?

- Die Aufgaben werden durch die Software in vorgegebener Reihenfolge präsentiert.
- In der Prüfung stehen Ihnen Werkzeuge zum Tippen von Umlauten und *ß* zur Verfügung.
- Wichtiger Hinweis: Hilfsmittel wie Wörterbücher oder ein Handy sind in der Prüfung nicht erlaubt.

Was können Sie tun, um den Prüfungsteil Schreiben erfolgreich abzuschließen?

In den Wochen vor der Prüfung

- Lesen Sie möglichst viele Zeitungsartikel auf Deutsch. Üben Sie, kürzere Texte (z.B. Zusammenfassungen, Kommentare auf deutschsprachigen Plattformen) zu schreiben. Wenn möglich, bitten Sie eine Lehrkraft, die Texte zu korrigieren.
- Beginnen Sie rechtzeitig mit der Vorbereitung auf die Prüfung. Machen Sie sich mit den Aufgabentypen vertraut. Planen Sie ausreichend Zeit zum Üben und Wiederholen ein. Je besser vorbereitet Sie in die Prüfung gehen, umso weniger nervös werden Sie sein.

In der Prüfung

- Lesen Sie immer zuerst die Aufgabenstellung aufmerksam durch.
- Machen Sie sich Notizen zu den Aufgaben.
- Planen Sie am Ende genug Zeit ein, um die Texte noch einmal Korrektur zu lesen.

Übersicht über die Aufgabentypen im Prüfungsteil Schreiben

Aufgabentyp	Aufgabenstellung	Zeit	Textlänge
Argumentativen Text schreiben	Offene Frage, ggf. 1–2 kurze Statements	30 Minuten	mind. 200 Wörter
Informationen aus Lesetext und Grafik zusammenfassen	Text und Grafik	30 Minuten	ca. 100–150 Wörter

Argumentativen Text schreiben

- Bei der ersten Aufgabe des Prüfungsteils Schreiben müssen Sie zu einem Thema Stellung nehmen, d. h. Vor- und Nachteile bzw. positive und negative Aspekte abwägen und die Argumente durch Begründungen und Beispiele stützen. Sie können dann Ihre Meinung zum Thema schreiben.
- Sie erhalten eine offene Fragestellung, manchmal gibt es auch ein bis zwei kurze Statements zum Thema.
- Wichtig ist bei dieser Aufgabe, dass Sie Argumente für beide Seiten diskutieren und dass Ihr Text logisch aufgebaut und zusammenhängend ist.
- Erforderlich sind deshalb sehr gute Wortschatz- und Grammatikkenntnisse, um den Text zu strukturieren, Argumente abzuwägen und Ihren eigenen Standpunkt darzustellen.

Vorübungen

Wie ist ein argumentativer Text aufgebaut?

Ein argumentativer Text kann unterschiedlich aufgebaut sein. Einleitung und Schluss stehen natürlich immer an derselben Stelle, aber der Aufbau der Argumentation im Hauptteil kann variieren.

1. a **Lesen Sie den Text zum Thema „Online-Artikel kostenlos anbieten?". Wie ist die Argumentation aufgebaut? Markieren Sie die Textstellen für folgende Kategorien.**

Einleitung | Vorschlag | Vorteile | Nachteile | Begründung mit Beispiel | Meinung / Ausblick

Online-Artikel kostenlos anbieten?

Das Internet und die Digitalisierung haben die Art verändert, wie wir uns informieren. Es gibt immer mehr Menschen, die vor allem online Nachrichten lesen und weniger Kunden, die gedruckte Zeitungen und Zeitschriften kaufen oder abonnieren. Deshalb stehen viele Zeitungen und Nachrichtenmagazine vor der Frage, ob sie ihre Online-Artikel kostenlos anbieten sollen, um mehr Leserinnen und Leser zu gewinnen.
Wenn Online-Artikel aus Zeitungen und Nachrichtenmagazinen kostenlos zur Verfügung stehen, hat das für die Leserinnen und Leser viele Vorteile. Sie können sich besser informieren. Und mehr Menschen können Nachrichten mit geprüften Fakten und Quellen lesen. Denn heutzutage nutzen bereits viele Menschen das Internet, zum Beispiel soziale Netzwerke, um sich über das Weltgeschehen zu informieren. Dort gibt es aber auch viele Falschmeldungen und Fehlinformationen. Nicht immer können die Nutzer zwischen Nachrichten und falschen Behauptungen unterscheiden. Kostenlose Online-Artikel wären hier eine bessere Alternative. Aber für die Verlage hat das auch Nachteile, weil sie damit kein Geld verdienen. Das kann auch dazu führen, dass die Qualität der journalistischen Arbeit sinkt, denn gute Recherche kostet nun einmal Zeit und Geld.
Eine Möglichkeit wäre auch, dass die Zeitungen nur einen Teil ihrer Artikel kostenlos anbieten. Ich denke, in jedem Fall brauchen die Verlage gute Ideen, um im Zeitalter der Digitalisierung zu bestehen.

b **Lesen Sie den Text noch einmal. Welche Redemittel werden in den Abschnitten verwendet?**

Einleitung: Es gibt immer mehr Menschen, die … / Deshalb stehen … vor der Frage, …

Vorteile: ______________________________

Nachteile: ______________________________

Begründung mit Beispiel: ______________________________

Meinung / Ausblick: ______________________________

Vorschlag: ______________________________

Den Text vorbereiten: Notizen machen

In der Prüfung sollten Sie nicht sofort losschreiben. Machen Sie sich zuerst Notizen und entscheiden Sie, wie Sie die Argumente logisch verknüpfen können.

2. a „Open access": Welche Vor- und Nachteile hat es für Studierende und Forschende, wenn Fachartikel im Internet kostenlos zugänglich sind? Notieren Sie Ihre Ideen.

Für einen kostenlosen Zugang spricht:
- *Die Recherche für Referate und Seminararbeiten wird leichter*
- *...*

Gegen einen kostenlosen Zugang spricht:
- *...*
-

b Mit Konnektoren können Sie die Sätze logisch verknüpfen. Ergänzen Sie die Tabelle.

> **Hinweis:** Man darf die Vor- und Nachteile nicht nur aufzählen. Der Text muss logisch und zusammenhängend sein.

falls | deshalb | denn | ~~weil~~ | obwohl | da | trotzdem | sodass | ~~wenn~~

	Konnektor	Bedeutung: Konnektor nennt ...	Verbposition
1.	*weil*	einen Grund (kausal)	Nebensatz: Verb steht am Ende
2.		einen Grund (kausal)	Nebensatz: Verb steht am Ende
3.		einen Grund (kausal)	Hauptsatz: Verb steht auf Position 2
4.		eine Folge (konsekutiv)	Hauptsatz: Verb steht nach Konnektor
5.		eine Folge (konsekutiv)	Nebensatz: Verb steht am Ende
6.		einen „Gegengrund" (konzessiv)	Hauptsatz: Verb steht nach Konnektor
7.		einen „Gegengrund" (konzessiv)	Nebensatz: Verb steht am Ende
8.	*wenn*	eine Bedingung (konditional)	Nebensatz: Verb steht am Ende
9.		eine Bedingung (konditional)	Nebensatz: Verb steht am Ende

c Lesen Sie den Abschnitt aus einem argumentativen Text zum Thema „Open access". Markieren Sie die Fehler und korrigieren Sie die Sätze.

Für Studierende hat es viele Vorteile, wenn wissenschaftliche Artikel und Studien ~~stehen~~ kostenlos im Internet zur Verfügung *stehen*.	*Verb steht am Ende*
Denn Studierende haben wenig Zeit und Geld. In der Universitätsbibliothek und in Datenbanken haben sie auch freien Zugang zu Fachartikeln. Trotzdem es ist im Internet schneller.	
Die Recherche für Seminararbeiten und Referate wird leichter, damit die Studierenden seltener auf ungeeignete Quellen wie Wikipedia zurückgreifen.	
Für Wissenschaftlerinnen und Wissenschaftler hingegen hat das auch Nachteile, weil sie verdienen damit kein Geld. Aber zumindest erreichen sie auf diese Weise mehr Leserinnen und Leser. ...	

Argumente abwägen

Sie können bei der Vorbereitung Ihres Textes unterschiedlich vorgehen, das Abwägen der Argumente ist hier am wichtigsten. „Abwägen" bedeutet, zwei Argumente gegenüberzustellen, um zu sehen, welches für Sie „mehr Gewicht hat", also wichtiger ist. Dieses wichtigere Argument nennen Sie zuletzt.

3. a **Lesen Sie den überarbeiteten Text zum Thema „Open access". Markieren Sie die zweiteiligen Konnektoren.**

Studenten haben weder viel Zeit noch Geld. Zwar haben sie auch in der Universitätsbibliothek und in Datenbanken freien Zugang zu Fachartikeln, aber die Suche dort ist oft aufwendiger. Mit einem kostenlosen Zugang zur Fachliteratur im Internet wird nicht nur die Recherche für Referate und Seminararbeiten leichter, sondern die Studierenden greifen auch seltener auf ungeeignete Quellen wie *Wikipedia* zurück. Für die Wissenschaftlerinnen und Wissenschaftler bedeutet das einerseits, dass sie damit kein Geld verdienen, andererseits erreichen sie so mehr Leserinnen und Leser …

b **Mit welchen zweiteiligen Konnektoren kann man Argumente einer Seite aufzählen? Mit welchen kann man Argumente beider Seiten abwägen? Ordnen Sie zu.**

zwar … aber | ~~sowohl … als auch~~ | nicht nur … sondern auch | weder … noch | einerseits … andererseits

1. Aufzählen (z. B. zwei Vorteile oder zwei Nachteile): sowohl … als auch, ______
2. „Negative" Aufzählung (z. B. zwei Vorteile oder zwei Nachteile): ______
3. Gegenüberstellen und abwägen (ein Vorteil und ein Nachteil): ______

Hinweis: Sie müssen Argumente für beide Seiten nennen, auch für die Gegenposition.

c **Lesen Sie den Text zum Thema „Vor- und Nachteile eines Fernstudiums". Ergänzen Sie die zweiteiligen Konnektoren.**

nicht nur … sondern auch | sowohl … als auch | … andererseits | weder … noch

Ein Fernstudium mit überwiegend Online-Lehrveranstaltungen bietet einerseits viele Vorteile: Man ist (1) ______ zeitlich ______ örtlich flexibel, da man von überall aus studieren kann. So muss man sich (2) ______ wegen der Lebenshaltungskosten ______ wegen der hohen Mietpreise in den Universitätsstädten Sorgen machen. Und man gibt (3) ______ weniger Geld aus, ______ man spart ______ Zeit, weil die Anfahrt zur Universität wegfällt. Aber (4) ______ fehlt so auch der persönliche Kontakt zu den Kommilitonen und Dozenten. Mir persönlich ist das sehr wichtig.

d **Welche Satzstellung ist bei zweiteiligen Konnektoren zu beachten? Ordnen Sie zu.**

nicht nur … sondern auch | sowohl … als auch | weder … noch | einerseits … andererseits

1. Aufzählung in einem Satz und nur mit demselben Subjekt und Verb möglich.
   „Mit einem Fernstudium kann man ______ zeit- ______ ortsunabhängig studieren."
2. Aufzählung mit verschiedenen Subjekten und Verben möglich. Bei zwei unterschiedlichen Verben stehen Subjekt und Verb zwischen dem zweiten Teil des Konnektors.
   „Die Studierenden sparen ______ Zeit, ______ sie geben ______ weniger Geld aus."
3. Aufzählung mit verschiedenen Subjekten und Verben möglich. Das Verb steht nach dem zweiten Teil des Konnektors.
   „In einem Fernstudium kann man ______ individuell nach dem eigenen Tempo studieren, ______ hat man keinen oder kaum persönlichen Kontakt zu den anderen Studierenden."
   „Man braucht ______ eine neue Wohnung zu suchen, ______ muss man hohe Mieten zahlen."

e Welche anderen Redemittel gibt es, um Argumente einer Seite aufzuzählen bzw. Argumente beider Seiten gegenüberzustellen? Ordnen Sie zu.

Außerdem | Auf der einen Seite … auf der anderen Seite | Dafür spricht … Dagegen spricht | Im Gegensatz dazu | Hinzukommt, dass … | Ein weiteres Argument für / gegen ist … | Hingegen

1. Argumente aufzählen:

____

____

____

2. Argumente gegenüberstellen:

____

____

____

Begründen und Beispiele geben

Mit einem Beispiel können andere Ihre Argumentation besser verstehen. Erläutern Sie die Argumente und geben Sie passende Beispiele (aus anderen Ländern, eigene Erfahrungen, Allgemeinwissen etc.).

Hinweis: In wissenschaftlichen Texten an der Universität stützen Sie Ihre Aussagen durch Belege, meist in Form von Zitaten und Studien.

4. a Telearbeit: Welche Vor- und Nachteile hat es für Berufstätige, wenn sie von zu Hause aus arbeiten? Lesen Sie die Argumente. Ergänzen Sie Gründe und Beispiele. Legen Sie auch eine Reihenfolge fest, um die Argumente logisch zu verknüpfen.

Tipp: Für Sie wichtige Argumente nennen Sie zuletzt.

weniger Störung durch Telefonate und Gespräche | Arbeitsplatz kein abgetrennter Ort | keine Staus, keine Zugverspätungen / -ausfälle | persönlicher Kontakt und Vertrauen wichtig für gute Teamarbeit

Vorteile	Nachteile
1. Man spart die Anfahrtszeit zur Arbeit.	1. Man sieht die Kolleginnen und Kollegen nicht; *ein Nachteil, weil* _____
2. Man spart evtl. teure Miete in der Innenstadt, *weil es egal ist, wo man wohnt.*	2. Man muss evtl. länger auf Antworten (E-Mail) warten; *im Büro kann man Kollegen direkt ansprechen.*
3. Kein Pendeln, falls man weiter weg wohnt; *das bedeutet z. B.* _____	3. Grenze zwischen Arbeit und Privatleben verschwimmt, *weil* _____
4. Man kann evtl. konzentrierter arbeiten / schafft mehr, *weil z. B.* _____	

b Schreiben Sie einen argumentativen Text zum Thema „Telearbeit" und berücksichtigen Sie Ihre Vorüberlegungen aus Aufgabe 4a.

zwar … aber | sowohl … als auch | nicht nur … sondern auch | weder … noch | Außerdem | Hingegen | einerseits … andererseits | auf der einen Seite … auf der anderen Seite | Dafür spricht … Dagegen spricht | Im Gegensatz dazu | Hinzukommt, dass … | Ein weiteres Argument für / gegen ist …

Zum Thema „Telearbeit" bzw. „Homeoffice" gibt es sowohl Vor- als auch Nachteile. Wenn man von zu Hause aus arbeitet, …

Korrigieren Sie Ihren Text mithilfe der folgenden Checkliste.
- ◯ Die Argumente sind logisch verknüpft.
- ◯ Die Argumente sind durch Begründung und Beispiele gestützt.
- ◯ Verben in Nebensätzen stehen am Ende.
- ◯ Vor Nebensätzen steht ein Komma.
- ◯ Nach Konnektoren wie „außerdem", „deshalb", „trotzdem" steht direkt das Verb.
- ◯ Satzanfänge und Nomen sind großgeschrieben.
- ◯ Am Ende jedes Satzes steht ein Punkt.

Eigene Meinung schreiben und begründen

Nachdem Sie die Vor- und Nachteile abgewogen haben, können Sie in einem kurzen Satz Ihre Meinung zum Thema schreiben und begründen. Das Abwägen ist der gedankliche Prozess, der zu Ihrem Standpunkt führt. Sie können auch einer Seite mit Einschränkung zustimmen oder einen Vorschlag machen. So runden Sie Ihren argumentativen Text ab.

Tipp: Sie können auch einer Position mit Einschränkung zustimmen oder Vorschläge machen.

5. a Schreiben Sie Ihre Meinung zum Thema „Telearbeit" und begründen Sie sie.

1. Ich halte „Telearbeit" für eine / keine gute Idee, weil … ______________________

____

2. Ich bin der Meinung, dass „Telearbeit" für Menschen geeignet ist, die … ______________________

Denn ______________________

b Schreiben Sie auch Ihre Meinung zum Thema „Fernstudium". Begründen Sie Ihre Meinung mithilfe der Konnektoren aus Aufgabe 2b, achten Sie auf die Satzstellung.

Ich bin der Meinung / Ansicht / Auffassung, dass … | Meiner Meinung / Ansicht / Auffassung nach … | Für mich ist es wichtig, dass … | Ich würde mich für / gegen … entscheiden | Ich halte … für sinnvoll | Ich denke / finde … | Für mich käme … (nicht) infrage | Meines Erachtens … | Aus meiner Sicht …

Für mich ist es wichtig, dass … ______________________

Deshalb ______________________

c Lesen Sie die Aussagen. Schreiben Sie Ihre Meinung dazu und begründen Sie, warum Sie dem zustimmen bzw. nicht zustimmen. Geben Sie auch hier Beispiele.

Meiner Erfahrung nach … | Als Beispiel lässt sich … anführen | In einigen Ländern ist die Situation so, dass … | Ich habe die Erfahrung gemacht, dass … | Laut einer aktuellen Umfrage / Untersuchung …

1. Arbeitnehmerinnen und Arbeitnehmer sollten das Recht haben, sich mindestens einmal im Berufsleben eine Auszeit (ein „Sabbatical") zu nehmen.

Ich stimme dem (nicht) zu, weil … ______________________

____

____

____

2. An Universitäten sollten Eignungstests für zukünftige Lehrerinnen und Lehrer eingeführt werden.

Ich stimme dem (nicht) zu, weil … ______________________

____

____

____

3. An Schulen sollte das Fach „Digitale Welt und Medienkompetenz" Pflicht sein.

Ich stimme dem (nicht) zu, weil … ______________________

____

____

____

Eine Einleitung schreiben

In dieser Aufgabe schreiben Sie im Rahmen einer Diskussion einen Beitrag auf einer Lernplattform. Dort schreibt man in der Regel keine Einleitung. Aber in der Prüfung wird erwartet, dass Sie einen zusammenhängenden Text mit mindestens 200 Wörtern schreiben, dazu gehört auch eine kurze Einleitung.

6. a **In der Einleitung stellt man das Thema und die Diskussionsfrage vor. Lesen Sie die Beispieltexte. Wie kann eine Einleitung aussehen? Kreuzen Sie an.**

Das Recht auf ein „Sabbatical"

In vielen Ländern steigt die Lebenserwartung der Menschen. Das bedeutet, dass sie auch länger berufstätig sind. Deshalb fordern manche das Recht auf eine Auszeit vom Berufsleben für alle …

Eignungstests für künftige Lehrer

An einigen Universitäten (zum Beispiel in Finnland) müssen Studierende, die sich für den Lehrerberuf interessieren, zunächst einen Eignungstest ablegen. Auch in Deutschland wird das diskutiert …

Schulfach „Digitale Welt"

Viele Jugendliche besitzen ein Smartphone. Wie sie mit den vielen Informationen im Internet und der ständigen Erreichbarkeit umgehen, müssen sie erst lernen. Vor diesem Hintergrund wird diskutiert, das Schulfach „Digitale Welt" oder „Medienkompetenz" verpflichtend einzuführen …

In der Einleitung …
- ◯ steht, warum das Thema heute relevant ist.
- ◯ steht, in welchem Kontext die Frage diskutiert wird.
- ◯ wird ein aktuelles Beispiel zum Thema aufgegriffen.
- ◯ werden die Vor- und Nachteile genannt.
- ◯ sagt man seine Meinung zum Thema.

b **Lesen Sie die Beispiele noch einmal und unterstreichen Sie die Redemittel, mit denen man eine Einleitung formulieren kann.**

c **Schreiben Sie nun eine Einleitung (ca. 30 Wörter) zum Thema „Welche Vor- und Nachteile hat es für Universitäten, wenn sie mit Unternehmen kooperieren?" Die Redemittel dienen Ihnen als Anregung.**

Heutzutage gibt es viele … | Das Thema … wird oft diskutiert | In einigen Ländern … |
Vor diesem Hintergrund … | … birgt Chancen und Risiken |
Manche Menschen meinen / bezweifeln / fordern …

Statements berücksichtigen und Stellung nehmen

In der Prüfungsaufgabe erhalten Sie entweder eine offene Fragestellung oder ein bis zwei kurze Statements zur besseren Orientierung. Sie müssen dann zur Diskussionsfrage Stellung nehmen und dabei die Statements berücksichtigen. Das bedeutet, dass Sie die Statements in Ihre Argumentation einbeziehen, aber nicht wörtlich wiederholen.

7. a Auf einer Lernplattform diskutieren Sie mit Ihrem Dozenten und anderen Seminarteilnehmenden über das Thema „Hochschulkooperationen mit Unternehmen". Lesen Sie die Beiträge der anderen. Wer äußert nur seine Meinung? Wer begründet sie? Schreiben Sie *1* für Meinung und *2* für Meinung mit Begründung.

Ich bin für mehr Kooperation zwischen Hochschulen und Unternehmen, weil ich das wichtig finde. ☐

Die Zusammenarbeit zwischen Universitäten und der Wirtschaft sollte ausgebaut werden, weil Studierende schon frühzeitig Kontakt zu Firmen aufnehmen und dort Praktika machen können. ☐

Ich fürchte, wenn Unternehmen Forschungsprojekte finanzieren, könnten sie dadurch zu viel Einfluss gewinnen. Forschung und Lehre sollten unabhängig sein. ☐

Firmen sollten Geld in die Forschung und technische Ausstattung an Universitäten investieren. ☐

b Um die Statements anderer in Ihrer Argumentation zu berücksichtigen, müssen Sie sie umschreiben. Lesen Sie die Sätze noch einmal und notieren Sie Synonyme.

1. die Hochschule: ______

2. die Kooperation: ______

3. das Unternehmen: ______

4. Erste Kontakte knüpfen: ______

5. die wissenschaftliche Arbeit: ______

6. autonom: ______

7. erste Berufserfahrung sammeln: ______

8. das Equipment: ______

9. Geld investieren: ______

c Welche Vor- und Nachteile von „Hochschulkooperationen mit Unternehmen" werden in Aufgabe 7a genannt? Umschreiben Sie die Argumente und notieren Sie auch eigene. Stützen Sie die Argumente durch Begründungen und Beispiele.

Positive Aspekte:
- *Studierende können erste Berufserfahrung sammeln*
- *z. B. durch Praktika Kontakte knüpfen*
- ...

Negative Aspekte:
- ...
- *z. B.* ...
- ...

d **Wägen Sie die positiven und negativen Aspekte zum Thema „Hochschulkooperationen mit Unternehmen" ab. Legen Sie zunächst die Reihenfolge fest und schreiben Sie dann einen Text (ca. 130–150 Wörter).**

zwar … aber | sowohl … als auch | nicht nur … sondern auch | weder … noch | einerseits … andererseits | Außerdem | auf der einen Seite … auf der anderen Seite | Dafür spricht … Dagegen spricht | Im Gegensatz dazu | Hinzukommt, dass … | Ein weiteres Argument für / gegen ist … | Hingegen

e **Schreiben Sie Ihre Meinung zum Thema „Hochschulkooperationen mit Unternehmen". Berücksichtigen Sie dabei die folgenden zwei Statements und begründen Sie, warum Sie diesen (nicht) zustimmen. Schreiben Sie auch einen Schlusssatz (ca. 50 Wörter).**

Wenn Unternehmen mit Hochschulen kooperieren, verfolgen sie eigene Ziele.

Aufgabe der Hochschulen ist es, die Absolventen auf das Berufsleben vorzubereiten.

Korrigieren Sie Ihre Texte in Aufgabe 7d und 7e mithilfe der folgenden Checkliste:

- ☐ Alle wichtigen Argumente sind genannt.
- ☐ Die Argumente sind durch Begründung und Beispiele gestützt.
- ☐ Die Argumente sind logisch verknüpft.
- ☐ Verben in Nebensätzen stehen am Ende.
- ☐ Vor Nebensätzen steht ein Komma.
- ☐ Nach Konnektoren wie „außerdem", „deshalb", „trotzdem" steht direkt das Verb.
- ☐ Satzanfänge und Nomen sind großgeschrieben.
- ☐ Die zwei Statements wurden berücksichtigt.
- ☐ Meine Meinung habe ich geschrieben und sie begründet.
- ☐ Ich habe eine Einleitung und einen Schlusssatz geschrieben.

Tipp: In der Prüfung stehen Ihnen Werkzeuge zum Tippen von Umlauten und ß zur Verfügung.

Beispielaufgabe mit Lösungshinweisen

- In diesem Prüfungsteil schreiben Sie einen Beitrag auf einer Lernplattform und nehmen in einer Diskussion mit Ihrem Dozenten und anderen Seminarteilnehmenden Stellung zu einem Thema.
- Sie schreiben mindestens 200 Wörter. Sie schreiben im formellen Stil.
- Sie bekommen eine offene Fragestellung, manchmal gibt es ein bis zwei kurze Statements zum Thema.
- Sie haben 30 Minuten Zeit. Nach 30 Minuten erscheint die nächste Aufgabe auf dem Bildschirm.

So gehen Sie vor:

1. **Lesen** Sie zuerst die **Prüfungsaufgabe**, um die zwei Positionen in der Diskussion zu verstehen. Das Thema wird in der Fragestellung paraphrasiert.

Auf einer Lernplattform diskutieren Sie mit Ihrem Dozenten und anderen Seminarteilnehmenden über das Thema „Schule ohne Noten". Schreiben Sie einen kurzen Beitrag.
Nehmen Sie Stellung dazu, welche Vor- und Nachteile es für Schülerinnen und Schüler hat, wenn sie keine Noten bekommen.

- Zwei Positionen in der Diskussion: Vorteile und Nachteile von Schulnoten

2. Manchmal gibt es zur besseren Orientierung **ein bis zwei kurze Statements. Beziehen** Sie diese in Ihre Argumentation mit **ein**. Übernehmen Sie die Formulierungen nicht wörtlich, sondern **umschreiben** Sie diese.

Berücksichtigen Sie dabei zwei Meinungen, die andere Seminarteilnehmende auf der Lernplattform geäußert haben.

> Schulnoten machen eine Vergleichbarkeit unter den Schülern möglich.

Umschreibung: Vorteile von Schulnoten: Mit Schulnoten kann man die Leistung der Schüler vergleichen.

> Die Schule sollte vor allem die Neugier und Freude am Lernen fördern.

Umschreibung: Nachteile von Schulnoten: Am wichtigsten ist, dass Schüler motiviert sind, zu lernen.

3. **Sammeln** Sie weitere **Argumente** für beide Seiten. **Machen** Sie sich **Notizen. Stützen** Sie die **Argumente durch Gründe und Beispiele**, damit andere Ihre Argumente besser verstehen können.

Vorteile von Schulnoten:
- Mit Schulnoten kann man die Leistung der Schüler vergleichen.
- Man sieht auf einen Blick, wie die Schüler stehen (z.B. auf dem Zeugnis).
- Lehrkräfte, Eltern, Arbeitgeber wissen, was die Noten bedeuten (Leistung sehr gut / gut / etc.).

Nachteile von Schulnoten:
- Am wichtigsten ist, dass Schüler motiviert sind, zu lernen.
- Noten sagen nichts darüber, wie Schüler ihre Leistung verbessern können.
- Sich auf Tests und Noten zu konzentrieren, führt nicht immer zum Lernen.

4. **Notieren** Sie **Ihre Meinung** zum Thema **und begründen** Sie sie. Die Argumente sollten sich nicht wiederholen. Sie können einer Seite mit Einschränkung zustimmen und einen Vorschlag machen.

Meinung: eher für Schulnoten
Begründung: Bessere Vorbereitung auf Studium und Berufsleben, wo man auch benotet wird
Beispiel: Arbeitszeugnisse in Deutschland – Formulierungen stehen auch für Noten
Einschränkung und Vorschlag: Schulnoten erst ab 5. Klasse, zusätzlich regelmäßige Rückmeldung

5. **Wählen** Sie eine **logische Reihenfolge** für Ihre Argumentation. Nachdem Sie die Vor- und Nachteile abgewogen haben, können Sie Ihren Standpunkt zum Thema darstellen. Das Abwägen ist hier am wichtigsten. Dabei können Sie entweder (1) zunächst die Vorteile und dann die Nachteile aufzählen oder (2) jeweils zwei Argumente gegenüberstellen.

Mögliche Lösung:
(1) Für eine Beurteilung mit Schulnoten spricht, dass man die Leistung der Schülerinnen und Schüler vergleichen kann, sowohl innerhalb der Klasse als auch auf nationaler Ebene. So sieht man auf einen Blick (z. B. auf dem Zeugnis), welchen Leistungsstand jedes Kind hat. Und nicht nur die Lehrkräfte, sondern auch Eltern und zukünftige Arbeitgeber wissen, was die Noten bedeuten. Sie wissen, dass die Noten 1 - 6 nach dem deutschen Notensystem für eine „sehr gute“, „gute“, „ausreichende“ etc. Leistung stehen.
Auf der anderen Seite sagen Noten nichts darüber aus, wie die Schülerinnen und Schüler ihre Leistungen verbessern können. Und am wichtigsten ist doch, dass junge Menschen motiviert sind, zu lernen, und Fortschritte machen. Tests und Noten sind ein gutes Instrument, um Leistung zu messen. Aber es ist fraglich, ob sie auch dazu führen, dass die Schülerinnen und Schüler wirklich etwas lernen.

Dennoch denke ich, dass Schulnoten sinnvoll sind, weil sie Schülerinnen und Schüler auf das spätere System im Studium und Berufsleben vorbereiten, wo sie auch benotet werden. Z. B. stehen die Formulierungen auf einem Arbeitszeugnis in Deutschland auch für eine Beurteilung der Leistung. Aber vielleicht wäre es besser, Noten erst ab der 5. Klasse oder später einzuführen und den Schülerinnen und Schülern zusätzlich regelmäßig eine detaillierte Rückmeldung zu ihren Leistungen zu geben.

(2) Es stimmt zwar, dass man mit Schulnoten die Leistung der Schülerinnen und Schüler vergleichen kann, aber Noten sagen nichts darüber aus, wie sie ihre Leistungen verbessern können. …

6. **Überprüfen** Sie **beim Schreiben**, ob Sie alle **wichtigen Argumente genannt**, sie **durch Gründe und Beispiele gestützt**, die **Sätze logisch verknüpft** und dabei die **Satzstellung beachtet** haben.
7. **Formulieren** Sie eine passende **Einleitung**, mit der Sie in das Thema einführen, und einen **Schlusssatz**. Überlegen Sie: Warum ist das Thema relevant oder aktuell? In welchem Kontext wird es diskutiert? Kennen Sie ein Beispiel dazu? Im Schlusssatz können Sie diese Frage wieder aufgreifen.

Hinweis: Sie können beim Schreiben direkt mit der Einleitung beginnen oder sie später ergänzen. Oft ist der Hauptteil am schwierigsten.

Einleitung: Noten sind ein standardisiertes System für Schulen und das Bildungssystem. Aber wirken sie sich eher positiv oder negativ auf die Leistung der Schülerinnen und Schüler aus? Manche bezweifeln den pädagogischen Sinn von Noten und diskutieren das Modell einer Schule ohne Noten.

Schlusssatz: … So hätten Noten zusammen mit einer Rückmeldung auch einen pädagogischen Sinn für die Schülerinnen und Schüler.

Empfehlung zur Zeiteinteilung: Verwenden Sie ca. fünf Minuten für die Notizen am Anfang. Dann haben Sie ca. 20 Minuten, um den Text zu schreiben. Nehmen Sie sich am Ende fünf Minuten Zeit, um den Text noch einmal Korrektur zu lesen. Verwenden Sie dazu die folgende Checkliste:

Tipp: Lesen Sie den Text am Ende noch einmal. Vermeiden Sie Wiederholungen und schreiben Sie alle Punkte zu einem Thema an eine Stelle.

- ☐ Alle wichtigen Argumente sind genannt.
- ☐ Die Argumente sind durch Begründung und Beispiele gestützt.
- ☐ Die Argumente sind logisch verknüpft.
- ☐ Alle Punkte zu einem Thema stehen an einer Stelle.
- ☐ Wiederholungen habe ich vermieden.
- ☐ Verben in Nebensätzen stehen am Ende.
- ☐ Nach Konnektoren wie „außerdem“, „deshalb“, „trotzdem“ steht direkt das Verb.
- ☐ Die zwei Statements wurden berücksichtigt.
- ☐ Meine Meinung habe ich geschrieben und sie begründet.
- ☐ Ich habe eine Einleitung und einen Schlusssatz geschrieben.

Informationen aus Lesetext und Grafik zusammenfassen

- Bei der zweiten Aufgabe des Prüfungsteils Schreiben müssen Sie Informationen aus einem Text und einer Grafik zusammenfassen. Dabei müssen Sie relevante Informationen in Bezug auf eine konkrete Fragestellung auswählen und in eigenen Worten wiedergeben.
- Die konkrete Frage bezieht sich auf den Text und die Grafik. Die beiden Quellen ergänzen sich.
- Erforderlich sind genaues Lesen sowie sehr gute Wortschatz- und Grammatikkenntnisse, um relevante Informationen zu erkennen und strukturiert in eigenen Worten zusammenzufassen.

Vorübungen

Relevante Informationen auswählen

Für die Zusammenfassung müssen Sie zunächst die Fragestellung genau lesen und alle relevanten Informationen im Text und in der Grafik auswählen, die sich auf die konkrete Frage beziehen. Es geht also nicht um eine komplette Grafikbeschreibung oder detaillierte Wiedergabe des Textes.

Tipp: Achten Sie beim Lesen genau auf die Frage und suchen Sie im Text die dazu passenden Stellen.

1. a **Lesen Sie den Text zum Thema „E-Roller". Markieren Sie dabei Stellen, die auf diese Frage antworten: Warum bieten Verleiher von E-Rollern den Kunden Fahrstunden an?**

E-Scooter-Verleiher bieten Fahrtraining an

Immer wieder missachten Nutzerinnen und Nutzer von E-Rollern diverse Verkehrsregeln. „Viele wissen nicht, wie und wo sie mit den Rollern fahren dürfen", sagt Martin Baumann, der seit Kurzem als Fahrlehrer bei einem E-Scooter-Verleih in Hamburg arbeitet und selbst jeden Morgen mit dem E-Roller zur Arbeit fährt. Wenn E-Scooter-Fahrer Verkehrsregeln brechen, führt das laut Hamburger Polizei auch zu Verkehrsunfällen mit Verletzten. Deshalb wollen einige Verleiher nun handeln und bieten – wie in einer Fahrschule – Fahrstunden in verschiedenen Städten an. Das lassen sich die Anbieter auch etwas kosten, denn die Kunden zahlen für das Sicherheitstraining nichts.
Bei manchen Anbietern klickt man sich zuerst online durch Fragen zu allgemeinen Verkehrsregeln, z. B. zur Vorfahrt und dem strikten Alkohol- und Handyverbot am Lenker. Dann lernt man in der Praxis, wie man mit dem Roller fährt und dass man ihn nur am Rand des Gehwegs parken darf. Bei Baumann in der Fahrstunde lernen die Teilnehmer außerdem, richtig zu „blinken", indem sie eine Hand oder einen Fuß ausstrecken, bevor sie abbiegen. Am Ende gibt es einen Test, und wer den besteht, erhält fünf Euro Guthaben und sogar einen symbolischen Führerschein.

b **Sehen Sie sich die Grafik an. Ergänzen Sie die Sätze, die auf diese Frage antworten: Warum nutzen die Menschen E-Roller als Fortbewegungsmittel?**

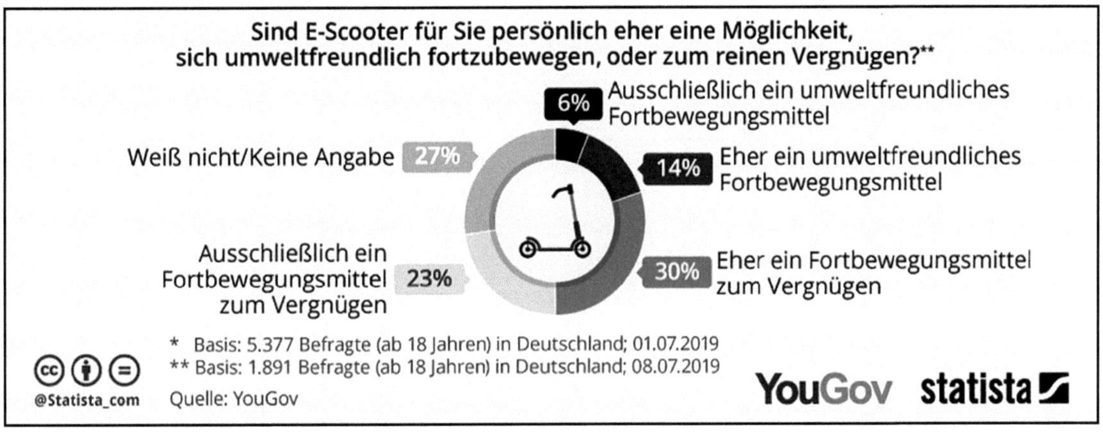

mehr als die Hälfte | aus ökologischen Gründen | zum Vergnügen

Die meisten Menschen nutzen E-Roller (1) ______________________. Von den Befragten gibt (2) ______________________, nämlich 53 %, an, sie würde das Verkehrsmittel ausschließlich oder eher zum Spaß nutzen. Nur jeder Fünfte fährt (3) ______________________ mit einem E-Roller.

2. a Schreiben Sie für die Ausdrücke zum Thema „Verkehr" ähnliche Formulierungen.

die Fahrerlaubnis | gegen Vorschriften verstoßen | im Internet Fragen zum Thema beantworten | der Bürgersteig | das Fahrzeug abstellen | die Vorschriften | am Steuer | die Schulung zu Verkehrsregeln

1. die Regeln: ______________________
2. Regeln brechen: ______________________
3. das Sicherheitstraining: ______________________
4. sich online durch Fragen klicken: ______________________
5. am Lenker: ______________________
6. parken: ______________________
7. der Gehweg: ______________________
8. der Führerschein: ______________________

b Lesen Sie die Zusammenfassung und ergänzen Sie Umschreibungen aus Aufgabe 2a.

In dem Artikel „E-Scooter-Verleiher bieten Fahrtraining an" geht es um die Frage, warum manche Firmen ihren Kunden eine (1) ______________________ anbieten. Regelmäßig (2) ______________ E-Roller-Fahrerinnen und -Fahrer gegen ______________________ und verursachen so Unfälle. Dabei kommen auch andere Menschen zu Schaden. Mit einem Training im Internet und praktischen Fahrstunden lernen die Teilnehmer des Kurses, wie man sich am (3) ____________ verhält und (4) ______________________ korrekt neben dem Bürgersteig ______________. Wie die Grafik zeigt, nutzen die meisten Menschen E-Scooter eher zum Spaß und achten deshalb nicht so sehr auf die (5) ______________ im Straßenverkehr.

Hinweis: In der Zusammenfassung übernehmen Sie die Formulierungen nicht wörtlich aus dem Text, sondern umschreiben sie.

Informationen aus dem Text korrekt erfassen

In der Zusammenfassung müssen Sie die relevanten Informationen in Bezug auf die Fragestellung korrekt und präzise wiedergeben. Dazu müssen Sie die Aussagen im Text und in der Grafik verstehen. Üben Sie, beim Lesen unbekannte Wörter aus dem Kontext zu erschließen.

Tipp: Schwierige Begriffe im Text werden meist umschrieben.

3. a **Lesen Sie den Text und markieren Sie die Textstellen, die auf die Frage antworten: Wie soll die Idee der autofreien Innenstädte umgesetzt werden?**

Autofreie Innenstädte – eine Idee für die Zukunft?

Wie realistisch ist die Idee einer autofreien Innenstadt in Deutschland? Die Stadt Wuppertal hat sich das Ziel gesetzt, diese Idee in den kommenden Jahren zu verwirklichen. Am Wuppertalinstitut beschäftigt sich der Forschungsbereich „Mobilität und Verkehrspolitik" mit dem Thema und möchte dabei die Rahmenbedingungen nicht von oben verordnen, sondern die betroffenen Menschen, z. B. Anwohner und Einzelhändler, von der Idee überzeugen. Denn es werde nicht gelingen, das Vorhaben gegen die Interessen der Stadtbewohner durchzusetzen, meint Prof. Oscar Reutter, Leiter des Forschungsbereichs. Wuppertal ist mit diesem Vorhaben nicht allein. Reutter nennt die Stadt Stuttgart als weiteres Beispiel. Dort werden in den Innenstädten Parkplätze abgeschafft und dafür Flaniermeilen und Einkaufsstraßen gebaut. Um den Autofahrerinnen und Autofahrern dennoch Parkmöglichkeiten in der Innenstadt zu bieten, sollen die oft leeren Parkhäuser stärker genutzt werden. Die seien zwar kostenpflichtig, aber dafür würde das Herumfahren auf der Suche nach einem Parkplatz wegfallen, meint Reutter. Insgesamt gehe es darum, Anreize zu schaffen, z. B. in Form günstiger Tickets für den öffentlichen Nahverkehr. Besonders junge Menschen seien dieser Idee gegenüber aufgeschlossen. In Wien ist die „autofreie Zone" übrigens bereits in Teilen der Stadt Realität und hat sich als Modell bewährt.

b **Sind die Hauptaussagen richtig oder falsch? Notieren Sie R für richtig, F für falsch.**

1. Die Stadt Wuppertal diktiert den Bewohnern, wie die autofreie Innenstadt aussehen wird. ☐
2. Die Stadt Stuttgart bietet den Anwohnern kostenlose Parkplätze in Parkhäusern. ☐
3. Generell versucht man, die Nutzung von Bus und Bahn in Städten attraktiver zu machen. ☐

c **Ordnen Sie den Ausdrücken aus dem Text die Umschreibungen zu.**

1. von einer Idee überzeugen	a. erfolgreich sein
2. Bedingungen verordnen	b. ungenutzt sein
3. gelingen	c. Angebote attraktiver machen
4. leer stehen	d. Konditionen diktieren
5. Anreize schaffen	e. für etwas gewinnen

d **Auf die Frage *Wie …?* kann man mit den Konnektoren *indem* und *dadurch, dass* sowie mit der Präposition *durch* (+ Nomen) antworten. Ergänzen Sie die Sätze. Benutzen Sie dabei die Umschreibungen aus Aufgabe 3c.**

1. Wuppertal möchte das Konzept der „autofreien Stadt" realisieren, indem ____________________
____
2. In Stuttgart entstehen alternative Anwohnerparkplätze durch ____________________
____
3. Die Städte wollen das Ziel dadurch erreichen, dass ____________________
____

Informationen aus der Grafik korrekt erfassen

Auch in der Grafik müssen Sie die Informationen korrekt erfassen.

4. a **Sehen Sie sich die Grafik (Abbildung 1) zum Thema „Sprachenlernen in Europa" an. Markieren Sie in den Sätzen die richtige Angabe.**

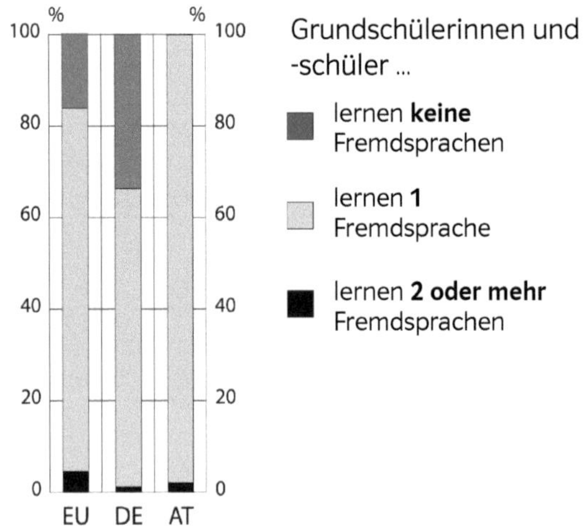

1. In Deutschland und Österreich ist der Anteil der Schülerinnen und Schüler, die in der Grundschule zwei oder mehr Fremdsprachen lernen, *höher / niedriger* als im EU-Durchschnitt.
2. In Deutschland lernen die meisten Grundschülerinnen und -schüler *eine / keine* Fremdsprache.
3. In Österreich lernen *mehr / weniger* Grundschulkinder eine Fremdsprache als in Deutschland.

b **Sehen Sie sich die Grafik (Abbildung 2) an. Ergänzen Sie die passenden Präpositionen.**

Zeitraum, in dem das Erlernen einer Fremdsprache vorgeschrieben ist:

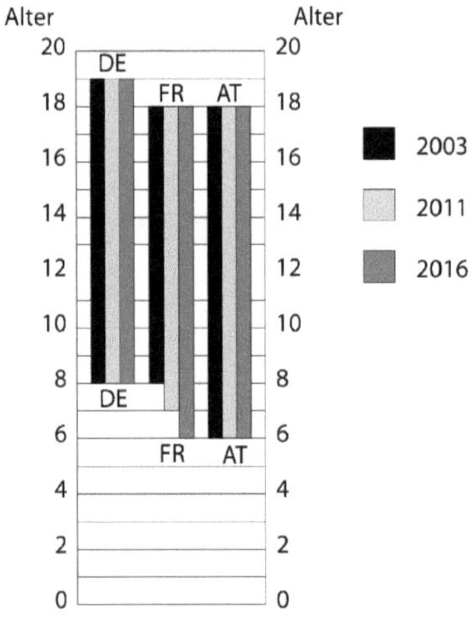

von | auf | zu | mit | bei | um

In Deutschland liegt das Alter, ab dem das Erlernen einer Fremdsprache in der Schule Pflicht ist, (1) ______ 8 Jahren. In Österreich beginnen die Schülerinnen und Schüler bereits (2) ______ 6 Jahren, in der Schule eine Fremdsprache zu lernen. In beiden Fällen hat sich das vorgeschriebene Alter im Vergleich (3) ______ den Jahren 2011 und 2003 nicht verändert. In Frankreich hingegen ist das Einstiegsalter für das Fremdsprachenlernen innerhalb der letzten Jahre gesunken, (4) ______ 8 Jahren im Jahr 2003 zunächst (5) ______ 1 Jahr und schließlich weiter (6) ______ 6 Jahre.

c **Sehen Sie sich die Grafik (Abbildung 3) an. Vervollständigen Sie die Verben.**

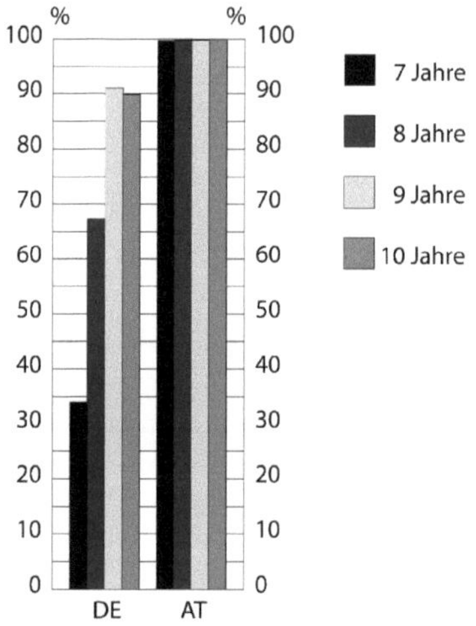

Die Grafik (1) ze_ _ _ den Anteil der Schülerinnen und Schüler im Primarbereich, die mindestens eine Fremdsprache lernen, nach Alter. In Deutschland (2) bet_ _ _ _ der Anteil der 7-Jährigen ca. 30 %. Der Anteil der 8-Jährigen ist mit knapp 70 % mehr als doppelt so hoch. Unter den 9- und 10-Jährigen (3) st_ _ _ _ der Anteil auf ca. 90 %. In Österreich beginnen die Schülerinnen und Schüler früher mit der ersten Fremdsprache, wie man in Abbildung 2 sehen konnte. Deshalb (4) li _ _ _ der Anteil derjenigen, die mindestens eine Fremdsprache in der Grundschule lernen, in allen Altersgruppen bei 100 %.

Informationen und Meinungen wiedergeben

In der Zusammenfassung ist das Abschreiben ganzer Textpassagen nicht erlaubt. Sie sollten die Formulierung aus dem Text (und wenn möglich auch aus der Grafik) nicht wörtlich übernehmen, sondern sie mit eigenen Worten umschreiben. Einzelne Schlüsselbegriffe können Sie aber benutzen. Wenn Sie Meinungen wiedergeben, verwenden Sie die indirekte Rede (z. B. mit Konjunktivformen).

Die indirekte Rede mit Konjunktivformen wird in wissenschaftlichen und journalistischen Texten (z. B. Zeitungsartikeln) benutzt, weil es hier wichtig ist, korrekt zu zitieren und die eigenen Gedanken von denen anderer Personen unterscheiden zu können. Das kann sprachlich mithilfe des Konjunktivs deutlich gemacht werden.

Bildung des Konjunktiv I

	sein	andere Verben: Infinitivstamm (z. B. hab-) + Endung
3. Person Singular: er/ sie/ es	sei	hab**e**
3. Person Plural: sie	seien	hab**en*** → **hätten**

* In der 3. Person Plural ist die Endung identisch mit dem Indikativ (*sie haben*), deshalb wird hier die Konjunktiv II-Form benutzt (*sie hätten*). Bei „schwachen" Verben ist sie wie im Präteritum (*sie machten*).

5. Lesen Sie den Text. Wie beurteilt der Autor die These „Je früher, desto besser" beim Fremdsprachenlernen? Ergänzen Sie die Konjunktivformen.

Fremdsprachenlernen – (K)eine Frage des Alters

In der öffentlichen Diskussion hält sich hartnäckig der Glaube, man würde eine Sprache – auch eine Fremdsprache – am besten als Kind lernen, häufig hört man die Formulierung „Je früher, desto besser". Das hat sogar Auswirkungen auf bildungspolitische Entscheidungen, z. B. wenn es um die Frage geht, ab welchem Alter Kinder in der Schule anfangen sollten, eine Fremdsprache zu lernen. Auch in der Forschung wurde und wird dieses Thema kontrovers diskutiert. Ein wichtiges Problem dabei ist, dass die Begriffe „Sprache" und „lernen" undifferenziert verwendet werden.

Als Argument für das Sprachenlernen im möglichst jungen Alter wird oft die These der „kritischen Periode" angeführt. Dabei wird außer Acht gelassen, dass der Wissenschaftler Eric Lenneberg 1967 seine *„critical period hypothesis"* in Bezug auf die Erstsprache (auch „Muttersprache" genannt) entwickelt hat. Das lässt sich nicht ohne Weiteres auf das Fremdsprachenlernen in der Schule übertragen. Denn Kinder, die ihre erste (oder auch zweite) Sprache in einer „natürlichen" Umgebung erwerben, d. h. zum Beispiel innerhalb der Familie oder in dem Land, in dem die Sprache gesprochen wird, tun das unter ganz anderen Voraussetzungen als ein gleichaltriges Kind, das zweimal die Woche Englischunterricht in der Schule hat. Im ersten Fall spielen andere Faktoren wie der Sprachkontakt und die Motivation, sich zu sozialisieren und z. B. neue Freunde zu finden, eine viel größere Rolle als das Alter.

Deshalb ist es nicht nur wichtig, zwischen Erst-, Zweit- und Fremdsprache zu unterscheiden, sondern auch zwischen dem „Lernen" und „Erwerben". Mit Lernen ist in diesem Zusammenhang der gesteuerte Fremdsprachenunterricht in der Schule oder an einer Institution gemeint, während der Erwerb sich auf die Erst- und Zweitsprache bezieht (auch bei bilingualen Kindern). Vor diesem Hintergrund empfehlen neuere Studien, den Fokus weniger auf die Altersfrage zu legen, sondern stärker die Bedingungen zu untersuchen, unter denen Menschen in unterschiedlichem Alter Sprachen lernen.

würden (2x) | habe | sei | mache | könne

Die weit verbreitete Meinung „Je früher, desto besser" in Bezug auf das Fremdsprachenlernen wird im Text „Fremdsprachenlernen – (K)eine Frage des Alters" sehr kritisch beurteilt. Ein zentrales Problem in der wissenschaftlichen und gesellschaftlichen Debatte (1) ____________, dass viele Menschen die Begriffe „Sprache" und „lernen" ungenau benutzen (2) ____________. Aus diesem Grund wird darauf hingewiesen, dass Lenneberg die These der „kritischen Periode" für den Erstsprachenerwerb formuliert (3) ____________ und man sie nicht direkt auf das Fremdsprachenlernen anwenden (4) ____________. Ob Kinder z. B. eine Sprache von den Eltern oder im Zielland auf natürliche Weise erwerben oder sie als Schülerinnen und Schüler im Unterricht lernen – meist mit wenigen Wochenstunden – (5) ____________ einen größeren Unterschied aus als das Alter. Deshalb (6) ____________ sich neuere Forschungsansätze dafür aussprechen, sich mehr auf die Voraussetzungen verschiedener Altersgruppen beim Sprachenlernen zu konzentrieren.

Informationen strukturiert zusammenfassen

Ihre Zusammenfassung muss ein strukturierter zusammenhängender Text sein, d. h. Sie zählen nicht die Hauptaussagen zur Fragestellung stichpunktartig auf. Sie sollten auch nicht den Text Abschnitt für Abschnitt paraphrasieren. Sie müssen vielmehr eine logische Reihenfolge für die Hauptpunkte festlegen und sie sprachlich verknüpfen. Dabei kann der Aufbau der Zusammenfassung von dem des Textes abweichen. Wichtig ist auch, dass Sie nur wiedergeben, was im Text und in der Grafik steht.

6. Was sind Merkmale einer Zusammenfassung? Kreuzen Sie an.

◯ **1.** Die Zusammenfassung ist kürzer als der Text (ungefähr halb so lang).
◯ **2.** In der Zusammenfassung ergänzt man auch eigenes Wissen zum Thema.
◯ **3.** In der Zusammenfassung nimmt man auch selbst Stellung zum Thema.
◯ **4.** Die Zusammenfassung ist sachlich, sie enthält keine emotionale Beschreibung.
◯ **5.** Die Zusammenfassung beschreibt den Sachverhalt detailliert.
◯ **6.** In der Zusammenfassung hält man sich an die Reihenfolge der Informationen im Text.
◯ **7.** Die Zusammenfassung enthält keine Wiederholungen.

7. a Lesen Sie die Zusammenfassung zweier Studien zum Thema „Wie wirkt sich die Natur auf den Stresspegel aus?". Ersetzen Sie die Wiederholungen, die im Text durchgestrichen sind.

langfristig | führte das dazu | demnach | dafür | einem ähnlichen

Wissenschaftlerinnen und Wissenschaftler der Universität Michigan haben in einer aktuellen Studie untersucht, wie sich der Aufenthalt in der Natur auf den Stresspegel bei Menschen auswirkt. ~~Laut der Studie der Universität Michigan~~ (1) ____________________ können sich bereits drei Spaziergänge im Wald oder Park pro Woche positiv auf die Gesundheit auswirken. Bei Stress wird das Hormon Cortisol produziert. ~~Wenn der Stress andauert,~~ (2) ____________________ kann das gesundheitliche Probleme wie Herz-Kreislauf-Erkrankungen zur Folge haben. Die Wissenschaftler konnten beobachten, dass bereits nach 20 Minuten der Stresspegel reduziert wird. Die Voraussetzung~~, dass der Stresspegel reduziert wird,~~ (3) ____________________ war, dass die Menschen während der Studie im Wald keinen Sport treiben und sich nicht durch das Smartphone oder Telefongespräche ablenken lassen.

Auch die Studie des Wissenschaftlers Marc Bergmann kam zu ~~dem~~ (4) ________________________ Ergebnis~~, dass sich Bäume positiv auf die Gesundheit der Menschen auswirken~~. Bei Menschen, die in Waldnähe wohnen~~,~~ (5) ________________________, dass sie seltener an Herz-Kreislauf-Erkrankungen litten.

b Lesen Sie den Text noch einmal und ersetzen Sie die Wiederholungen durch Synonyme.

~~Forscherinnen und Forscher~~ | das Stresshormon abgebaut/das Stressniveau gesenkt | einen positiven Effekt haben

1	Wissenschaftlerinnen und Wissenschaftler der Universität Michigan haben in einer aktuellen Studie untersucht, wie sich der Aufenthalt in der Natur auf den Stresspegel bei Menschen auswirkt.	*Forscherinnen und Forscher*
2	Demnach können sich bereits drei Spaziergänge pro Woche positiv auf die Gesundheit auswirken.	
3	Die Wissenschaftler konnten beobachten, dass bereits nach 20 Minuten der Stresspegel reduziert wird.	

8. a Lesen Sie die Hauptaussagen aus einem Text zum Thema „Was denken Ärztinnen und Ärzte über Telemedizin?". Legen Sie eine Reihenfolge fest. Nummerieren Sie die Sätze.

Die Telemedizin kann kommen

___ Es gibt verschiedene Aspekte zu berücksichtigen: z. B. die rechtliche Sicherheit der Ärztinnen und Ärzte oder den Schutz von Patientendaten.

___ Es gibt weiterhin Einschränkungen. Die Telemedizin ist nur möglich, wenn die ärztliche Pflicht dabei nicht verletzt wird.

___ Ärztinnen und Ärzte können ihre Patienten ohne einen persönlichen ersten Kontakt telefonisch oder online beraten und behandeln.

_1_ In Deutschland war bisher eine Behandlung von Patientinnen und Patienten aus der Ferne verboten. Das Gesetz wurde in jüngster Zeit gelockert.

___ Es gibt bereits viele kommerzielle Anbieter aus dem In- und Ausland, die als Callcenter eine steigende Zahl von Patientinnen und Patienten betreuen, ohne sie je persönlich zu sehen.

___ Viele Ärztinnen und Ärzte lehnen das ab und bieten die digitale Beratung nur ergänzend zur Behandlung in der Praxis an. Sie sind der Meinung, dass die Online-Sprechstunde das persönliche Arzt-Patienten-Gespräch nicht ersetzen kann.

b Lesen Sie den Text in der richtigen Reihenfolge. Ergänzen Sie die passenden Wörter und Redemittel.

ein Grund für | aber | insgesamt | nun auch | so

In Deutschland war bisher eine Behandlung von Patientinnen und Patienten aus der Ferne verboten. Das Gesetz wurde in jüngster Zeit gelockert. (1) ____________ können Ärztinnen und Ärzte ihre Patienten (2) ____________ ohne einen persönlichen ersten Kontakt telefonisch oder online beraten und behandeln. (3) ____________ es gibt weiterhin Einschränkungen. Die Telemedizin ist nur möglich, wenn dabei die ärztliche Pflicht nicht verletzt wird.

(4) ____________ die Änderung war, dass es bereits viele kommerzielle Anbieter aus dem In- und Ausland gibt, die als Callcenter eine steigende Zahl von Patientinnen und Patienten betreuen, ohne sie je persönlich zu sehen. Das lehnen viele Ärztinnen und Ärzte ab und bieten die digitale Beratung nur ergänzend zur Behandlung in der Praxis an. Sie sind der Meinung, dass die Online-Sprechstunde das persönliche Arzt-Patienten-Gespräch nicht ersetzen kann. (5) ____________ gibt es bei dem Thema verschiedene Aspekte zu berücksichtigen: z. B. die rechtliche Sicherheit der Ärztinnen und Ärzte und den Schutz von Patientendaten.

C **Sehen Sie sich die Grafik an. Ergänzen Sie in der Zusammenfassung die wichtigsten Informationen, die auf die Frage antworten: „Was denken Patientinnen und Patienten über Telemedizin?"**

Hinweis: Wenn möglich, sollten Sie auch die Begriffe aus der Grafik umschreiben.

Die Grafik zeigt den Anteil der Menschen, die ______________________________

____

Demnach würde zwar mehr als die Hälfte ______________________________

____

Aber nur ca. ein Fünftel (22%) würde das Angebot einer ______________________

____

Und nur knapp jeder Zehnte (9%) der Befragten würde die digitale Fernuntersuchung (Telemedizin)

____

Daran sieht man, dass die meisten Deutschen der Telemedizin eher skeptisch gegenüberstehen.

Einleitungssatz schreiben

Ihre Zusammenfassung sollten Sie mit einem kurzen Einleitungssatz beginnen. Darin können Sie das Thema – bezogen auf die konkrete Fragestellung – nennen. Die Quelle der Grafik wird in der Prüfung nicht genannt, Quellenangaben sind also für die Zusammenfassung nicht erforderlich.

9. **Lesen Sie noch einmal die Fragestellung aus den bearbeiteten Aufgaben. Formulieren Sie jeweils einen kurzen Einleitungssatz. Die folgenden Textbausteine helfen Ihnen dabei.**

1. Wie soll die Idee der autofreien Innenstädte umgesetzt werden?

In dem Text „Autofreie Innenstädte - eine Idee für die Zukunft?" geht es um Maßnahmen … / geht es darum, …

2. Was denken Ärzte und Patienten über die Telemedizin?

In dem Text „Die Telemedizin kann kommen" und der dazugehörigen Grafik geht es um … / geht es darum, …

Tipp: In der Prüfung stehen Ihnen Werkzeuge zum Tippen von Umlauten und ß zur Verfügung.

Beispielaufgabe mit Lösungshinweisen

- In diesem Prüfungsteil fassen Sie (wie z. B im Rahmen einer Hausarbeit) die Informationen aus einem Text und einer Grafik im Hinblick auf eine konkrete Frage zusammen.
- Sie schreiben im formellen Stil.
- Sie schreiben ca. 100 bis 150 Wörter.
- Es geht bei dieser Aufgabe nicht um eine komplette Grafikbeschreibung oder detaillierte Wiedergabe des Textes.
- Sie bekommen einen Text, einen grafischen Input und eine Fragestellung, die sich auf beide Quellen bezieht.
- Sie haben 30 Minuten Zeit.

So gehen Sie vor:

1. **Lesen** Sie zuerst die **Prüfungsaufgabe**, um die konkrete Fragestellung zu verstehen. Die Frage ist so formuliert, dass sich die Informationen im Text und in der Grafik ergänzen. **Lesen** Sie **dann** die **Überschriften** im Text und in der Grafik. So wissen Sie, welcher Teil der Frage sich auf welche Quelle bezieht.

In Ihrem Seminar für Management in der Medizin schreiben Sie eine Hausarbeit zum Thema „Fachkräftemangel in der Pflege".
In einem Abschnitt wollen Sie sich mit folgender Frage beschäftigen:
Was verursacht den Pflegekräftemangel und welche Maßnahmen sind am wirksamsten?
Fassen Sie zu dieser Frage Informationen aus dem Text und der Grafik zusammen.
Benutzen Sie eigene Formulierungen. Das Abschreiben von Textpassagen ist nicht erlaubt.

2. Lesen Sie dann den Text und sehen Sie sich die Grafik an. **Wählen** Sie in beiden Quellen die **relevanten Informationen aus**, die sich auf die **konkrete Frage** beziehen. Diese Informationen fassen Sie zusammen.

Was Pflegekräfte unzufrieden macht

In Deutschland wächst die Zahl älterer Menschen stetig, und damit nimmt auch die Anzahl der Pflegebedürftigen seit Langem zu. Gleichzeitig herrscht aber in vielen Krankenhäusern und Altenheimen ein Mangel an Pflegerinnen und Pflegern. Die Gründe dafür sind vielfältig. Wegen der oft schlechten Arbeitsbedingungen entscheiden sich zu wenig junge Menschen für eine Ausbildung zum Altenpfleger oder zur Krankenschwester. Und die Menschen, die bereits in diesem Beruf arbeiten, stehen unter einer solch hohen Belastung, dass sie nicht selten den Bereich wechseln oder nur in Teilzeit arbeiten. So fehlt es bereits an mehreren Zehntausend Pflegekräften in Deutschland. Und dieser Umstand führt zu einer weiteren Verschärfung der Situation. Denn durch die personellen Engpässe steigt die Unzufriedenheit bei den verbleibenden Pflegerinnen und Pflegern. Die Politik versucht seit Jahren, mehr Pflegekräfte aus dem Ausland anzuwerben. Aber das wird das Problem auf Dauer nicht mindern, meinen Experten. Wichtiger sei es, die Arbeitsbedingungen attraktiver zu machen. Um passende Lösungen zu finden, wurde eine Befragung mit ca. 4000 Pflegekräften und Auszubildenden durchgeführt. Dabei wurden sie u. a. gefragt, was ihnen in ihrem Beruf wichtig ist und was ihnen im Arbeitsalltag fehlt. Aus den Ergebnissen der Untersuchung wurde abgeleitet, wo besonders Handlungsbedarf besteht und wo Arbeitgeber mit möglichen Maßnahmen ansetzen sollten, um Pflegekräfte erfolgreich zu gewinnen und langfristig zu binden.
Die meisten Menschen, die sich für den Pflegeberuf entscheiden, tun das laut eigenen Angaben, um anderen zu helfen, oder aus Interesse an medizinischen Themen. Sie sind auch mehrheitlich mit ihrer Berufswahl zufrieden. Nur was die Bedingungen an ihrem Arbeitsplatz angeht, sind viele frustriert.

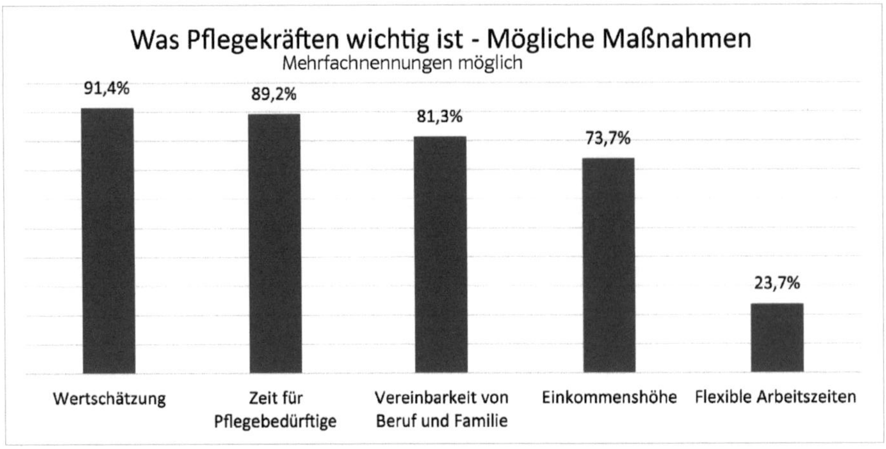

Quelle: Studie von Prof. Dr. Holger Buxel (2011)

3. Wichtig ist, dass Sie die **Hauptaussagen** in Bezug auf die konkrete Frage **korrekt erfassen**. Schwierige Begriffe werden meist umschrieben. Üben Sie beim Lesen, die Bedeutung unbekannter Wörter aus dem Kontext zu erschließen.

Was verursacht den Fachkräftemangel in der Pflege? (Informationen im Text)
- Anzahl Pflegebedürftiger in Deutschland nimmt zu
- oft schlechte Arbeitsbedingungen
- zu wenig junge Menschen entscheiden sich für den Pflegeberuf
- hohe Belastung
- Pflegekräfte wechseln den Bereich oder arbeiten nur in Teilzeit

→ personelle Engpässe verschärfen das Problem

Welche Maßnahmen sind am wirksamsten? (Informationen in der Grafik)

Mögliche Maßnahmen	**wirksam**	**vergleichsweise weniger wirksam**
– mehr Zeit für Pflegebedürftige	x	
– mehr Wertschätzung	x	
– bessere Vereinbarkeit von Beruf und Familie	x	
– höheres Einkommen		x
– flexible Arbeitszeiten		x

4. **Legen** Sie eine **logische Reihenfolge fest**. Wichtig ist, dass Sie die Punkte nicht nur aufzählen und dass die Reihenfolge nicht sprunghaft ist. Schreiben Sie alles Wichtige zu einem Punkt an einer Stelle. Dabei kann der Aufbau Ihrer Zusammenfassung von der des Textes abweichen.

Zuerst können Sie die Gründe für den Fachkräftemangel nennen:
- zunehmende Zahl pflegebedürftiger Menschen
- oft schlechte Arbeitsbedingungen, hohe Belastung
- zu wenig junge Menschen entscheiden sich für den Pflegeberuf
- Pflegekräfte wechseln den Bereich oder arbeiten nur in Teilzeit

Dann können Sie die (laut Studie) wirksamsten Maßnahmen nennen:
- mehr Zeit für Pflegebedürftige
- mehr Wertschätzung
- bessere Vereinbarkeit von Beruf und Familie

5. Geben Sie die Hauptaussagen schließlich **strukturiert und mit eigenen Worten wieder**. **Verwenden** Sie Synonyme und **Umschreibungen**. Schlüsselbegriffe wie z. B. „Fachkräftemangel" und „Pflegekräfte" können Sie übernehmen. Schreiben Sie auch einen Einleitungssatz.

Mögliche Lösung:
In dem Text „Was Pflegekräfte unzufrieden macht" und der dazugehörigen Grafik geht es um Gründe für den Fachkräftemangel in der Pflege und um die Frage, welche Maßnahmen am wirksamsten sind. Neben der steigenden Zahl pflegebedürftiger Menschen sind Stress und die schlechten Bedingungen im Arbeitsalltag wichtige Gründe, warum es nicht genug Nachwuchs- und Pflegekräfte in Deutschland gibt. Wenn sich außerdem einige für andere Tätigkeiten entscheiden oder ihre Wochenstunden kürzen, wird das Problem verstärkt.
Laut Studie sind den Befragten vor allem Anerkennung (91,4%) und genug Zeit für ihre Patienten (89,2%) wichtig. Hier sollten demnach die ersten Schritte zur Lösung gemacht werden. Auch ein besserer Ausgleich zwischen Arbeit und Privatleben kann dabei helfen. Finanzielle Aspekte spielen im Vergleich dazu eine kleinere Rolle.

Umschreibung der Hauptaussagen:
- zunehmen → steigen
- hohe Belastung → Stress
- Arbeitsbedingungen → Bedingungen im Arbeitsalltag
- Auszubildende / junge Menschen, die sich für den Pflegeberuf entscheiden → Nachwuchskräfte
- den Bereich wechseln → sich für andere Tätigkeiten entscheiden
- in Teilzeit arbeiten → Wochenstunden kürzen
- zur Verschärfung der Situation führen → das Problem verstärken
- Wertschätzung → Anerkennung
- Vereinbarkeit von Beruf und Familie → Ausgleich zwischen Arbeit und Privatleben
- Maßnahmen ansetzen → erste Schritte zur Lösung machen

Empfehlung zur Zeiteinteilung: Verwenden Sie ca. fünf Minuten, um die relevanten Informationen auszuwählen. Dann haben Sie ca. 20 Minuten, um den Text zu schreiben. Nehmen Sie sich am Ende fünf Minuten Zeit, um den Text noch einmal Korrektur zu lesen. Verwenden Sie dazu die folgende Checkliste:

- ☐ Die Zusammenfassung enthält Informationen aus beiden Quellen, Text und Grafik.
- ☐ Alle Informationen beziehen sich auf die konkrete Fragestellung.
- ☐ Die Informationen aus dem Text und der Grafik sind korrekt wiedergegeben.
- ☐ Die Zusammenfassung enthält keine eigene Meinung oder eigenes Wissen zum Thema.
- ☐ Die Hauptaussagen wurden umschrieben (Schlüsselbegriffe müssen nicht umschrieben werden).
- ☐ Die Hauptaussagen sind nicht nur stichpunktartig aufgezählt, sondern logisch verknüpft.
- ☐ Die Konnektoren und Redemittel sind sprachlich richtig verwendet.
- ☐ Der Text enthält keine Wiederholungen.
- ☐ Der Text nennt alles Wichtige zu einem Punkt an einer Stelle (ist nicht sprunghaft).
- ☐ Die Zusammenfassung enthält einen Einleitungssatz.

Sprechen

Beschreibung des Prüfungsteils Sprechen

Was wird getestet?

- Sie sollen zeigen, dass Sie sich in verschiedenen für deutsche Hochschulen typischen Kommunikationssituationen (z. B. in der Hochschulverwaltung, in Lerngruppen, in Seminaren) sprachlich angemessen ausdrücken können.
- Die Aufgaben beinhalten gesellschaftspolitische Themen oder Themen aus Hochschule und Forschung allgemein. Fachwissen ist nicht erforderlich.

Was müssen Sie können?

- Eigene Ideen entwickeln und artikulieren
- Äußerungen planen und strukturieren
- Informationen aus gelesenen oder gehörten Texten in Ihrer Äußerung verarbeiten
- Informationen aus verschiedenen Quellen miteinander vergleichen und sich dazu äußern

Aufbau

- Der Prüfungsteil besteht aus insgesamt sieben Aufgaben.
- Bei der ersten Aufgabe sprechen Sie im Rahmen einer privaten Unterhaltung. Sie sollen einem Kommilitonen oder einer Kommilitonin zu einem Thema aus dem Studienalltag einen Rat geben.
- Bei der zweiten Aufgabe diskutieren Sie im Rahmen eines privaten Gesprächs mit mehreren Kommilitonen über ein gesellschaftspolitisches Thema. Sie sollen Vor- und Nachteile bzw. positive und negative Aspekte im Hinblick auf eine bestimmte Fragestellung abwägen, Ihren eigenen Standpunkt darlegen und ihn begründen.
- Bei der dritten Aufgabe sprechen Sie als Teilnehmerin bzw. Teilnehmer an einer studentischen Arbeitsgruppe an der Hochschule. Sie sollen einen Text über ein wissenschaftliches Thema lesen und ihn danach für Ihre Mitstudierenden zusammenfassen.
- Bei der vierten Aufgabe sprechen Sie im Rahmen eines Hochschulseminars über ein gesellschaftspolitisches Thema. Sie sollen zuerst eine Grafik ansehen und danach den Redebeitrag eines Kommilitonen / einer Kommilitonin hören. Anschließend sollen Sie den Redebeitrag mit den Informationen der Grafik abgleichen und zu dem Redebeitrag Stellung nehmen.
- Bei der fünften Aufgabe sollen Sie im Rahmen eines Tutoriums oder eines Deutschkurses an der Hochschule eine Kurzpräsentation über ein gesellschaftspolitisches Thema halten.
- Bei der sechsten Aufgabe sprechen Sie im Rahmen eines Hochschulseminars oder einer Diskussionsveranstaltung über ein gesellschaftspolitisches Thema. Sie sollen zuerst den Diskussionsbeitrag eines Mitstudierenden hören. Danach sollen Sie diesen Beitrag in eigenen Worten wie-

dergeben und zu den vorgetragenen Argumenten Stellung nehmen. Außerdem sollen Sie Ihren eigenen Standpunkt zum Thema darlegen und ihn begründen.
- Bei der siebten Aufgabe sprechen Sie im Rahmen einer Diskussions- oder Informationsveranstaltung an der Hochschule oder in der Stadtverwaltung über ein allgemeines Thema aus dem Hochschulbereich. Sie sollen als Vertreterin bzw. Vertreter einer Studierendengruppe Kritik an einer angekündigten Maßnahme oder einem Vorschlag äußern und Ihre Kritik begründen. Außerdem sollen Sie einen Alternativvorschlag formulieren.

Wie läuft der Prüfungsteil ab?

- Die Aufgaben sind simulierte Gesprächssituationen im Hochschulkontext. Sie antworten einem fiktiven Gesprächsteilnehmer bzw. einer Gesprächsteilnehmerin.
- Die Aufgaben werden durch die Software in vorgegebener Reihenfolge präsentiert.
- Die Bearbeitungszeit für jede Aufgabe ist vorgegeben.
- Vor dem Beginn jeder Aufgabe werden die verschiedenen Bearbeitungsschritte erklärt.
- Sie hören die Aufgabenstellung über Kopfhörer und lesen Sie am Bildschirm mit.
- Ihre Antwort wird aufgezeichnet.

Wie wird dieser Prüfungsteil bewertet?

Die folgenden Kriterien werden bewertet:

Sprachliche Mittel (Spektrum und Korrektheit)
- Verfügen Sie über eine ausreichende Menge an grammatikalischen Strukturen, Wortschatz und Redemitteln, um sich angemessen auszudrücken?
- Wie häufig sind Fehler und inwieweit beeinträchtigen sie die Verständlichkeit Ihrer Äußerung?

Aussprache, Intonation, Flüssigkeit
- Drücken Sie sich natürlich und verständlich aus?
- Wirken sich Pausen, Abbrüche, Wortwiederholungen oder verfremdete Aussprache auf die Verständlichkeit aus?

Inhaltliches
- Haben Sie die in der Aufgabenstellung geforderten Sprechhandlungen erfüllt?
- Haben Sie, wenn das verlangt wird, die Informationen aus den Inputtexten (Lesetext, Redebeitrag, Grafik) korrekt wiedergegeben oder einbezogen?

Was können Sie tun, um die Aufgaben im Prüfungsteil Sprechen gut zu schaffen?

In den Wochen vor der Prüfung

- Hören und sprechen Sie möglichst viel Deutsch, zum Beispiel im Deutschkurs oder mit Bekannten.
- Üben Sie die Aussprache und die Intonation. Sie sind entscheidend dafür, dass man Sie gut verstehen kann.
- Beginnen Sie rechtzeitig mit der Vorbereitung auf die Prüfung. Machen Sie sich vertraut mit den Aufgabentypen. Planen Sie ausreichend Zeit zum Üben und Wiederholen ein. Je besser vorbereitet Sie in die Prüfung gehen, umso weniger nervös werden Sie sein.

In der Prüfung
Während der Vorbereitungszeit

- Lesen Sie die Situationsbeschreibung und die Aufgabenstellung aufmerksam durch.
- Machen Sie sich die Sprechsituation bewusst.
- Notieren Sie Ihre Antwort in Stichworten und schreiben Sie keine ganzen Sätze.
- Strukturieren Sie Ihren Notizzettel übersichtlich und schreiben Sie leserlich.
- Sagen Sie sich Ihre Antwort in Gedanken vor.

Während der Sprechzeit

- Versetzen Sie sich gedanklich in die Situation hinein, in der Sie sprechen.
- Sprechen Sie klar und deutlich und nicht zu schnell. Wenn Sie langsamer sprechen, haben Sie mehr Zeit, Ihre Äußerung zu planen und können Fehler vermeiden.
- Es macht nichts, wenn Sie schon vor dem Ende der Sprechzeit mit Ihrer Antwort fertig sind. Es ist auch nicht schlimm, wenn Sie am Ende der Sprechzeit noch dabei sind zu sprechen. Wichtig ist nur, dass Sie die Aufgabenstellung vollständig bearbeitet haben.

Wichtiger Hinweis:
Hilfsmittel wie Wörterbücher oder ein Handy sind in der Prüfung nicht erlaubt.

Übersicht über die Aufgabentypen beim Prüfungsteil Sprechen

Aufgabentyp und Sprachhandlung	Integration anderer Teilkompetenzen	Situativer Kontext	Vorbereitungszeit	Sprechzeit
Rat geben	–	Private Kommunikationssituation (Cafeteria, Mensa o.Ä.)	0:30 Min.	0:45 Min.
Optionen abwägen	–		0:45 Min.	1:30 Min.
Text zusammenfassen	Lesen	Studentische Arbeitsgruppe	4:00 Min.	2:00 Min.
Informationen abgleichen, Stellung nehmen	–	Fachgespräch im Seminar	0:30 Min. + 1:30 Min.	1:30 Min.
Thema präsentieren	–	Tutorium / Propädeutikum	2:00 Min.	2:30 Min.
Argumente wiedergeben, Stellung nehmen	Hören	Fachgespräch im Seminar / Diskussionsveranstaltung an der Hochschule	1:30 Min.	2:00 Min.
Maßnahmen kritisieren	–	Diskussionsveranstaltung, Informationsveranstaltung in Stadt- oder Hochschulverwaltung	1:30 Min.	1:30 Min.

Gesamtzeit inklusive Pausen zwischen den Aufgaben und Anleitung: ca. 35 Minuten

Rat geben

- Bei diesem Prüfungsteil schildert ein Kommilitone / eine Kommilitonin Ihnen eine Situation oder eine Überlegung und bittet Sie um einen Rat.
- Die Situation bezieht sich auf den Studienalltag.

Vorübungen

Tipp: Verzichten Sie auf zeitraubende Einleitungen wie: „Also, das ist wirklich eine schwierige Frage. So spontan weiß ich jetzt auch nicht, was ich dir raten soll. Da muss ich auch erst kurz überlegen."
Sagen Sie lieber etwas zur konkreten Situation, zu der Sie um Rat gebeten werden.

Um einen Rat oder Tipps zu geben, verwenden Sie bestimmte Redemittel und den Konjunktiv II. Bedenken Sie aber: Sie haben bei diesem Aufgabentyp nur 45 Sekunden Zeit, um Ihren Ratschlag zu formulieren. Zwei oder drei Redemittel reichen daher für Ihre Antwort aus.

1. **Geben Sie Ratschläge. Ordnen Sie die Ratschläge a) bis f) den drei Situationen zu und formulieren Sie dann sprachlich korrekte Sätze. Die Redemittel links helfen Ihnen dabei.**

Situation 1: Ihr Freund Sebastian wird zwei Auslandssemester in Wien machen. Er überlegt, ob er seine Wohnung in Deutschland behalten soll, und bittet Sie um Rat.

Situation 2: Ihre Freundin Tanja studiert im dritten Semester Psychologie und hat in den Semesterferien ein Praktikum in einer Werbeagentur gemacht. Nun hat ihr die Chefin der Agentur eine Stelle angeboten. Tanja überlegt, was sie tun soll, und fragt Sie nach Ihrer Meinung.

Situation 3: Ihr Freund Klaus will BWL studieren. Er hat Zusagen für einen Studienplatz in Berlin und in seiner kleinen Heimatstadt. Klaus überlegt, wo er studieren soll, und fragt Sie um Rat.

Redemittel	Ratschlag
An deiner Stelle würde ich ...	a) zuerst Studium beenden
Wenn ich du wäre, würde ich ...	b) nicht in Großstadt umziehen
Ich glaube, es wäre gut, ...	c) Wohnung nicht aufgeben
Ich finde, du solltest ...	d) Angebot annehmen
Ich würde dir empfehlen, ...	e) Wohnung kündigen
Ich würde dir raten, ...	f) zum Studium woanders hingehen

Hinweis: Auch wenn in der Aufgabenstellung zwei Optionen zur Auswahl stehen, sollen Sie nicht die Vor- und Nachteile beider Möglichkeiten abwägen. Sie sollen sich nur klar positionieren und sagen, wozu Sie raten würden.

Situation 1: ____________ Situation 2: *a,* ____________ Situation 3: ____________

Beispiel: *An deiner Stelle würde ich zuerst mein Studium beenden.*

Es empfiehlt sich, dass Sie Ihren Ratschlag auch begründen. Dafür brauchen Sie kausale Konnektoren und Präpositionen:

2. **Unterstreichen Sie den passenden kausalen Konnektor.**

1. Ich glaube, es wäre besser, die Wohnung hier nicht aufzugeben. Aus diesem Grund / Denn / Weil du würdest wahrscheinlich keine so gute Wohnung mehr finden.
2. Aufgrund von / Wegen / Aus diesem Grund der günstigen Miete und der guten Lage in der Nähe von der Uni ist deine Wohnung ein echter Glücksfall.
3. Ein Jahr ist keine so lange Zeit. Deswegen / Denn / Wegen würde ich dir raten, sie einfach an einen anderen Studenten unterzuvermieten.
4. Du wirst sicher kein Problem haben, da jemanden zu finden, da / denn / deshalb viele Leute jedes Semester eine Wohnung oder eine WG suchen.
5. Ich würde einen Zettel an das Schwarze Brett vor den Hörsälen hängen, daher / denn / weil du so am einfachsten einen Zwischenmieter findest.

3. Ergänzen Sie die Lücken mit den Elementen im Schüttelkasten.

außerdem | deswegen | empfehlen | falls | Stelle

Ich würde dir (1) ___________, die Wohnung zu kündigen. Sonst müsstest du das ganze Jahr die Miete zahlen, obwohl du gar nicht da bist. Das wäre doch Geldverschwendung, oder? Und deine Wohnung ist sowieso nicht wirklich gut. Du hast einen weiten Weg zur Uni, die Wohnung ist sehr klein und (2) ___________ ist sie auch noch teuer. (3) ___________ würde ich an deiner (4) ___________ lieber eine neue, bessere Wohnung suchen, wenn du aus Wien zurückkommst. Das ist doch ein guter Plan. Und mach dir keine Sorgen. (5) ___________ du nicht gleich was Neues findest, kannst du auch gern erstmal bei mir wohnen.

Tipp: Für Ihre Notizen können Sie auch Abkürzungen verwenden.

Bei diesem Aufgabentyp haben Sie 30 Sekunden Zeit, um Ihre Antwort vorzubereiten. In dieser Zeit können Sie einige Stichwörter als Gedankenstütze für Ihre Antwort notieren. Schreiben Sie Ihre Notizen aber nicht in Form von ganzen Sätzen, denn dafür ist die Zeit zu knapp. Außerdem wird von Ihnen erwartet, dass Sie frei sprechen können und Ihre Antworten nicht vom Notizblatt ablesen.

4. Formulieren Sie Ratschläge für Situation 2 (aus Aufgabe 1) anhand der Notizen. Sprechen Sie etwa 45 Sekunden lang.

a) Ratschlag: Angebot annehmen

Arbeit mehr Spaß als Uni,
dein Ziel: nach Studium zu Agentur,
zusagen: sofort Traumberuf beginnen

b) Ratschlag: Angebot ablehnen

zuerst Studium beenden,
St. abbrechen –> kein Abschluss, schwierig andere Stelle finden,
Werbebranche?

Tipp: Nehmen Sie Ihre Antworten mit dem Handy auf und hören Sie sie zur Kontrolle noch einmal an.

Bei allen mündlichen Aufgaben ist das **Zeitmanagement** sehr wichtig. Messen Sie die Länge Ihrer Antworten beim Üben immer mit einer **Stoppuhr**.
In der Prüfung hören Sie nach der 30 Sekunden langen Vorbereitungszeit einen Sprechimpuls in Form einer Aufforderung oder einer Frage. Das ist das Signal für Sie, mit dem Sprechen zu beginnen.

48 **5. Formulieren Sie eigene Ratschläge für Situation 3 (aus Aufgabe 1). Machen Sie sich zuerst Notizen. Beginnen Sie zu sprechen, nachdem Sie den Sprechimpuls gehört haben.**

a) Ratschlag: in Berlin studieren

b) Ratschlag: in der Heimatstadt studieren

Hinweis: Achten Sie darauf, passend zum Sprechimpuls zu antworten.

49 **6. Hören Sie den Sprechimpuls und die Ratschläge und beurteilen Sie: Sind die Antworten angemessen? Warum (nicht)?**

Situation: Ihr Freund Markus wohnt im Studentenwohnheim. Auf seiner Etage finden jeden Tag Partys statt und er kann sich nicht aufs Lernen konzentrieren. Markus weiß nicht, was er tun soll, und bittet Sie um Rat.

	Angemessen?	Begründung
Antwort 1	*nein*	*zu viele Redemittel als Einleitung; die Hälfte der Sprechzeit ist schon vorbei, bevor auf die konkrete Situation eingegangen wird; der Anfang passt nicht zum Sprechimpuls*
Antwort 2		
Antwort 3		
Antwort 4		
Antwort 5		

Beispielaufgabe mit Lösungshinweisen

Hinweis: Sehen Sie sich auf der Webseite des TestDaF-Instituts die Modellaufgaben an.

- Bei diesem Aufgabentyp sollen Sie einem Studienkollegen / einer Studienkollegin einen Rat oder Tipp geben.
- Sie sprechen über ein Thema aus dem Studienalltag.
- Sie sprechen mit einer einzelnen Person, zu der Sie eine vertraute Beziehung haben.
- Das Gespräch findet im privaten Bereich statt.
- Sie verwenden einen informellen Sprachstil.
- Sie haben 30 Sekunden Vorbereitungszeit. Die Sprechzeit beträgt 45 Sekunden.

So gehen Sie vor:

Hören der Aufgabe

- Die **Aufgabenstellung** wird Ihnen vorgelesen und Sie können dabei mitlesen. Zur Aufgabenstellung gehören die Situationsbeschreibung und die Arbeitsanweisung.
- Die **Situationsbeschreibung** informiert Sie über die konkrete Situation, zu der Sie einen Rat oder Tipp geben sollen. Die **Arbeitsanweisung** ist immer gleich und nennt Ihnen die geforderte Sprechhandlung.

Vorbereitungszeit

Tipp: Besonders, wenn Sie sehr nervös sind, ist es gut, ein paar Stichwörter auf einem Notizzettel zu haben. So vergessen Sie beim Sprechen nicht vor Aufregung, was Sie sagen wollten.

- Die Arbeitsanweisung ist Ihnen schon aus der Vorbereitung vertraut: Sie sollen einen Rat geben.
- Lesen Sie die Situationsbeschreibung sorgfältig, um genau zu verstehen, worum es geht, und identifizieren Sie die wesentlichen Informationen.
- **Überlegen** Sie, was Sie einem Freund in der beschriebenen Situation **raten** würden und sammeln Sie ein paar Ideen.
- 30 Sekunden Vorbereitungszeit sind zu knapp, um ausführliche Notizen anzufertigen. Ein paar **Stichwörter** als Gedankenstütze können Sie aber dennoch **notieren**.
- Denken Sie immer daran, bei Ihrer Antwort auf die jeweils geschilderte Situation einzugehen. So zeigen Sie, dass Sie die Schilderung verstanden haben und in der Lage sind, relativ spontan Ihre Gedanken dazu zum Ausdruck zu bringen.

1. **Lesen Sie die Aufgabenstellung.**

Ihr Freund Thilo sucht nach einem Nebenjob, um Geld für sein Studium zu verdienen. Jetzt hat ihm sein Professor angeboten, für ihn als studentische Hilfskraft zu arbeiten. Thilo ist nicht sicher, ob er das Angebot annehmen soll, und bittet Sie um Rat.

Sagen Sie Thilo, wozu Sie ihm raten.

Sprechzeit

Hinweis: Es ist wichtig, dass Sie sich auch beim Üben an die Zeitvorgaben für die Vorbereitung und das Sprechen halten. Nur so können Sie sich daran gewöhnen und Ihr Zeitmanagement perfektionieren.

- Sobald der Sprechimpuls endet, beginnen Sie zu sprechen. Achten Sie darauf, Ihren ersten Satz passend zum Sprechimpuls zu formulieren.
- Orientieren Sie sich an Ihren Notizen, während Sie antworten.
- **Sprechen** Sie **nicht zu schnell** und achten Sie auf eine **deutliche Artikulation**. Versuchen Sie, möglichst natürlich zu klingen.
- **Berücksichtigen** Sie **alle Faktoren**, die auf Ihre Antwort einen Einfluss haben, wie zum Beispiel die Adressaten und den Kontext, in dem Sie sprechen.

50 2. **Hören Sie nun den Sprechimpuls und formulieren Sie Ihre Antwort. Sprechen Sie etwa 45 Sekunden. Nehmen Sie Ihre Antwort auf.**

Nach dem Sprechen

Nach dem Ende Ihrer Sprechzeit ist dieser Aufgabentyp abgeschlossen. Die nächste Aufgabe beginnt automatisch. Atmen Sie einmal tief durch und konzentrieren Sie sich dann auf den folgenden Aufgabentyp.

So kommen Sie zu Ihrer Antwort:

1. Wichtige Informationen in der Situationsbeschreibung identifizieren

Die wichtigen Wörter sind hier „Freund", „sucht", „Nebenjob", „Professor", „angeboten", „studentische Hilfskraft".

2. Ideen sammeln, Stichwörter notieren

So könnten Ihre Überlegungen aussehen:

Thilo braucht sowieso einen Nebenjob, um Geld zu verdienen. Das Angebot des Professors ist eine sehr gute Gelegenheit. Wenn er für seinen Professor arbeitet, könnte er gleichzeitig Geld verdienen, eine gute Beziehung zu seinem Professor aufbauen und außerdem einen besseren Einblick in die Arbeit am Lehrstuhl gewinnen. Sie würden Thilo daher raten, das Angebot anzunehmen.

So könnten Ihre Notizen aussehen:

Angebot annehmen: Geld verdienen,
gute Beziehung mit Professor,
Einblick in Arbeit an Uni

3. Mögliche Lösung:

Ich würde dir raten, das Angebot anzunehmen. Es ist doch eine super Chance. Du brauchst sowieso einen Nebenjob. Wenn du für deinen Professor arbeiten würdest, könntest du an der Uni Geld verdienen. Und du sparst Zeit, denn dein Arbeitsort wäre direkt an der Uni. Außerdem könntest du eine gute Beziehung zu deinem Professor aufbauen. Das könnte später sehr nützlich für dich sein, wenn du nach dem Master deine Doktorarbeit schreiben möchtest. Und du könntest schon jetzt einen guten Einblick in die Arbeit an der Uni bekommen. Meiner Meinung nach solltest du auf jeden Fall zusagen.

- Es spielt bei diesem Aufgabentyp keine Rolle, was genau Sie Ihrem Studienkollegen / Ihrer Studienkollegin raten. Wichtig ist nur, dass Sie Ihren Rat sprachlich angemessen formulieren.
- Sie könnten Ihrem Freund im konkreten Fall also auch empfehlen, das Angebot abzulehnen.
- Die hier gezeigte Lösung stellt nur ein Beispiel dafür dar, wie man bei dieser Aufgabe antworten könnte. Es gibt natürlich noch zahllose andere Möglichkeiten.

Optionen abwägen

- Bei diesem Aufgabentyp sollen Sie Ihre Meinung zu einem gesellschaftspolitischen Thema sagen, über das Sie mit anderen Studierenden diskutieren.
- Das Thema geht über den Studienalltag hinaus, ist aber allgemein bekannt.

Vorübungen

Bei diesem Aufgabentyp sind die folgenden Sprachhandlungen von Ihnen gefordert: Sie sollen die Vorteile und Nachteile eines bestimmten Themas bzw. einer bestimmten Idee abwägen, Ihre eigene Meinung dazu sagen und Ihre Meinung begründen. Dafür verwenden Sie bestimmte Redemittel.

1. **Lesen Sie die Aufgabenstellung und markieren Sie in den Aussagen a) bis i) die Redemittel für die genannten Sprachhandlungen. Schreiben Sie sie in die Tabelle.**

Aufgabenstellung: Sie diskutieren mit einigen Studienfreunden darüber, ob man nach dem Abitur direkt mit dem Studium beginnen sollte. Ihre Kommilitonin Mia ist der Meinung, dass alle zuerst ein freiwilliges soziales Jahr machen sollten.
Wägen Sie die Vorteile und Nachteile eines freiwilligen sozialen Jahres nach der Schule ab. Legen Sie Ihren Standpunkt dar und begründen Sie Ihre Meinung.

a) Ein soziales Jahr hat zwar einige Vorteile, aber auch eine Reihe von Nachteilen.
b) Meiner Meinung nach ist es eine gute Möglichkeit, ein Jahr zu überbrücken und eine klarere Vorstellung davon zu bekommen, was man mit seinem Leben anfangen will.
c) Ich bin dagegen, ein soziales Jahr nach der Schule verpflichtend für alle einzuführen, weil nicht jeder dafür geeignet ist.
d) Ich glaube, ein soziales Jahr ist gut, solange man es freiwillig macht.
e) Einerseits hilft es bei der beruflichen Orientierung, denn man kann verschiedene soziale Berufe kennenlernen und Erfahrungen sammeln.
f) Andererseits verliert man ein ganzes Jahr und beginnt später mit seinem Studium.
g) Demgegenüber gibt es aber auch negative Aspekte. Ein freiwilliges soziales Jahr kann man sich nicht leisten, wenn man Geld verdienen muss. Aus diesem Grund ist das nur etwas für Leute mit reichen Eltern.
h) Wir sollten jedoch nicht die Nachteile übersehen. Wenn Freiwillige fast umsonst arbeiten, gibt es nämlich weniger Stellen für bezahlte Mitarbeiter.
i) Dafür spricht, dass man dadurch mehr soziales Bewusstsein entwickeln kann.

Sprachhandlung	Redemittel
Vorteile und Nachteile nennen	Vorteilhaft ist; nachteilig ist; gegen / dagegen spricht …
abwägen	Auf der einen Seite …, auf der anderen Seite; *zwar …, aber …*
eigene Meinung sagen	Ich finde / denke; ich bin für / dafür …
begründen	Deswegen; deshalb; …

2. Lesen Sie die Aufgabenstellung und ergänzen Sie die passenden Redemittel aus der Tabelle in Übung 1. Es gibt mehrere Möglichkeiten.

Aufgabenstellung: Sie sitzen mit einigen Mitstudierenden in der Mensa und sprechen darüber, wie Kinder in der Schule besser lernen könnten. Ihr Freund Max sagt, dass alle Kinder jeden Tag bis 17 Uhr in der Schule bleiben sollten.
Wägen Sie die Vorteile und Nachteile von Ganztagsschulen ab. Legen Sie Ihren Standpunkt dar und begründen Sie Ihre Meinung.

A Vor- und Nachteile nennen und abwägen

1. ____________________, dass sich die Eltern dann nicht mehr um die Hausaufgaben kümmern müssen, denn die erledigen die Kinder schon in der Schule.
2. ____________________ wird die Beziehung zwischen den Schülern und den Lehrkräften gestärkt, da sie mehr Zeit miteinander verbringen. ____________________ haben die Eltern dann weniger Einfluss auf die Erziehung.
3. ____________________, dass die Kinder sich emotional von ihren Eltern entfernen könnten.
4. ____________________ können die Kinder am Nachmittag individuell gefördert werden. ____________________ geht viel Freizeit verloren und die Kinder können überfordert werden.
5. ____________________ Ganztagsschulen ____________________, dass sie sinnvolle Aktivitäten für den Nachmittag anbieten können.
6. ____: Wenn die Lehrkräfte am Nachmittag länger arbeiten müssen, bleibt ihnen weniger Zeit für die Unterrichtsvorbereitung.

B Eigene Meinung sagen und begründen

1. ____________________, Ganztagsschulen verbessern die Chancengleichheit zwischen den Kindern. ____________________ bin ich dafür.
2. Ich ____________________ es nicht gut, wenn die Kinder noch mehr lernen und den ganzen Tag in der Schule bleiben müssen. ____________________ bin ich dagegen.
3. ____________________ sind Ganztagsschulen vor allem dann hilfreich, wenn beide Eltern berufstätig sind.
4. Ich bin ____________________ Ganztagsschulen für alle Kinder, denn jedes Kind hat andere Bedürfnisse.

3. a Ordnen Sie die Argumente nach Vor- und Nachteilen in einer Tabelle in Ihrem Heft.

Situationsbeschreibung: Sie treffen sich mit Ihrer Klimaschutz-Arbeitsgruppe und sprechen über Maßnahmen, um die Umwelt zu verbessern. Ihre Freundin Maria vertritt die Meinung, dass öffentliche Verkehrsmittel innerhalb der Städte kostenlos sein sollten.

~~klimafreundlicher Verkehr~~ | weniger Unfälle | Überfüllung der öffentlichen Verkehrsmittel | bessere Luftqualität | finanzielle Belastung für Verkehrsbetriebe und Städte | verringerte Lärmbelastung | Auto schneller und komfortabler | weniger Stau| Energie sparen | öffentliche Verkehrsmittel nicht zuverlässig | Mobilität für alle | zusätzliche Fahrgäste nicht Autofahrer, sondern Radfahrer und Fußgänger

Kostenloser Nahverkehr

Vorteile	Nachteile
– klimafreundlicher Verkehr	

- Es gibt verschiedene Möglichkeiten, wie Sie Ihre Argumentation aufbauen. Sie können entweder zuerst alle Vorteile und anschließend alle Nachteile beschreiben, oder umgekehrt zuerst die Nachteile und im Anschluss die Vorteile. Eine weitere Variante ist, Vorteile und Nachteile abwechselnd vorzubringen. D.h. Sie nennen einen Vorteil und stellen diesem direkt einen Nachteil gegenüber. Es bleibt Ihnen überlassen, welche Form der Argumentation Sie wählen.
- Wichtig ist nicht, möglichst viele Argumente anzuführen, sondern die einzelnen Vor- und Nachteile detailliert zu beschreiben und ausführlich abzuwägen.
- Ihren eigenen Standpunkt können Sie, wenn Sie möchten, schon zu Beginn Ihrer Antwort deutlich machen. Am Ende Ihrer Antwort sollten Sie ihn aber noch einmal wiederholen und gut begründen.

51 b **Hören Sie den Sprechimpuls. Formulieren Sie mithilfe der Argumente in Übung 3. a zwei Antworten: Beim ersten Mal argumentieren Sie für kostenlosen Nahverkehr, beim zweiten Mal dagegen. Sprechen Sie jeweils etwa eine Minute und 30 Sekunden.**

Arbeitsanweisung: Wägen Sie die Vorteile und Nachteile eines kostenlosen Nahverkehrs ab. Legen Sie Ihren Standpunkt dar und begründen Sie Ihre Meinung.

Hinweis: Messen Sie die Länge Ihrer Antworten beim Üben immer mit einer Stoppuhr.

A Für kostenlosen Nahverkehr	B Gegen kostenlosen Nahverkehr
______________________	______________________
______________________	______________________
______________________	______________________

52 c **Hören Sie nun zwei mögliche Antworten. Welche Argumente werden vorgebracht?**

4. a **Lesen Sie die Aufgabenstellung und sammeln Sie Ideen. Notieren Sie Ihre Argumente in Form von Stichwörtern.**

Aufgabenstellung: Sie sind mit einigen internationalen Studierenden bei einer Party und diskutieren darüber, wie ausländische Studierende leichter einen Studienplatz in Deutschland bekommen könnten. Ihre Freundin Laura ist der Ansicht, dass es vor Beginn des Studiums keine deutsche Sprachprüfung mehr geben sollte.
Wägen Sie positive und negative Folgen einer Abschaffung der Deutschprüfung ab. Legen Sie Ihren Standpunkt dar und begründen Sie Ihre Meinung.

Tipp: Sie können Ihre Argumente mit Beispielen veranschaulichen.

Positive Folgen: ______________________

Negative Folgen: ______________________

Mein Standpunkt: ______________________

Begründung: ______________________

53 b **Hören Sie den Sprechimpuls. Formulieren Sie anhand Ihrer Notizen Ihre Antwort zuerst in zwei Teilen und dann komplett. Ihre vollständige Antwort sollte etwa eine Minute und 30 Sekunden lang sein.**

Erster Teil: Positive und negative Folgen abwägen
Zweiter Teil: Eigenen Standpunkt darlegen und begründen

Hinweis: Sie brauchen in Ihrer Antwort nicht die Fragestellung zu wiederholen.

54 c **Hören Sie eine mögliche Antwort. Welche Argumente werden vorgebracht?**

Beispielaufgabe mit Lösungshinweisen

- Bei diesem Aufgabentyp sollen Sie Vor- und Nachteile bzw. positive und negative Folgen abwägen, Ihren eigenen Standpunkt präsentieren und Ihre Meinung begründen.
- Sie sprechen über ein gesellschaftspolitisches Thema.
- Der Gesprächskontext ist eine private Kommunikation mit Kommilitonen.
- Sie sprechen mit einer oder mehreren Personen, zu denen Sie eine vertraute Beziehung haben.
- Sie verwenden einen informellen Sprachstil.
- Sie haben 45 Sekunden Vorbereitungszeit. Die Sprechzeit beträgt eine Minute und 30 Sekunden.

Hinweis: Sehen Sie sich auf der Webseite des TestDaF-Instituts die Modellaufgaben an.

So gehen Sie vor:

Hören der Aufgabe

- Die **Aufgabenstellung** wird Ihnen vorgelesen. Sie können dabei mitlesen und die Schlüsselwörter markieren.
- Die **Situationsbeschreibung** informiert Sie über das konkrete Thema, zu dem Sie Vor- und Nachteile abwägen und Stellung nehmen sollen.

Vorbereitungszeit

- Lesen Sie die Situationsbeschreibung sorgfältig, um genau zu verstehen, worum es geht.
- **Überlegen** Sie sich mögliche **Vor- und Nachteile** bzw. **positive und negative Folgen** und notieren Sie sie in Form von Stichwörtern. Notieren Sie auch Gründe für Ihren eigenen Standpunkt. Formulieren Sie keine kompletten Sätze, da dazu die Zeit nicht ausreicht. Außerdem sollen Sie Ihre Antwort nicht vorlesen, sondern frei sprechen.
- Gestalten Sie Ihren Notizzettel übersichtlich. Schreiben Sie zum Beispiel in die linke Spalte die Vorteile und in die rechte die Nachteile. Indem Sie Ihre Argumente auf dem Papier klar strukturieren, ordnen Sie auch Ihre Gedanken. So wird man Ihren Ausführungen besser folgen können.
- Für Ihre Notizen können Sie Abkürzungen und Symbole verwenden.

1. **Lesen Sie die Aufgabenstellung. Nehmen Sie sich danach 45 Sekunden, um Ihre Antwort vorzubereiten.**

Sie sitzen mit einigen Studienfreunden auf der Treppe eines überfüllten Hörsaals und kritisieren, dass Ihr Studiengang so überlaufen ist. Ihre Freundin Claudia ist der Meinung, dass zur Verbesserung der Studienbedingungen mehr Veranstaltungen online angeboten werden sollten.
Wägen Sie Vorteile und Nachteile eines teilweisen Online-Studiums ab.
Legen Sie Ihren Standpunkt dar und begründen Sie Ihre Meinung.

Sprechzeit

- Sobald der Sprechimpuls endet, beginnen Sie zu sprechen. Achten Sie darauf, Ihren ersten Satz passend zum Sprechimpuls zu formulieren.
- Orientieren Sie sich an Ihren Notizen, während Sie antworten.
- **Sprechen** Sie **nicht zu schnell** und achten Sie auf eine **deutliche Artikulation**. Versuchen Sie, möglichst natürlich zu klingen.
- Berücksichtigen Sie den **Kontext**: Sie sind Teilnehmerin bzw. Teilnehmer an einem Gespräch mit Studienfreunden, denen Sie Ihren Standpunkt zu einem Thema darlegen sollen.
- Zählen Sie die einzelnen Vor- und Nachteile bzw. positiven und negativen Folgen nicht nur auf, sondern achten Sie darauf, sie **detailliert zu beschreiben** und **ausführlich abzuwägen**. Denken Sie daran, Ihren eigenen Standpunkt zu begründen.
- Argumentieren Sie logisch nachvollziehbar und sprachlich verständlich.
- In der Prüfung zeigt Ihnen eine Zeitanzeige auf dem Bildschirm, wie viel Zeit Sie noch für Ihre Antwort zur Verfügung haben. 10 Sekunden vor dem Ende der Sprechzeit färbt sich die Zeitanzeige rot.

55 **2. Hören Sie nun den Sprechimpuls und formulieren Sie Ihre Antwort. Sprechen Sie etwa eine Minute und 30 Sekunden. Nehmen Sie Ihre Antwort auf.**

Hinweis: Halten Sie auch beim Üben immer die vorgegebenen Zeiten sowohl für die Vorbereitung als auch für das Sprechen ein. Ein **gutes Zeitmanagement** ist für diesen Prüfungsteil **entscheidend**!

Nach dem Sprechen

Nach dem Ende Ihrer Sprechzeit ist dieser Aufgabentyp abgeschlossen. Die nächste Aufgabe beginnt automatisch. Atmen Sie einmal tief durch und konzentrieren Sie sich dann auf den folgenden Aufgabentyp.

Um sich zu verbessern, können Sie jetzt Ihre Antwort noch einmal anhören und folgende Punkte beurteilen:

- Sind Sie von der Aussprache her gut zu verstehen?
- Kann man Ihnen gedanklich gut folgen?
- Haben Sie sowohl Vorteile als auch Nachteile vorgebracht?
- Haben Sie Ihren eigenen Standpunkt deutlich gemacht und begründet?
- Sind die Redemittel und der Wortschatz angemessen für die Situation?
- Haben Sie innerhalb der Sprechzeit Ihre Antwort vollständig abgeschlossen?

So kommen Sie zu Ihrer Antwort:

1. Wichtige Informationen in der Situationsbeschreibung identifizieren

Die wichtigen Wörter sind „Studiengang überlaufen", „Verbesserung der Studienbedingungen", „mehr Veranstaltungen online".

2. Ideen sammeln, Stichwörter notieren

So könnten die Überlegungen zur Aufgabe aussehen:
In der Situationsbeschreibung wird ein Problem dargestellt: Der Studiengang ist überfüllt und es gibt nicht genug Platz für die vielen Studenten. Ihre Freundin schlägt nun zur Lösung des Problems vor, dass ein Teil der Studienveranstaltungen nicht mehr auf dem Campus stattfinden, sondern online angeboten werden soll. So würden die Studierenden weniger unter der Platznot an der Hochschule leiden. Einen Teil der Veranstaltungen als Fernstudium zu organisieren, hätte natürlich einige Vorteile. Man könnte mehr von zu Hause lernen und müsste seltener zur Uni fahren. Andererseits gäbe es dadurch auch Nachteile, da man weniger Gelegenheit zum direkten Austausch mit den Dozenten und Kommilitonen hätte. Zudem sind die Lernbedingungen zu Hause auch nicht immer optimal. Die beste Lösung wäre eine Mischung aus Fernstudium und Präsenzstudium.

So könnten die Notizen aussehen:

VT: – bequem
– Zeit sparen

NT: – weniger Austausch und Kontakt
– zu Hause mehr Ablenkung

→ am besten Kombination
Seminare: Präsenzveranstaltung
Vorlesungen: online

3. Mögliche Lösung:

Sicherlich hätte das einige Vorteile. Wenn beispielsweise Vorlesungen online angeboten würden, könnten wir sie bequem zu Hause am Computer ansehen. Und Vorlesungen wären wirklich gut dafür geeignet, weil man sowieso nur zuhört und es keine Interaktion gibt. Positiv wäre außerdem, dass wir Zeit sparen könnten, wenn wir nicht mehr jeden Tag zur Uni fahren müssten, sondern vielleicht nur noch an drei Tagen pro Woche. Es gibt aber auch einige Nachteile. Wenn wir seltener in Präsenzveranstaltungen lernen würden, hätten wir weniger direkten Austausch und persönlichen Kontakt mit den Kommilitonen und Dozenten. Stattdessen würden wir noch mehr Zeit vor dem Computer verbringen, was ziemlich ermüdend sein könnte. Problematisch finde ich auch, dass es zu Hause oft schwieriger ist zu lernen als an der Uni, weil es mehr Störungen und Ablenkungen gibt. Im Hörsaal ist man dagegen viel konzentrierter, und es gibt eine echte Lernatmosphäre. Meiner Meinung nach sollte es daher nicht zu viele Online-Veranstaltungen geben. Vor allem Seminare sollten lieber auf dem Campus stattfinden, weil der Austausch mit den Kommilitonen sehr wichtig ist. Für mich wäre es aber in Ordnung, Vorlesungen auf dem Computer zu sehen. Ich glaube, das wäre eine gute Kombination.

➲ Welche Meinung Sie zum Thema vertreten, spielt für die Bewertung Ihrer Antwort keine Rolle. Wichtig ist nur, dass Sie nachvollziehbar und verständlich argumentieren.

Text zusammenfassen

- Bei diesem Aufgabentyp sind Sie Teil einer studentischen Arbeitsgruppe und berichten Ihren Kommilitonen / Kommilitoninnen über einen Artikel, den Sie gerade gelesen haben. Dafür müssen Sie den Text zusammenfassen.
- Sie lesen einen wissenschaftlichen Artikel oder eine Beschreibung von Studien und Forschungsergebnissen.

Vorübungen

Eine Zusammenfassung ist eine kurze Übersicht über die wichtigsten Inhalte des Originaltextes. Es geht nicht darum, jedes kleine Detail aufzuzeigen.
Sie können die relevanten Informationen eines Textes einfacher erkennen, wenn Sie seine inhaltliche Struktur verstehen.

1. Lesen Sie den Text und ergänzen Sie in der Tabelle darunter seine inhaltliche Struktur.

Sind Menschen intuitive Hundeversteher?

Vor mehr als 40.000 Jahren begann das Zusammenleben von Menschen und Hunden. Heute gilt der Hund als der beste Freund des Menschen.
Wissenschaftler haben nun erstmals in einer Studie gezielt untersucht, wie gut Menschen die Gesichtsausdrücke von Hunden deuten können und woher dieses Verständnis kommt. Dazu haben sie Probanden Fotos von Hunden vorgelegt. Die Bilder zeigten glückliche, traurige, wütende, neutrale oder ängstliche Gesichtsausdrücke. Die 89 Erwachsenen und 77 Kinder wurden danach eingeteilt, ob sie selbst einen Hund besaßen oder nicht und ob sie in einer Kultur aufgewachsen waren, die Hunden positiv gegenübersteht. Die Studienteilnehmer wurden gebeten zu bewerten, ob das Tier auf dem Bild glücklich, traurig, wütend oder ängstlich ist.
Wie die Wissenschaftler berichten, zeichnete sich in den Ergebnissen ab, dass die Fähigkeit, die Emotionen der Hunde zuverlässig zu erkennen, vor allem vom Alter und den Erfahrungen abhängt. Die Erwachsenen konnten die Gesichtsausdrücke der Hunde demnach am besten deuten, wenn sie in einer Kultur aufgewachsen waren, die Hunden positiv gegenübersteht. Interessanterweise schnitten dabei Hundehalter nicht besser ab, als Probanden, die keinen Vierbeiner besitzen. „Die Ergebnisse legen nahe, dass nicht unbedingt direkte Erfahrungen mit Hunden notwendig sind, um deren Gesichtsausdrücke zu verstehen. Viel wichtiger ist das kulturelle Umfeld, in dem Menschen aufwachsen", erklären die Forscher.
Ein weiteres Ergebnis der Studie ist, dass die Befragten unabhängig von ihrem Alter oder ihrer Erfahrung mit Hunden in der Lage waren, Wut und Fröhlichkeit bei den Vierbeinern zuverlässig zu identifizieren. Abgesehen von Wut und Glück waren Kinder in der Studie aber nicht gut darin, die Emotionen von Hunden zu deuten. Das spricht dafür, dass die Fähigkeit, zu verstehen, wie sich Hunde fühlen, nicht angeboren ist.
Die Forscher hoffen, mit ihrer Arbeit auch dazu beitragen zu können, Konflikte zwischen Mensch und Hund zu verringern. „Zwischenfälle passieren ja vor allem dann, wenn Menschen nicht fähig sind, die Signale der Hunde zu deuten", geben die Wissenschaftler abschließend zu bedenken.

Unterthemen	Detailinformationen
Fragestellung der Studie	- Wie gut können Menschen die Gesichtsausdrücke von Hunden deuten? - Woher kommt dieses Verständnis?
Forschungsdesign	- Probanden: ____________ - Verwendete Gegenstände: ____________ - Aufgabe der Probanden: ____________
Ergebnisse	- Fähigkeit, Emotionen von Hunden zu erkennen, abhängig von ____________ - Erwachsene: ____________ - Kinder: ____________ - alle Befragten: ____________ - Schlussfolgerung: ____________

Es ist wichtig, dass Sie Ihre Zusammenfassung klar strukturieren, damit die Zuhörenden gut folgen können. Dafür verwenden Sie bestimmte sprachliche Mittel.
Wenn Sie in Ihrer Zusammenfassung über das Forschungsdesign und die Ergebnisse einer Studie berichten, dann verwenden Sie das Präteritum.

einleiten	In dem Text geht es um ...; In dem Artikel wird ... beschrieben
wichtige Aspekte nennen	- Die Autorin / Der Autor weist darauf hin / beschreibt / zeigt ... - In der Studie wurde untersucht ... • Die Forscher wollten wissen ... - Der Aufbau der Studie sah folgendermaßen aus: ... • Die Studie lief folgendermaßen ab: ... - Es stellte sich heraus ... • Die Forscher stellten fest ... • Die Wissenschaftler gelangten zu dem Ergebnis ... - Die Forscher zogen die Schlussfolgerung ...
zeitliche Abfolgen verdeutlichen	zuerst ...; dann ...; danach ...; anschließend ...; zum Schluss ...

Tipp: Nehmen Sie wie immer Ihre Antwort auf und hören Sie sie zur Kontrolle an. Verbessern und wiederholen Sie Ihre Zusammenfassung so oft, bis Sie damit zufrieden sind. Überprüfen Sie die inhaltliche und sprachliche Umsetzung.

2. **Formulieren Sie nun mithilfe Ihrer Notizen und der sprachlichen Mittel eine Zusammenfassung des Textes in Übung 1. Sprechen Sie etwa zwei Minuten.**

3. **Lesen Sie den Text und markieren Sie die wesentlichen Informationen. Machen Sie dabei Notizen für Ihre Zusammenfassung. Die Elemente im Schüttelkasten helfen.**

Das Vorgehen von Ameisen beim Straßenbau

Ideale Straßen verbinden zwei Orte auf gerader Linie – doch die Merkmale der Landschaft ermöglichen bekanntlich oft nicht den kürzesten Weg: Hindernisse wie Berge, Gewässer oder Wälder stellen den Straßenbau vor Probleme. Prinzipiell gibt es dabei zwei Lösungsmöglichkeiten: Entweder die Straße wird um das geografische Hindernis herum gebaut oder man überwindet es ohne Umweg durch erhöhten Aufwand – durch den Bau einer Brücke, eines Tunnels oder einer Schneise.
Neben dem Menschen sind auch Ameisen für ihren teils aufwendigen Straßenbau bekannt: Sie konstruieren ebenfalls Straßen durch das gezielte Entfernen von Hindernissen und Vegetation.
Ein Forscherteam ist nun der Frage nachgegangen, ob es eine weitere Parallele zwischen dem Straßenbau bei Mensch und Ameise gibt: Planen die Insekten nach dem Prinzip einer Kosten-Nutzen-Kalkulation? Im Fall des Menschen würde man die Entscheidung für den Bau einer Straße durch einen Wald etwa davon abhängig machen, wie weit der Umweg um den Wald wäre. Im Rahmen ihrer Studie haben die Wissenschaftler nun Ameisen der australischen Art Iridomyrmex purpureus vor ähnliche Herausforderungen beim Straßenbau gestellt. Sie wollten untersuchen, inwieweit die Insekten den Bau von Schneisen für Straßen von möglichen Alternativrouten abhängig machen.
Dazu nutzten sie eine künstliche Rasenmatte, die aus Papier-Grashalmen bestand. Dieses Hindernis platzierten sie zwischen den Versuchsnestern und einer Zuckerlösung, zu der sich die Einrichtung einer Straßenverbindung lohnte. Neben dem Gras-Hindernis war entweder eine kurze Wand, die die Ameisen leicht umgehen konnten, oder eine sehr lange Barriere, welche die Ameisen zu einem großen Umweg zwang. Dieser Experimentalaufbau erlaubte es, die kollektive Entscheidungsfähigkeit der Ameisen zu untersuchen, erklären die Wissenschaftler.
Es zeigte sich, dass die meisten Ameisenvölker im Test sich für die Umgehung des Papier-Grashalm-Walds „entschieden", wenn der Umweg kurz war. Wenn hingegen weite Wege nötig waren, schnitten die Insekten eifrig eine Straße durch das Hindernis, um eine Direktverbindung zu ermöglichen.
Somit zeigen Ameisen ähnliches Kalkül beim Straßenbau wie wir Menschen, resümieren die Wissenschaftler.

Hinweis: Achten Sie bei Ihrer Zusammenfassung auf einen logischen Aufbau.

Hinweis: Beschreibungen von Studien folgen in der Regel demselben inhaltlichen Aufbau. Achten Sie darauf, diese wesentlichen Aspekte in Ihrer Zusammenfassung aufzuzeigen.

Langer Umweg → Ameisen schneiden Straße durch Rasenmatte | Zwei Varianten: Neben Rasenmatte kurze Wand oder lange Barriere | Fragestellung: Kalkulieren Ameisen Kosten und Nutzen wie Menschen? | Fazit: Ameisen kalkulieren ähnlich wie Menschen | wissenschaftliche Studie: Straßenbau von Ameisen | Ergebnis: kurzer Umweg → Ameisen laufen um Rasenmatte herum | Untersuchungsdesign: künstliche Rasenmatte als Hindernis zwischen Ameisennest und Zuckerlösung

In Ihrer Zusammenfassung müssen Sie nicht für jedes Wort aus dem Originaltext ein Synonym oder eine Umschreibung finden. Sie dürfen Schlüsselbegriffe aus dem Text verwenden. Übernehmen Sie aber keine kompletten Sätze oder Textabschnitte.

4. Formulieren Sie nun Ihre Zusammenfassung des Textes in Übung 3. Sprechen Sie etwa 2 Minuten.

Für Ihre Zusammenfassung ist wichtig, dass Sie a) die wesentlichen Informationen aus dem Text entnehmen, b) unwichtige Details ignorieren, c) die Informationen sachlich korrekt wiedergeben und d) keine eigenen Informationen zum Text hinzufügen.

Tipp: Wiederholen Sie Ihre Antwort mehrmals, um die Flüssigkeit beim Sprechen zu trainieren.

5. Lesen Sie den Text und markieren Sie die wesentlichen Informationen. Vergleichen Sie dann die Notizen zum Text. Was ist zu kritisieren?

Helfen Pflanzen sich gegenseitig?

Gärtner wissen schon länger, dass bestimmte Pflanzenarten sich gegenseitig fördern können: Sie gedeihen besser, wenn sie gemeinsam gepflanzt werden und schützen sich auch gegenseitig vor Schädlingen. Doch bisher galt eine solche positive Interaktion eher als Ausnahme. Gängiger Vorstellung nach dominiert im Pflanzenreich ansonsten eher eine Konkurrenz um Licht, Nährstoffe oder Wasser. Dies gilt auch und gerade für Jungpflanzen, die sich gegen ältere, größere Nachbarn durchsetzen müssen – so jedenfalls dachte man.
Doch nun hat ein Forscherteam herausgefunden, dass Pflanzen gerade unter besonders harschen Bedingungen weit besser zusammenarbeiten als bisher angenommen. Für ihre Studie hatten die Wissenschaftler untersucht, wie sich Pflanzen in einer Wüste im Südosten Spaniens entwickeln. Dabei verglichen sie über drei Monate hinweg das Wachstum einzeln stehender Jungpflanzen mit solchen, die im Schatten größerer Nachbarn aufwuchsen, untersuchten aber auch, wie die Präsenz der jungen das Gedeihen der älteren, größeren Pflanzen beeinflusst.
Tatsächlich sind die Vorteile für die Jungpflanze unter den harten Bedingungen der Wüste klar: Die Jungpflanze profitiert vom Schatten ihres größeren Nachbarn und trocknet daher weniger aus, zudem verbessert die dichtere Pilz- und Bakterienflora im Boden ihre Nährstoffversorgung. Im Feldversuch zeigte sich dies durch ein deutlich schnelleres und besseres Wachstum der in Nachbarschaft zu größeren Pflanzen aufwachsenden Schösslinge.
Überraschend jedoch war der Effekt dieser Nachbarschaft auf die größeren Partner. Denn auch diese profitieren offensichtlich davon, wenn in ihrem Schatten Jungpflanzen stehen. „Wir haben festgestellt, dass die schon etablierte große Pflanze mehr Blüten produziert als ihre einzeln stehenden Artgenossen gleichen Alters", berichten die Forscher. „Damit bringt diese Nachbarschaft offenbar Vorteile für beide Partner." Denn wenn eine Pflanze mehr Blüten treibt, dann steigert das ihre Chancen auf Fortpflanzung und die Weitergabe ihrer Gene.
Diese wechselseitigen Vorteile könnten nach Meinung der Wissenschaftler immer dann besonders wichtig sein, wenn Pflanzen unter harten, ungünstigen Bedingungen wachsen. Gleichzeitig sind sie ein wichtiger Förderer der Artenvielfalt in Pflanzengemeinschaften.

Wissenschaftliche Studie: Wachstum von Pflanzen

Fragestellung: Wie entwickeln sich Pflanzen in Spanien?
Forschungsdesign: Forscher verglichen 3 Monate junge und alte Pflanzen
Ergebnis:
- Jungpflanze trocknet weniger aus
- Pilz- und Bakterienflora im Boden verbessert Nährstoffversorgung
- ältere Pflanze treibt mehr Blüten
- steigert Chancen auf Fortpflanzung und Weitergabe der Gene
- Jungpflanze hat mehr Blätter
- vielfältigere Pflanzenarten wachsen

Kritik: ____________________

6. Erstellen Sie Ihre eigenen Notizen zum Text in Übung 5 und formulieren Sie Ihre Zusammenfassung. Sprechen Sie etwa zwei Minuten.

In der Prüfung haben Sie vier Minuten Zeit, um den Text zu lesen und sich gleichzeitig Notizen für die Zusammenfassung zu machen. Da Sie in der Zusammenfassung keine Details wiedergeben sollen, ist es auch beim Lesen nicht nötig, jedes Detail zu verstehen. Konzentrieren Sie sich lieber darauf, die hauptsächlichen Informationen zu identifizieren und in Form von Stichwörtern zu notieren.

7. Lesen Sie innerhalb von vier Minuten den Text und machen Sie in dieser Zeit Notizen für Ihre Zusammenfassung. Markieren Sie dieses Mal keine Informationen im Text.

Orientieren wir uns an Gerüchen?

Hunde sind wohl das berühmteste Beispiel, aber auch viele andere Tiere nutzen Gerüche als Landmarken bei ihrer Orientierung. Beim Menschen ist ein solches Verhalten hingegen nicht zu beobachten. Doch hat unser Geruchssinn tatsächlich keine Bedeutung für unsere Orientierung? Dieser Frage sind nun Forscher experimentell nachgegangen. Ihr Fazit lautet: Die menschliche Nase wird unterschätzt.

Wie die Wissenschaftler betonen, wurde bisher erstaunlicherweise kaum erforscht, ob auch der Geruchssinn dem Menschen bei der Orientierung helfen kann. Um nun einen ersten Eindruck über das Potenzial der Nase zu gewinnen, nutzten die Forscher eine virtuelle Umgebung: Versuchspersonen sollten sich einen Weg durch ein virtuelles Labyrinth suchen, das keine Möglichkeiten zur visuellen Orientierung bot. Die Kreuzungen waren allerdings mit zwölf unterschiedlichen Gerüchen versehen. Die Versuchspersonen mussten sich beispielsweise merken, dass sie beim Zitronenduft links abbiegen und beim Fischgeruch geradeaus gehen mussten, um das Ziel zu erreichen.

Die Ergebnisse zeigten eine überraschend gute Leistung der Probanden: Bei 70 Prozent der Richtungsentscheidungen wählten sie anhand der Geruchsinformationen den richtigen Weg, berichten die Forscher. Wie sie feststellten, gelang die Orientierung den Studienteilnehmern dabei sogar anhand von Gerüchen, die sie in vorhergehenden Tests nicht eindeutig einem bestimmten Stoff zuordnen konnten – wie etwa Vanille oder Nagellackentferner.

Wie die Wissenschaftler erklären, fügen sich die Ergebnisse gut in frühere Untersuchungsergebnisse zur Orientierung ein. So ist bekannt, dass Menschen und Tiere in der entwicklungsgeschichtlich alten Hirnstruktur des Hippocampus so etwas wie ein inneres Navigationssystem mit mentalen Landkarten besitzen. In diesen Karten sind auch visuelle Orientierungspunkte abgespeichert, wie auffällige Gebäude oder andere Objekte, an denen man sich orientieren kann. „Frühere Studien unserer Arbeitsgruppe haben allerdings bereits gezeigt, dass neben visuellen Objekten auch Geräusche wie zum Beispiel Baustellenlärm oder Hundegebell die Funktion von Orientierungspunkten übernehmen können. Nun zeichnet sich ab, dass auch Gerüche Landmarken zur Orientierung sein können. Wir können Gerüche erinnern und das hilft uns dabei, unsere Wege zu finden", resümieren die Forscher.

Wissenschaftliche Studie: ______________________________

____

Fragestellung: ______________________________

____

Untersuchungsdesign: ______________________________

____

Ergebnis: ______________________________

____

Erklärung zum Ergebnis: ______________________________

____

Fazit: ______________________________

____

8. Formulieren Sie Ihre Zusammenfassung des Textes in Übung 7. Sprechen Sie etwa zwei Minuten.

Beispielaufgabe mit Lösungshinweisen

Hinweis: Sehen Sie sich auf der Webseite des TestDaF-Instituts die Modellaufgaben an.

- Bei diesem Aufgabentyp handelt es sich um eine integrierte Aufgabe. Das bedeutet, dass hier zwei Kompetenzen miteinander verbunden sind.
- Sie sollen einen Text lesen und anschließend mündlich zusammenfassen.
- Sie sprechen über ein wissenschaftliches Thema, das jedoch fächerübergreifend zu verstehen ist.
- Der Gesprächskontext ist eine Arbeitsgruppe an der Hochschule. Sie bereiten gemeinsam mit Kommilitonen ein Referat vor und berichten über einen Artikel, den Sie gelesen haben.
- Sie sprechen mit mehreren Personen, die Ihnen bekannt, aber nicht vertraut sind.
- Sie verwenden einen neutralen Sprachstil.
- Sie haben vier Minuten Zeit, um den Text zu lesen und sich dazu Notizen zu machen. Die Sprechzeit beträgt zwei Minuten.

So gehen Sie vor:

Hören der Aufgabe

- Die **Aufgabenstellung** wird Ihnen vorgelesen und Sie können dabei mitlesen.
- In der **Situationsbeschreibung** wird das übergreifende Thema genannt. Der Text beschäftigt sich mit einem Aspekt dieses Themas.

Vorbereitungszeit

- Der Text ist nur während der vierminütigen Vorbereitungszeit zu sehen. Danach verschwindet er.
- **Lesen** Sie den **Text** und machen Sie sich beim Lesen **Notizen auf Papier**.
- Achten Sie auf die Überschrift. Sie gibt Ihnen den ersten Hinweis auf das konkrete Thema.
- **Notieren Sie die wesentlichen Informationen in Form von Stichwörtern.**
- Schreiben Sie keine kompletten Sätze oder Textpassagen ab. Damit würden Sie zum einen zu viel Zeit verlieren, zum anderen würde das in der Prüfung negativ bewertet werden.
- Sie dürfen jedoch zentrale Begriffe aus dem Text übernehmen.
- Sie brauchen für die Zusammenfassung nicht jedes Detail im Text zu verstehen. Entscheidend ist, dass Sie die wesentlichen Informationen und inhaltlichen Zusammenhänge erfassen.
- Falls Sie einzelne Wörter nicht verstehen, dann denken Sie nicht lange darüber nach, sondern lesen Sie einfach weiter. Wichtig ist, den vollständigen Text bis zum Ende zu lesen.
- Gestalten Sie Ihr Notizpapier übersichtlich und schreiben Sie leserlich, damit Ihre Notizen Ihnen anschließend eine gute Orientierung bieten. Sie können Abkürzungen und Symbole verwenden, achten Sie jedoch darauf, dass die Notizen für Sie verständlich bleiben.

1. **Lesen Sie die Aufgabenstellung. Lesen Sie den Text innerhalb von vier Minuten und machen Sie sich dabei Notizen auf Papier.**

In einer Arbeitsgruppe an Ihrer Hochschule behandeln Sie gerade das Thema Popmusik. Sie haben dazu einen interessanten Artikel gelesen und wollen ihn für Ihre Mitstudierenden zusammenfassen.

Lesen Sie den Text. Der Text ist **4 Minuten** lang zu sehen.
Fassen Sie dann die wesentlichen Informationen zusammen.

Die Wirkung von Musik

Musik kann eine starke emotionale Wirkung entfalten: Ihr Klang bringt uns zum Weinen, beschert uns eine Gänsehaut oder löst Hochgefühle aus. Studien deuten darauf hin, dass Freude an einem Musikstück unter anderem dann entsteht, wenn das Gehörte gewisse Überraschungsmomente bereithält. Demnach macht eine schöne Klangfolge, die unerwartet kommt, glücklicher als harmonische Töne, mit denen zu rechnen war.
Um mehr über die Rolle der Erwartungen des Hörers für das musikalische Vergnügen herauszufinden, haben Wissenschaftler nun einen Test mit 80.000 Akkorden aus 745 Popsongs gemacht. Für ihr Experiment befreiten sie die Lieder von Elementen wie Text und Melodie und behielten nur die Akkordfolgen bei – so wollten sie verhindern, dass ihre Probanden Lieder erkannten und die Musik bei ihnen Assoziationen weckte. Außerdem ließen sie einen lernfähigen Algorithmus berechnen, wie erwartbar und überraschend einzelne Akkorde im Kontext der Akkordfolgen waren. Im Test hörten die Studienteilnehmer dann aus den Popsongs ausgewählte Akkordfolgen und bewerteten dabei die einzelnen Akkorde. Welche würden sie als besonders angenehm empfinden?
Die Ergebnisse enthüllten: Wenn die Zuhörer relativ sicher sein konnten, welche Akkorde als Nächstes zu erwarten waren, dann empfanden sie es als angenehm, stattdessen mit einem unerwarteten Akkord überrascht zu werden – ihre Erwartungen also verletzt wurden. Dies war zum Beispiel am Ende einer zusammenhängenden Akkordfolge der Fall. Denn dann kannten die Probanden den harmonischen Kontext bereits gut. Wenn die Probanden dagegen unsicher waren, was sie als Nächstes erwartete, etwa weil die bisher gehörte Akkordfolge nicht ihrer musikalischen Erfahrung entsprach, dann zeigte sich ein anderes Bild: In dieser Situation bewerteten die Zuhörer Akkorde umso besser, je weniger überraschend sie waren.
„Songs, die wir als angenehm empfinden, sind wahrscheinlich diejenigen, die eine gute Balance erreichen zwischen unserem Wissen, was als Nächstes passieren wird, und der Überraschung mit etwas, das wir nicht erwartet haben", schlussfolgern die Forscher.

Sprechzeit

- Sobald der Sprechimpuls endet, beginnen Sie zu sprechen. Achten Sie darauf, Ihren ersten Satz passend zum Sprechimpuls zu formulieren.
- Orientieren Sie sich an Ihren Notizen, während Sie antworten.
- Sprechen Sie nicht zu schnell und achten Sie auf eine deutliche Artikulation. Versuchen Sie, möglichst natürlich zu klingen.
- Achten Sie darauf, Ihre **Zusammenfassung inhaltlich logisch aufzubauen** und präsentieren Sie die Informationen in einer sinnvollen Reihenfolge.
- Verwenden Sie entsprechende **sprachliche Mittel**, um Ihre **Äußerung** zu **strukturieren**.
- In der Prüfung zeigt Ihnen eine Zeitanzeige auf dem Bildschirm, wie viel Zeit Sie noch für Ihre Antwort zur Verfügung haben. 10 Sekunden vor dem Ende der Sprechzeit färbt sich die Zeitanzeige rot.

56 2. **Hören Sie nun den Sprechimpuls und fassen Sie die wesentlichen Informationen zusammen. Sprechen Sie zwei Minuten. Nehmen Sie Ihre Antwort auf.**

Nach dem Sprechen

Hören Sie Ihre Antwort noch einmal an und beurteilen Sie sie:

- Sind Sie von der Aussprache her gut zu verstehen?
- Sprechen Sie flüssig?
- Kann man Ihnen gedanklich gut folgen?
- Haben Sie die wesentlichen Informationen genannt?
- Haben Sie die Informationen sachlich korrekt wiedergegeben?
- Haben Sie unwichtige Details weggelassen?
- Haben Sie keine eigenen Informationen hinzugefügt?
- Haben Sie Ihre Äußerung klar strukturiert?
- Haben Sie innerhalb der Sprechzeit Ihre Antwort vollständig abgeschlossen?

So kommen Sie zu Ihrer Antwort:

1. Wichtige Informationen in der Situationsbeschreibung identifizieren

Die Situationsbeschreibung nennt Ihnen das übergreifende Thema, welchem der Text zugeordnet werden kann. Es geht hier im weitesten Sinn um Popmusik.

2. Beim Lesen die wesentlichen Informationen in Form von Stichwörtern notieren

So könnten die Notizen aussehen:

Wissenschaftliche Studie: Wirkung von Musik
Fragestellung: Rolle d. Erwartungen d. Hörers für musikalisches Vergnügen
Untersuchungsdesign: Test mit Akkorden aus Popsongs
Probanden hören Akkordfolgen und bewerten Akkorde
Ergebnis: Probanden sicher, welche Akkorde zu erwarten → angenehme Überraschung, wenn unerwarteter Akkord
↔ Probanden unsicher, welcher Akkord → besser weniger überraschend
Schlussfolgerung: angenehme Songs → gute Balance zwischen Wissen, was kommt, und Überraschung

3. Mögliche Lösung:

In dem Artikel wird über eine wissenschaftliche Studie über die Wirkung von Musik berichtet. Forscher wollten wissen, welche Rolle die Erwartungen des Hörers für musikalisches Vergnügen spielen. Bei der Studie sollten die Probanden verschiedene Akkordfolgen aus Popsongs hören und die einzelnen Akkorde bewerten. So wollten die Wissenschaftler herausfinden, welche Akkorde die Studienteilnehmer als angenehm empfanden. Es stellte sich Folgendes heraus: Wenn die Probanden sicher waren, welche Akkorde zu erwarten waren, dann gefiel es ihnen besser, mit einem unerwarteten Akkord überrascht zu werden, statt den erwarteten Akkord zu hören. Wenn die Probanden im Gegensatz dazu unsicher waren, welcher Akkord als Nächstes kommen würde, dann fanden sie Akkorde besser, die weniger überraschend waren. Die Forscher zogen aus der Studie die Schlussfolgerung, dass Menschen wahrscheinlich die Lieder angenehm finden, die eine gute Balance bieten zwischen dem Wissen, was als Nächstes kommt, und der Überraschung durch etwas Unerwartetes.

Informationen abgleichen, Stellung nehmen

- Bei diesem Aufgabentyp sprechen Sie als Teilnehmer / Teilnehmerin in einem Seminar an der Hochschule.
- Sie sollen zum Diskussionsbeitrag eines Kommilitonen Stellung nehmen und Ihre Äußerung mit den Informationen einer Grafik belegen.

Vorübungen

So ist die Aufgabe aufgebaut: Grafik ansehen → Redebeitrag hören → Stellung nehmen

1. Zuerst sehen Sie sich eine Grafik an.
2. Danach hören Sie den Diskussionsbeitrag eines Kommilitonen zum selben Thema.
3. Anschließend reagieren Sie in Ihrer Antwort auf den Redebeitrag des Kommilitonen.

Die Grafik ist ein Balken-, Säulen-, Kurven- oder Kreisdiagramm oder eine einfache Tabelle. Sie enthält wenig Text und wenige Daten und ist schnell zu erfassen.
Wichtig: Sie sollen bei dieser Aufgabe **nicht** die **Grafik beschreiben**. Sie sollen nur die Tendenz bzw. die Hauptaussage der Grafik erkennen und diese Informationen in Ihrer Stellungnahme verwenden.

1. **Sehen Sie sich die Grafik an und schreiben Sie in einem Satz die Hauptaussage.**

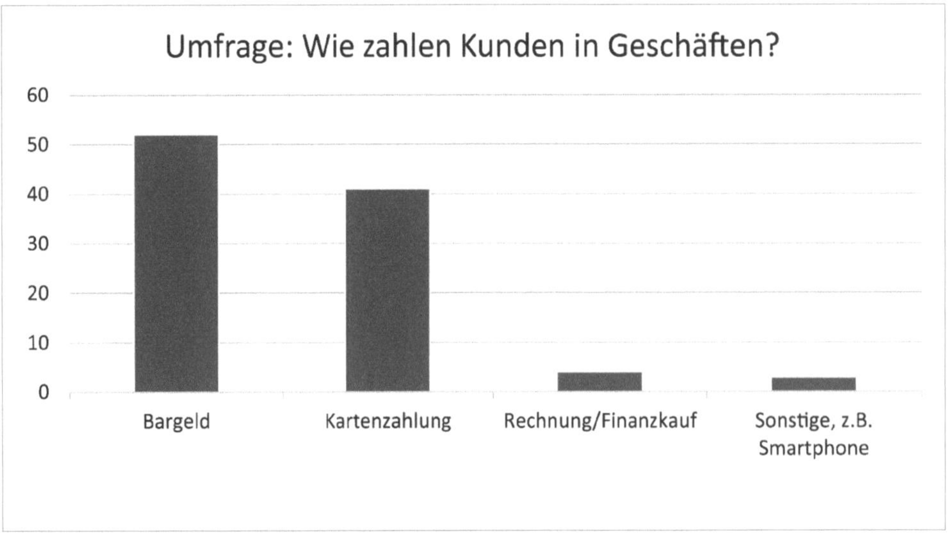

Hauptaussage: ______________________________

Nach dem Betrachten der Grafik hören Sie einen kurzen Redebeitrag von etwa 20 bis 25 Sekunden. In dem Beitrag äußert sich Ihr Kommilitone allgemein zum Thema, nimmt aber keinen Bezug auf die Grafik.

Beim Zusammenspiel von Redebeitrag und Grafik sind zwei Alternativen möglich:
1. Der Redebeitrag steht in deutlichem Widerspruch zur Gesamtaussage der Grafik.
2. Der Redebeitrag widerspricht der Grafik nur in Einzelheiten.

Ihre Aufgabe ist es, den Widerspruch zu erkennen und in Ihrer Antwort klar zu benennen. Sie sollen auch begründen, warum Sie Ihrem Studienkollegen widersprechen, und in Ihrer Begründung die Daten der Grafik als Beleg anführen.

57 2. a **Hören Sie den Redebeitrag Ihres Kommilitonen zum Thema „Zahlungsarten in Geschäften" und notieren Sie in Stichwörtern die Hauptaussage.**

Hauptaussage: ______________________________

b Notieren Sie den Widerspruch zwischen der Grafik und der Äußerung Ihres Kommilitonen.

Widerspruch: ______________________________

Genauere Informationen zur indirekten Rede finden Sie im **Unterkapitel Sprechen (Aufgabentyp 6)**.

Für Ihre Antwort verwenden Sie bestimmte Redemittel:
Achten Sie darauf, den Redebeitrag Ihres Kommilitonen als Fremdmeinung zu kennzeichnen und ihn nicht als Ihre eigene Meinung auszugeben. Verwenden Sie zu diesem Zweck die **indirekte Rede**. Berücksichtigen Sie beim Sprechen den Kontext: Sie befinden sich in einem Seminar an der Hochschule. Bringen Sie Ihren Widerspruch und Ihre Stellungnahme auf höfliche Weise vor.
Das Verb „behaupten" impliziert, dass Sie sich sprachlich von der Äußerung Ihres Kommilitonen distanzieren und seine Ansicht nicht teilen.

Hinweis: Von den verschiedenen Verben, die eine Fremdmeinung darstellen, impliziert das Verb „behaupten", dass der Sprecher / die Sprecherin die fremde Meinung nicht teilt.

widersprechen	Ich muss meinem Kommilitonen (teilweise) widersprechen. • Ich kann meinem Kommilitonen nicht (ganz) zustimmen. • Die Aussage meines Kommilitonen ist nicht korrekt / ist nicht zutreffend / entspricht nicht der Grafik / steht (teilweise) im Widerspruch zur Grafik / ist falsch / stimmt nur zum Teil. • Der Meinung meines Kommilitonen kann ich mich nicht (ganz) anschließen.
Fremdmeinung darstellen	Mein Kommilitone hat gesagt / erklärt … • Er behauptet … • Er ist der Meinung / der Ansicht … • Seiner Meinung / Ansicht nach …
Belege anführen	Es lässt sich anhand der Grafik (zweifelsfrei) belegen … • Die Daten der Grafik zeigen (ganz) deutlich … • In der Grafik kann man eindeutig erkennen / sehen … • Gegen seine Äußerung lässt sich einwenden, dass laut der Grafik …
begründen	Deshalb / Darum / Deswegen / Aus diesem Grund … • … weil / denn / da …
Meinung äußern	Ich finde / glaube / meine / denke … • Ich bin davon überzeugt … • Ich bin sicher … • Meiner Meinung / Ansicht nach … • Im Gegensatz zu meinem Kommilitonen …

3. Ergänzen Sie den Ausschnitt einer Stellungnahme zum Redebeitrag in Übung 2. a.

Ich muss meinem Kommilitonen (1) ____________________. Er ist der (2) ____________________, dass heutzutage niemand mehr Bargeld verwenden würde, um in Geschäften zu bezahlen. Es lässt sich aber anhand der Grafik (3) ____________________, dass mehr als die Hälfte der Kunden bar zahlt. Außerdem (4) ____________________ er, alle Leute würden jetzt mit Karten oder ihrem Handy zahlen. (5) ____________________ zeigen jedoch ganz deutlich, dass kaum jemand zum Bezahlen sein Handy benutzt. Was er gesagt hat, (6) ____________________ also nicht, da Bargeld immer noch sehr verbreitet ist. Ich bin davon (7) ____________________, dass Bargeld auch in Zukunft eine wichtige Rolle spielen wird und keinesfalls abgeschafft werden sollte, weil …

Es ist positiv, wenn Sie in Ihrer Stellungnahme zusätzlich noch weitere Argumente nennen, um den Redebeitrag des Kommilitonen zu widerlegen. Vergessen Sie aber keinesfalls, sich in Ihrer Antwort zuerst immer auf die Grafik zu beziehen.

4. Welche weiteren Argumente könnte man anführen, um den Redebeitrag in Übung 2. a zu widerlegen?

Argumente: ______________________________

Tipp: Nehmen Sie Ihre Antwort auf und hören Sie sie zur Kontrolle noch einmal an.

5. Formulieren Sie Ihre Stellungnahme zum Redebeitrag in Übung 2. a. Sprechen Sie etwa eine Minute und 30 Sekunden.

6. a **Sehen Sie sich die Grafik an und schreiben Sie in einem Satz die Hauptaussage.**

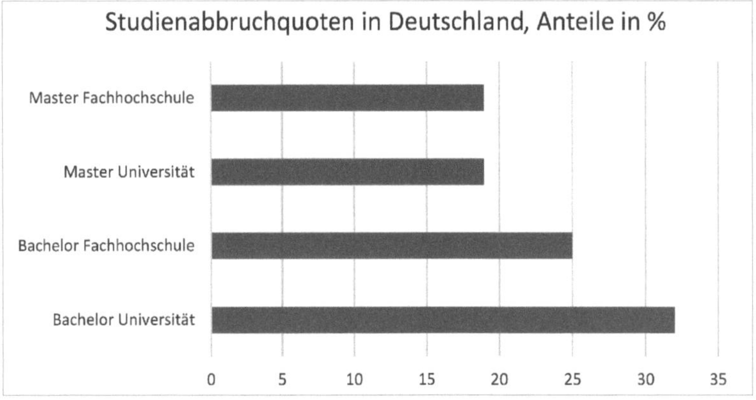

Quelle: DZHW

Hauptaussage: ______________________________

58 b **Hören Sie den Redebeitrag Ihres Kommilitonen zum Thema „Studienabbruch" und notieren Sie in Stichwörtern die Hauptaussage.**

Hauptaussage: ______________________________

c **Notieren Sie den Widerspruch zwischen der Grafik und der Äußerung Ihres Kommilitonen.**

Widerspruch: ______________________________

d **Notieren Sie weitere Argumente, um die Aussage Ihres Kommilitonen zu widerlegen.**

Argumente: ______________________________

59 e **Hören Sie den Sprechimpuls und formulieren Sie Ihre Stellungnahme zum Redebeitrag. Sprechen Sie etwa eine Minute und 30 Sekunden.**

Hinweis: Achten Sie darauf, passend zum Sprechimpuls zu antworten.

60 7. a **Sehen Sie sich die Grafik an und hören Sie den Diskussionsbeitrag eines Kommilitonen.**

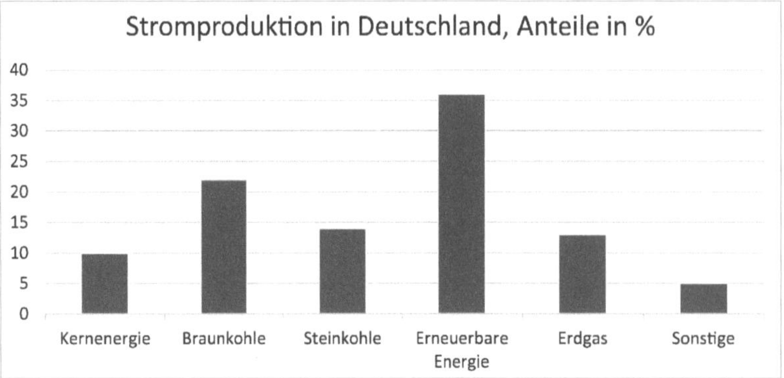

61 b **Hören Sie die Stellungnahmen zum Diskussionsbeitrag in Übung 7. a und beurteilen Sie: Sind die Antworten angemessen? Warum (nicht)?**

Antwort 1: ______________________________

Antwort 2: ______________________________

Antwort 3: ______________________________

62 c **Hören Sie den Sprechimpuls und formulieren Sie Ihre Stellungnahme zum Redebeitrag in Übung 7.a. Sprechen Sie etwa eine Minute und 30 Sekunden.**

Beispielaufgabe mit Lösungshinweisen

Hinweis: Sehen Sie sich auf der Webseite des TestDaF-Instituts die Modellaufgaben an.

- Bei diesem Aufgabentyp sollen Sie Informationen aus verschiedenen Quellen erfassen und Stellung nehmen.
- Sie sehen zuerst eine Grafik und hören anschließend einen kurzen Diskussionsbeitrag.
- Sie sollen die Aussage der Grafik erkennen, den gehörten Beitrag in seiner Gesamtaussage verstehen und Widersprüche zwischen beiden Quellen aufdecken.
- Dann sollen Sie Stellung zum Redebeitrag Ihres Kommilitonen nehmen und seine Äußerung bzw. Teile seiner Äußerung mithilfe der Daten widerlegen. Sie können zusätzliche Argumente in Ihrer Stellungnahme anführen.
- Der Gesprächskontext ist ein Fachseminar an der Hochschule. Sie sind ein Teilnehmer / eine Teilnehmerin an diesem Seminar.
- Sie sprechen über ein wissenschaftliches Thema, das typischerweise in Hochschulseminaren behandelt wird, aber fächerübergreifend verständlich ist.
- Sie sprechen mit mehreren Personen, die Ihnen bekannt, aber nicht vertraut sind.
- Sie verwenden einen neutralen bis formellen Sprachstil.
- Sie haben 30 Sekunden Zeit, um sich die Grafik anzusehen. Danach hören Sie den Diskussionsbeitrag, der etwa 20 bis 25 Sekunden lang ist. Nach dem Diskussionsbeitrag haben Sie eine Minute und 30 Sekunden Vorbereitungszeit. Die Sprechzeit beträgt eine Minute und 30 Sekunden.

So gehen Sie vor:

Hören der Aufgabe

- Die **Aufgabenstellung** wird Ihnen in der Prüfung vorgelesen und Sie können dabei mitlesen.
- In der **Situationsbeschreibung** wird das Thema erklärt, über das im Seminar gesprochen wird. Um dieses Thema geht es sowohl in der Grafik als auch im Diskussionsbeitrag des Kommilitonen.

Grafik ansehen

- In der Prüfung wird nach dem Vorlesen der Aufgabe die Grafik eingeblendet.
- Sehen Sie sich die Grafik an und **überlegen Sie**, welche **Tendenz** bzw. **Hauptaussage** daraus hervorgeht.
- Da die Grafik keine große Menge an Informationen enthält, ist sie schnell zu erfassen. Dadurch haben Sie während der 30-sekündigen Betrachtungszeit auch noch Zeit, eine Vermutung darüber anzustellen, in welcher Form der Kommilitone im anschließenden Diskussionsbeitrag den Informationen der Grafik widersprechen könnte.
- Die Grafik bleibt bis zum Ende Ihrer Sprechzeit sichtbar. Es ist also nicht unbedingt nötig, sich zur Grafik Informationen zu notieren.

Diskussionsbeitrag hören

- Nachdem Sie 30 Sekunden lang die Gelegenheit hatten, die Grafik zu betrachten, startet in der Prüfung automatisch der Diskussionsbeitrag des Kommilitonen.
- Hören Sie den Diskussionsbeitrag und **notieren** Sie in **Stichwörtern** die **Hauptaussage**.
- Denken Sie daran: Der Redebeitrag widerspricht der Grafik entweder in seiner Gesamtaussage oder in Einzelheiten. Konzentrieren Sie sich beim Hören schon darauf.
- Der Redebeitrag ist im Allgemeinen redundant formuliert. Das heißt, dass die relevante Information in der Äußerung des Kommilitonen wiederholt wird. Dadurch wird es für Sie einfacher, den Widerspruch zu den Informationen der Grafik zu erfassen.

Vorbereitungszeit

- Nach dem Diskussionsbeitrag haben Sie eine Minute und 30 Sekunden Zeit, um Ihre Antwort vorzubereiten.
- Vergleichen Sie den Inhalt des Redebeitrags mit den Informationen der Grafik und **identifizieren Sie den Widerspruch zwischen beiden Quellen**. In Ihrer Antwort müssen Sie sich explizit auf beides beziehen und den Widerspruch deutlich darstellen. Machen Sie sich dazu Notizen in Form von Stichwörtern.
- Überlegen Sie sich und notieren Sie **weitere Argumente**, die Sie verwenden können, um die Meinung Ihres Kommilitonen zu widerlegen.

Sprechzeit

- Sobald der Sprechimpuls endet, beginnen Sie zu sprechen. Achten Sie darauf, Ihren ersten Satz passend zum Sprechimpuls zu formulieren.
- Orientieren Sie sich an Ihren Notizen, während Sie antworten.
- **Sprechen** Sie **nicht zu schnell** und achten Sie auf eine **deutliche Artikulation**. Versuchen Sie, möglichst natürlich zu klingen.
- Berücksichtigen Sie die **Kommunikationssituation**: Sie sind Teilnehmer bzw. Teilnehmerin an einem Hochschulseminar und sprechen mit Ihrem Dozenten und Ihren Kommilitonen. Verwenden Sie keine umgangssprachlichen Formulierungen.
- Strukturieren Sie Ihre Äußerung klar mithilfe der entsprechenden Redemittel.
- In der Prüfung zeigt Ihnen eine Zeitanzeige auf dem Bildschirm, wie viel Zeit Sie noch für Ihre Antwort zur Verfügung haben. 10 Sekunden vor dem Ende der Sprechzeit färbt sich die Zeitanzeige rot.

1. **Lesen Sie die Aufgabe und sehen Sie sich 30 Sekunden lang die Grafik an.**

In Ihrem Wirtschaftsseminar sprechen Sie über Stress in der Arbeitswelt und die Folgen von Überstunden.

Ihr Dozent, Herr Dr. Geishöfer, hat eine Grafik mitgebracht und bittet die Seminarteilnehmenden um eine Stellungnahme.

Hören Sie, was ein Seminarteilnehmer zum Thema sagt.
Nehmen Sie Stellung zu der gehörten Aussage.
Beziehen Sie sich dabei auf die vorliegende Grafik.

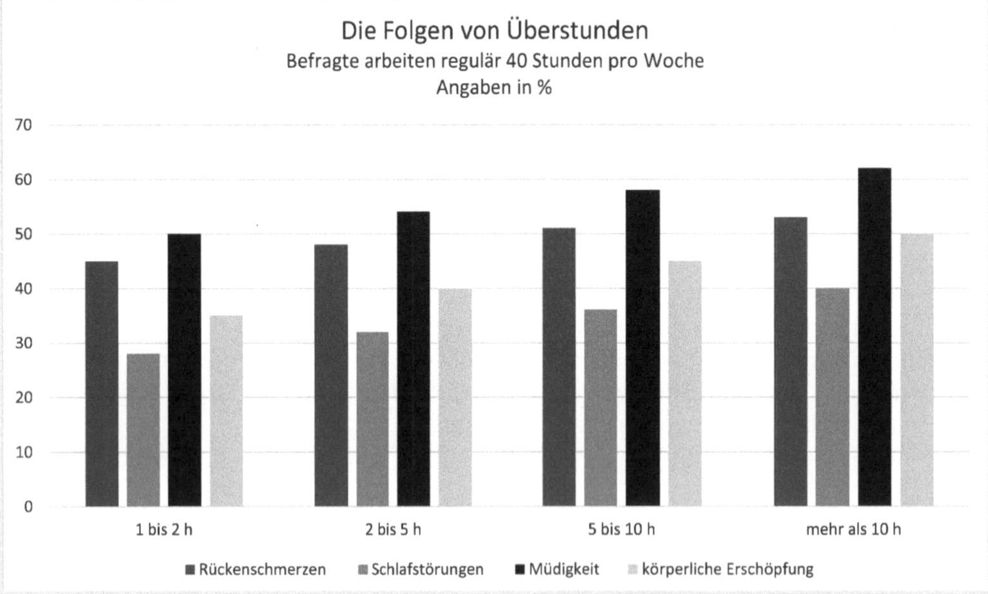

63 **2. Hören Sie den Diskussionsbeitrag. Nehmen Sie sich nach dem Hören eine Minute und 30 Sekunden Zeit, um Ihre Antwort vorzubereiten.**

64 **3. Hören Sie nun den Sprechimpuls und formulieren Sie Ihre Antwort. Sprechen Sie etwa eine Minute 30 Sekunden. Nehmen Sie Ihre Antwort auf.**

Nach dem Sprechen

Hören Sie Ihre Antwort noch einmal an und beurteilen Sie sie:

- Sind Sie von der Aussprache her gut zu verstehen?
- Kann man Ihnen gedanklich gut folgen?
- Haben Sie in Ihrer Antwort auf den Redebeitrag des Kommilitonen reagiert?
- Haben Sie Ihren Widerspruch bzw. Ihre Zustimmung explizit und ausführlich dargelegt?
- Haben Sie die Daten der Grafik in Ihre Stellungnahme einbezogen?
- Haben Sie noch weitere Argumente vorgebracht?
- Haben Sie innerhalb der Sprechzeit Ihre Antwort vollständig abgeschlossen?

So kommen Sie zu Ihrer Antwort:

1. Wichtige Informationen in der Situationsbeschreibung identifizieren

Die Situationsbeschreibung nennt Ihnen das Thema, über das im Seminar gesprochen wird und um das es in der Grafik und im Redebeitrag des Kommilitonen geht.
In diesem Fall handelt es sich um Stress in der Arbeitswelt und die Folgen von Überstunden.

2. Grafik erfassen

Hauptaussage: Je mehr Überstunden gemacht werden, desto stärker zeigen sich negative Folgen für die Gesundheit.

3. Diskussionsbeitrag hören und Hauptaussage notieren

So könnten die Notizen aussehen:

Überstunden nicht problematisch, 45 bis 50 Stunden Arbeit pro Woche schaden nicht

4. Antwort überlegen, Stichwörter notieren

So könnten die Notizen aussehen:

Widerspruch: Redebeitrag: 5 bis 10 Überstunden schaden nicht ↔ Grafik: negative Folgen schon bei 1 bis 2 Überstunden; je mehr Überstunden, desto schlimmer
Weitere Argumente: Burnout, Effektivität nimmt ab, Arbeitskultur ändern

5. Mögliche Lösung:

Ja, danke. Ich kann der Aussage meines Kommilitonen nicht zustimmen. Er hat gesagt, dass Überstunden nicht problematisch seien und 45 bis 50 Stunden Arbeit pro Woche nicht schaden würden. In der Grafik kann man allerdings eindeutig erkennen, dass schon bei ein bis zwei Überstunden pro Woche negative Auswirkungen auf das Wohlbefinden und die Gesundheit festzustellen sind. Fast die Hälfte der befragten Personen leidet dann unter Müdigkeit und Rückenschmerzen. Je mehr Überstunden geleistet werden, desto stärker zeigen sich die negativen Folgen. Ich teile deshalb nicht die Meinung meines Kommilitonen, dass eine wöchentliche Arbeitszeit von bis zu 60 Stunden in Ordnung sei. Meiner Ansicht nach ist zu viel zu arbeiten genauso schädlich wie keine Arbeit zu haben. Beides kann krank machen. Dauerhafte Erschöpfung kann zu Burnout führen. Ich finde es außerdem nicht sinnvoll, so lange Arbeitstage zu haben. Denn nach acht Stunden Arbeit nimmt die Effektivität ab. Man kann sich nicht mehr gut konzentrieren und ist nicht mehr produktiv. Damit Angestellte nicht mehr so viele Überstunden machen, muss sich meiner Meinung nach die Arbeitskultur in Unternehmen ändern. Ich finde, Überstunden sollten die Ausnahme bleiben und nicht zum Normalfall werden.

Thema präsentieren

- Bei diesem Aufgabentyp sollen Sie im Rahmen eines Tutoriums, eines Propädeutikums oder eines Deutschkurses an der Hochschule einen kurzen Vortrag halten.
- Das Thema des Vortrags und die einzelnen Aspekte, über die Sie sprechen sollen, sind vorgegeben. Es handelt sich um ein gesellschaftlich relevantes, allgemein gehaltenes Thema, über das Sie aufgrund Ihres vorhandenen Weltwissens ausreichend informiert sind.
- Sie sollen sich sachlich zu dem Thema äußern. Das Vortragen persönlicher Erfahrungen ist nicht erwünscht.

Vorübungen

Ihr Kurzvortrag muss klar aufgebaut, gut strukturiert und nachvollziehbar sein. Zu Beginn Ihres Kurzvortrags sollen Sie seinen Aufbau erläutern. Dafür verwenden Sie bestimmte Redemittel.

Begrüßung	Liebe Kommilitoninnen und Kommilitonen … • Liebe Studienkolleginnen und -kollegen …
Thema nennen	In meiner heutigen Präsentation möchte ich das Thema … vorstellen. • Das Thema meines heutigen Vortrags / meiner heutigen Präsentation lautet: … • Ich spreche heute über das Thema …
Aufbau beschreiben	- Mein Vortrag / meine Präsentation besteht aus drei / vier Teilen … • Ich habe meinen Vortrag / meine Präsentation in drei / vier Teile gegliedert. - Zuerst möchte ich euch einige Informationen über … geben. • Ich möchte zunächst einen kurzen Überblick über … geben. - Dann nenne ich … • Danach gehe ich auf … ein. • Anschließend sage ich etwas zu … - Zum Schluss / Am Ende spreche ich noch über / darüber … • Abschließend möchte ich noch kurz auf … eingehen.

Insgesamt stehen Ihnen für Ihre Kurzpräsentation zwei Minuten und 30 Sekunden zur Verfügung. Für die Einleitung (Begrüßung, Nennung des Themas, Beschreibung des Aufbaus) sollten Sie nicht länger als 30–40 Sekunden brauchen, da Ihnen sonst nicht genug Zeit bleibt, um anschließend im Hauptteil die einzelnen Punkte inhaltlich auszuführen.

1. a **Formulieren Sie mithilfe der Redemittel eine Einleitung für einen Kurzvortrag zum Thema „Finanzierung des Studiums": Begrüßen Sie die Zuhörerinnen und Zuhörer, nennen Sie das Thema und beschreiben Sie den Aufbau. Probieren Sie verschiedene Varianten aus. Nehmen Sie Ihre Antwort auf.**

Finanzierung des Studiums
- verschiedene Möglichkeiten
- positive Aspekte
- negative Aspekte
- häufigste Form

65 b **Hören Sie eine mögliche Einleitung und vergleichen Sie sie mit Ihrer Antwort.**

Nachdem Sie den Aufbau Ihrer Präsentation dargelegt haben, gehen Sie auf jeden inhaltlichen Aspekt ausführlicher ein. Dabei ist es wichtig, dass Sie zusammenhängend vortragen und die einzelnen Punkte sinnvoll verbinden, damit die Zuhörer Ihrem Vortrag leichter folgen können.
Es wird auch erwartet, dass Sie wichtige Informationen sprachlich hervorheben und relevante Details zum Thema nennen. Die folgenden Redemittel helfen Ihnen dabei.

inhaltliche Aspekte verbinden	Beginnen wir mit ... • Kommen wir zum zweiten Punkt / Aspekt, ... • Soweit zu den ... Und nun zu den ... • Bisher habe ich über ... gesprochen – jetzt komme ich zu der Frage ... • Nun spreche ich über ... • Damit komme ich zum dritten / vierten / letzten Aspekt, ... • Als Letztes sage ich noch etwas zu / dazu, ...
wichtige Einzelheiten hervorheben	Ich komme jetzt zum wichtigsten Punkt / Aspekt ... • Dieser Punkt / Aspekt ist besonders wichtig / relevant / interessant, weil ... • Ich möchte betonen, ...
Beispiele geben	Ein Beispiel für ... / dafür ist ... • Beispiele für ... / dafür sind ... • Ich erläutere diesen Punkt anhand eines Beispiels.

In Ihrem Vortrag sollen Sie im Allgemeinen über drei bis vier verschiedene Unterpunkte sprechen. Wenn Sie 30 bis 40 Sekunden auf die Einleitung verwenden, bleiben Ihnen (bei einer gesamten Vortragszeit von zwei Minuten und 30 Sekunden) für jeden Unterpunkt im Durchschnitt etwa 30 bis 40 Sekunden.

2. a **Sammeln Sie Ideen zu den vier Unterpunkten des Kurzvortrags „Finanzierung des Studiums" in Übung 1. a und notieren Sie sie in Form von Stichwörtern.**

Verschiedene Möglichkeiten: ____________________

____

Positive Aspekte: ____________________

____

Negative Aspekte: ____________________

____

Häufigste Form: ____________________

____

b **Formulieren Sie nun mithilfe der Redemittel und Ihrer Notizen den Hauptteil Ihres Kurzvortrags. Sprechen Sie etwa zwei Minuten. Nehmen Sie Ihre Antwort auf.**

66 c **Hören Sie einen möglichen Hauptteil und vergleichen Sie ihn mit Ihrer Antwort. Welche Unterschiede und welche Gemeinsamkeiten gibt es?**

Hinweis: Sie halten Ihren Kurzvortrag im Rahmen eines studienbegleitenden Deutschkurses oder eines Tutoriums. In diesen Veranstaltungen ist es üblich, die anderen Teilnehmenden zu duzen.

Am Ende Ihres Vortrags ist eine kurze Schlussformel zum Abrunden Ihrer Präsentation ausreichend. Für weitere abschließende Äußerungen, wie beispielsweise ein Fazit, bleibt Ihnen angesichts der Kürze der Sprechzeit keine Zeit; die Aufgabenstellung verlangt das außerdem nicht.

Schluss	Damit bin ich am Ende meiner Präsentation angekommen / angelangt. • Ich danke euch / bedanke mich fürs Zuhören. / Danke für eure Aufmerksamkeit.

In der Prüfung haben Sie zwei Minuten Zeit, um Ihre Kurzpräsentation vorzubereiten. Sie müssen Ihre Ideen zum Thema also schnell und in knapper Form auf Ihrem Notizpapier skizzieren. Achten Sie darauf, Ihre Gedanken übersichtlich und klar strukturiert zu notieren, damit Sie sich beim Sprechen gut an Ihren Notizen orientieren können.

3. a Notieren Sie alle Ideen, die Ihnen innerhalb von zwei Minuten zu den vier Unterpunkten zum Thema „Tourismus" einfallen.

Tourismus
- Reisearten
- wirtschaftliche Bedeutung
- ökologische Folgen
- zukünftige Entwicklung

Reisearten: ______________________________

____

____

Wirtschaftliche Bedeutung: ______________________________

____

____

Ökologische Folgen: ______________________________

____

____

Zukünftige Entwicklung: ______________________________

____

____

b Halten Sie nun einen Kurzvortrag zum Thema „Tourismus". Das Textgerüst hilft. Sprechen Sie etwa zwei Minuten und 30 Sekunden. Nehmen Sie Ihre Antwort auf.

Liebe Kommilitoninnen, liebe Kommilitonen, in meiner heutigen Präsentation möchte ich das Thema __________ vorstellen. Ich habe meine Präsentation in vier Teile gegliedert.
Zuerst möchte ich euch einige Informationen über __________ geben. Danach sage ich etwas zur __________. Anschließend gehe ich auf __________ ein.
Am Ende spreche ich noch über __________.
Beginnen wir mit __________. …
Soweit zu den __________. Und nun zur __________. … Dieser Punkt ist besonders wichtig, weil …
Als Nächstes werde ich über __________ sprechen. … Ein Beispiel dafür ist __________. …
Kommen wir zum letzten Aspekt, __________. …
Damit bin ich am Ende meiner Präsentation angelangt. Ich bedanke mich für eure Aufmerksamkeit.

Hinweis: Mit dieser Einleitung können Sie den Aufbau jeder Präsentation erläutern.
Sie brauchen nur die konkreten Inhaltspunkte aus der jeweiligen Aufgabenstellung zu ergänzen.

67 **c Hören Sie einen möglichen Kurzvortrag und vergleichen Sie ihn mit Ihrem Vortrag. Welche Unterschiede und welche Gemeinsamkeiten gibt es?**

4. a **Notieren Sie alle Ideen, die Ihnen innerhalb von zwei Minuten zu den vier Unterpunkten zum Thema „Medien" einfallen.**

Medien früher und heute
- Medienarten
- Zweck der Nutzung
- Dauer der täglichen Nutzung
- Nutzung bei verschiedenen Altersgruppen

Medienarten: ______________________________

____

____

Zweck der Nutzung: ______________________________

____

____

Dauer der täglichen Nutzung: ______________________________

____

____

Nutzung bei verschiedenen Altersgruppen: ______________________________

____

____

68 b **Halten Sie nun einen Kurzvortrag zum Thema „Medien". Hören Sie den Sprechimpuls und sprechen Sie anschließend etwa zwei Minuten und 30 Sekunden. Nehmen Sie Ihre Antwort auf.**

Beispielaufgabe mit Lösungshinweisen

- Bei diesem Aufgabentyp sollen Sie eine kurze Präsentation halten.
- Sie sprechen über ein gesellschaftspolitisches Thema.
- Der Gesprächskontext ist ein Tutorium oder ein Deutschkurs an der Hochschule.
- Sie sprechen mit mehreren Personen, die Ihnen bekannt, aber nicht vertraut sind.
- Sie verwenden einen neutralen Sprachstil.
- Sie haben zwei Minuten Vorbereitungszeit. Die Sprechzeit beträgt zwei Minuten und 30 Sekunden.

Hinweis: Sehen Sie sich auf der Webseite des TestDaF-Instituts die Modellaufgaben an.

So gehen Sie vor:

Hören der Aufgabe

- Die **Aufgabenstellung** wird Ihnen in der Prüfung vorgelesen und Sie können dabei mitlesen.
- In der **Situationsbeschreibung** wird das übergreifende Thema genannt, zu dem Sie einen Vortrag halten sollen.

Vorbereitungszeit

- Sobald das Vorlesen der Aufgabe abgeschlossen ist, werden die Stichpunkte eingeblendet, auf denen Ihr Vortrag basieren soll.
- Zur Erläuterung des Aufbaus Ihrer Präsentation brauchen Sie keine Notizen anzufertigen, da Sie die Inhaltspunkte direkt von der Folie auf dem Bildschirm übernehmen können. Lesen Sie den Aufbau aber nicht einfach ab, sondern erklären Sie ihn mithilfe der Redemittel.
- **Überlegen Sie**, was Sie zu jedem Stichpunkt sagen möchten, und **notieren** Sie Ihre **Ideen** in Form von Stichwörtern.
- Achten Sie darauf, Ihre Notizen gleich gut zu strukturieren. Das Notizpapier, auf dem Sie Ihre Ideen festhalten, dient Ihnen als Gerüst für Ihren Vortrag. Sie haben nur zwei Minuten Zeit zur Vorbereitung. Das reicht vermutlich nicht aus, um zuerst Ideen in ungeordneter Form zu notieren und sie danach zu überarbeiten.
- Gestalten Sie Ihr Notizpapier übersichtlich und schreiben Sie leserlich. Sie können Abkürzungen und Symbole verwenden, solange die Notizen für Sie verständlich bleiben.

1. **Lesen Sie die Aufgabenstellung. Nehmen Sie sich zwei Minuten für die Vorbereitung Ihrer Präsentation.**

Sie besuchen ein Tutorium zur „Einführung in das wissenschaftliche Arbeiten" und haben eine Kurzpräsentation zum Thema „Ausbildung oder Studium?" vorbereitet.
Ihr Tutor, Herr Vogel, bittet Sie, Ihre Präsentation vorzutragen.

Erläutern Sie zunächst den Aufbau Ihrer Präsentation.
Gehen Sie dann auf die einzelnen Punkte näher ein und heben Sie wichtige Einzelheiten hervor.

Ausbildung oder Studium?
- Verschiedene Möglichkeiten
- Dauer
- Kosten
- Berufliche Perspektive

Sprechzeit

- Sobald der Sprechimpuls endet, beginnen Sie zu sprechen. Achten Sie darauf, Ihren ersten Satz passend zum Sprechimpuls zu formulieren.
- Die Folie mit den Stichpunkten bleibt während der gesamten Sprechzeit eingeblendet.
- Orientieren Sie sich während Ihres Vortrags an Ihren Notizen.

- **Sprechen** Sie **nicht zu schnell** und achten Sie auf eine **deutliche Artikulation**. Versuchen Sie, möglichst natürlich zu klingen.
- **Erläutern** Sie zuerst den **Aufbau** Ihres Vortrags.
- **Gehen** Sie anschließend auf **alle Stichpunkte ausführlich ein**. Verbinden Sie die inhaltlichen Aspekte mit den entsprechenden **sprachlichen Mitteln** und tragen Sie zusammenhängend vor.
- Heben Sie wichtige Details sprachlich hervor.
- In der Prüfung zeigt Ihnen eine Zeitanzeige auf dem Bildschirm, wie viel Zeit Sie noch für Ihre Antwort zur Verfügung haben. Zehn Sekunden vor dem Ende der Sprechzeit färbt sich die Zeitanzeige rot.

69 2. **Hören Sie nun den Sprechimpuls und halten Sie Ihre Präsentation. Sprechen Sie zwei Minuten und 30 Sekunden. Nehmen Sie Ihre Antwort auf.**

Nach dem Sprechen

Hören Sie Ihre Antwort noch einmal an und beurteilen Sie:

- Sind Sie von der Aussprache her gut zu verstehen?
- Sprechen Sie flüssig?
- Kann man Ihrem Vortrag gut folgen?
- Haben Sie Ihren Vortrag klar strukturiert?
- Haben Sie zu Beginn Ihres Vortrags den Aufbau beschrieben?
- Haben Sie die verschiedenen Stichpunkte sinnvoll miteinander verknüpft?
- Sind Sie auf jeden Stichpunkt ausführlich eingegangen?
- Haben Sie innerhalb der Sprechzeit Ihre Antwort vollständig abgeschlossen?

So kommen Sie zu Ihrer Antwort:

1. Wichtige Informationen in der Situationsbeschreibung identifizieren

Aus der Situationsbeschreibung erfahren Sie den Kontext, in dem Sie Ihre Präsentation halten, und das übergreifende Thema, zu dem Sie vortragen. Hier sprechen Sie in einem Tutorium zum wissenschaftlichen Arbeiten über das Thema „Ausbildung oder Studium?".

2. Folie mit den Stichwörtern lesen

3. Ideen sammeln, Stichwörter notieren

So könnten die Notizen aussehen:

Verschiedene Möglichkeiten:
Berufsausbildung: praktisch arbeiten, direkt ins Berufsleben
Studium Universität: mehr Theorie
Duales Studium: Theorie und Praxis verbinden

Dauer:
B.: 3 Jahre
SU: 3 Jahre Bachelor, 2 Jahre Master
DS: 3 Jahre Bachelor

Kosten:
B.: keine, Gehalt
SU: Geld investieren
DS: Gehalt

Berufliche Perspektive:
B.: gut technischer Bereich, guter Verdienst
SU: wenig Arbeitslosigkeit, guter Verdienst
DS: beste Berufschancen

4. Mögliche Lösung:

Liebe Studienkolleginnen und -kollegen, das Thema meiner heutigen Präsentation lautet: Ausbildung oder Studium? Ich habe meine Präsentation in vier Teile gegliedert: Zuerst möchte ich euch einige Informationen darüber geben, wie man nach dem Abitur seinen weiteren Ausbildungsweg fortsetzen kann. Danach gehe ich auf die jeweilige Dauer ein. Im Anschluss sage ich etwas zu den unterschiedlichen Kosten. Am Ende spreche ich noch über die berufliche Perspektive, die man nach den verschiedenen Ausbildungswegen hat.

Beginnen wir mit den verschiedenen Möglichkeiten, die nach dem Schulabschluss zur Wahl stehen. Ich möchte euch über drei davon informieren: Über eine Berufsausbildung in einem Unternehmen, ein Studium an einer Universität und ein duales Studium. Eine Berufsausbildung zeichnet sich dadurch aus, dass man praktisch arbeitet und direkt ins Berufsleben einsteigt. Im Gegensatz dazu beschäftigt man sich im Studium mehr mit Theorie. Bei einem dualen Studium besteht die Möglichkeit, beide Alternativen zu kombinieren und Theorie und Praxis sinnvoll zu verbinden.

Kommen wir zum zweiten Punkt, der Dauer. Wie lange eine betriebliche Ausbildung dauert, hängt von dem Beruf ab, den man erlernt. Im Allgemeinen sind es drei Jahre. Etwa gleich lang wie eine Berufsausbildung dauert ein Bachelorstudium an einer Universität. Die große Mehrheit der Bachelor-Absolventen studiert danach weiter und macht einen Master, was noch einmal vier Semester dauert. Und noch eine Information zum dualen Studium: Die Regelstudienzeit beträgt hier sechs Semester, dann beendet man es mit einem Bachelor.

Nun spreche ich über die Kosten. In dieser Hinsicht ist eine berufliche Ausbildung sehr vorteilhaft, denn man bekommt vom ersten Tag an ein Gehalt. Im Gegensatz dazu muss man bei einem Studium erst einmal Geld in seine Ausbildung investieren. Im Dualen Studium bekommt man ebenfalls ein Gehalt, das allerdings je nach Firma sehr unterschiedlich hoch sein kann.

Damit komme ich zum letzten Punkt, der beruflichen Perspektive. Es ist allgemein bekannt, dass die Arbeitslosenquote bei Akademikern am niedrigsten ist und die Verdienstmöglichkeiten am besten sind. Aber auch mit einer beruflichen Ausbildung, zum Beispiel im technischen Bereich, hat man eine sehr gute berufliche Perspektive und man kann auch gut verdienen. Noch ein Wort zu den Absolventen eines dualen Studiums. Ihre beruflichen Chancen sind oft sogar noch besser als die von Absolventen eines normalen Studiums.

Damit bin ich am Ende meiner Präsentation angekommen. Danke für eure Aufmerksamkeit.

Argumente wiedergeben, Stellung nehmen

- Bei diesem Aufgabentyp sprechen Sie als Diskussionsteilnehmer / -teilnehmerin in einem Hochschulseminar.
- Sie sollen den Diskussionsbeitrag eines Mitstudierenden wiedergeben und dazu Stellung nehmen.

Vorübungen

In der Prüfung hören Sie einen etwa einminütigen Diskussionsbeitrag zu einem vorher genannten Thema. Darin werden in der Regel drei Argumente vorgetragen, die entweder Zustimmung oder Ablehnung gegenüber dem Thema zum Ausdruck bringen. Diese Argumente sollten Sie in Stichpunkten mitschreiben.

70 1. a **Hören Sie drei Argumente zum Thema „Wählen ab 16" und notieren Sie sie in Stichpunkten.**

1. ______________________
2. ______________________
3. ______________________

71 b **Hören Sie drei Argumente zum Thema „Steuern auf ungesunde Lebensmittel" und notieren Sie sie in Stichpunkten.**

1. ______________________
2. ______________________
3. ______________________

In Ihrer Antwort müssen Sie die drei Argumente in eigenen Worten wiedergeben. Sie sollen also nicht wortwörtlich wiederholen, was im Diskussionsbeitrag gesagt wurde. Sie brauchen auch nicht jedes Detail wiederzugeben. Wichtig ist, den inhaltlichen Kern der Argumente zu verstehen. Schlüsselbegriffe aus dem Redebeitrag dürfen Sie in Ihrer Antwort übernehmen.

Indirekte Rede
Um die **Meinung anderer Personen wiederzugeben**, verwendet man die **indirekte Rede**. Auf diese Weise kann ein Sprecher signalisieren, dass er nicht seine eigene Meinung zum Ausdruck bringt, sondern die Meinung bzw. Äußerung einer dritten Person wiedergibt.
In der indirekten Rede benutzt man den **Konjunktiv I**, **Konjunktiv II** oder ***würde*** + **Infinitiv**.

Zusätzlich zur Wiedergabe der Argumente müssen Sie zu jedem Argument klar und ausführlich Stellung nehmen und Ihre Stellungnahme begründen. Dabei können Sie dem gehörten Beitrag zustimmen oder einen anderen Standpunkt einnehmen. Welche Meinung Sie vertreten, spielt keine Rolle, solange Sie nachvollziehbar argumentieren.
Für diese Sprachhandlungen verwenden Sie entsprechende Redemittel.

Argumente wiedergeben	Mein Kommilitone / Meine Kommilitonin hat gesagt / hat erklärt / behauptet / findet / ist der Meinung / …
Stellung nehmen	Ich bin mit der Aussage meines Kommilitonen (nicht / nur zum Teil) einverstanden. • Das sehe ich genauso / aber etwas anders. • Ich teile seine Ansicht (nicht / nicht ganz). • Ich bin auch / nicht dieser Meinung. • Ich finde / glaube das auch / nicht. • Meiner Meinung nach trifft das (nicht / nicht ganz) zu. • Ich halte das für richtig / falsch. • Diesem Argument stimme ich völlig zu / kann ich nur teilweise zustimmen. • Diesem Argument muss ich widersprechen. • Mir erscheint das etwas fraglich. • Ich kann mir nicht vorstellen, dass … • Ich kann dieser Argumentation nicht folgen.
begründen	weil • da • denn • daher • deshalb • deswegen • aus diesem Grund • nämlich

2. a **Notieren Sie in Stichpunkten zu jedem Argument in Übung 1 Ihre Stellungnahme mit Begründung.**

Wählen ab 16

Argument 1: ____________________

____

Argument 2: ____________________

____

Argument 3: ____________________

____

Steuern auf ungesunde Lebensmittel

Argument 1: ____________________

____

Argument 2: ____________________

____

Argument 3: ____________________

____

b **Formulieren Sie nun Ihre Stellungnahme zu den Argumenten in Übung 1.**

Hinweis: Die Wiedergabe der Argumente und die dazugehörige Stellungnahme können Sie auf verschiedene Weise strukturieren: Eine Möglichkeit ist, zuerst alle drei Argumente zu nennen und im Anschluss daran zu allen Argumenten Stellung zu nehmen. Eine andere Möglichkeit ist, jeweils ein Argument zu nennen und die Stellungnahme direkt daran anzuschließen.
Probieren Sie aus, mit welcher Struktur Sie besser zurechtkommen. Zeitsparender ist die zweite Methode, weil Sie dabei die Argumente nicht zu wiederholen brauchen. Vorteilhaft an der zweiten Variante ist außerdem, dass immer Klarheit besteht, auf welches Argument Sie sich gerade beziehen.

In der Prüfung sollen Sie nach der Stellungnahme zum Diskussionsbeitrag Ihren eigenen Standpunkt erläutern und begründen.
Dafür benutzen Sie wieder angemessene Redemittel.

eigenen Standpunkt darlegen	Meiner Meinung / Ansicht nach … • Ich bin der Meinung / Ansicht … • Ich finde / glaube / denke … • Ich bin mir sicher … • Ich bin davon überzeugt … • Bei dieser Frage erscheint mir besonders wichtig … • Ich kann nur betonen … • Das Entscheidende ist für mich …
begründen	weil • da • denn • daher • deshalb • deswegen • aus diesem Grund • nämlich

3. a **Notieren Sie in Stichpunkten Ihren eigenen Standpunkt mit Begründung zu den beiden Themen.**

Wählen ab 16

____

____

Steuern auf ungesunde Lebensmittel

____

____

b Formulieren Sie nun Ihren Standpunkt zu beiden Themen.

72 **4. a Hören Sie den Diskussionsbeitrag zum Thema „Privates Sponsoring von öffentlichen Universitäten" und notieren Sie in Stichpunkten die Argumente.**

Tipp: Lassen Sie in der Prüfung auf Ihrem Notizpapier unter jedem notierten Argument Platz für die Notizen für Ihre Stellungnahme.

Argument 1: ____________________

Argument 2: ____________________

Argument 3: ____________________

b **Notieren Sie in Stichpunkten zu jedem Argument in Übung 4. a Ihre Stellungnahme mit Begründung.**

Tipp: Achten Sie beim Hören auf Redemittel zur Aufzählung, wie *außerdem, darüber hinaus, hinzukommt, dass*. Diese Wörter können Ihnen helfen zu erkennen, wann ein neues Argument beginnt.

____

____

____

c **Notieren Sie in Stichpunkten Ihren eigenen Standpunkt mit Begründung.**

____

____

____

73 d **Hören Sie den Sprechimpuls. Geben Sie die Argumente in eigenen Worten wieder und nehmen Sie dazu Stellung. Legen Sie Ihren eigenen Standpunkt dar und begründen Sie ihn. Sprechen Sie etwa zwei Minuten.**

74 **5. a Hören Sie einen Diskussionsbeitrag zum Thema „Einführung einer Kindergartenpflicht" und notieren Sie in Stichpunkten die Argumente.**

Argument 1: ____________________

Argument 2: ____________________

Argument 3: ____________________

75 b **Hören Sie die Wiedergabe der Argumente aus dem Redebeitrag in Übung 5. a. Was wurde fehlerhaft wiedergegeben? Notieren Sie.**

Argument 1: ____________________

Argument 2: ____________________

Argument 3: ____________________

c **Notieren Sie in Stichpunkten zu jedem Argument in Übung 5. a Ihre Stellungnahme mit Begründung.**

____

____

____

76 d **Hören Sie den Sprechimpuls. Geben Sie die Argumente in eigenen Worten wieder und nehmen Sie dazu Stellung. Sprechen Sie etwa eine Minute und 30 Sekunden.**

Beispielaufgabe mit Lösungshinweisen

- Bei diesem Aufgabentyp handelt es sich um eine integrierte Aufgabe, bei der zwei Kompetenzen miteinander verbunden sind.
- Sie sollen gehörte Argumente mit eigenen Worten wiedergeben und zu jedem Argument Stellung nehmen. Außerdem sollen Sie Ihren eigenen Standpunkt nennen und begründen.
- Sie sprechen über ein gesellschaftspolitisches Thema.
- Der Gesprächskontext ist ein Seminar oder eine Diskussionsveranstaltung an der Hochschule.
- Sie sprechen mit mehreren Personen, die Ihnen bekannt, aber nicht vertraut (Seminar) bzw. nicht bekannt (Diskussionsveranstaltung) sind.
- Sie verwenden einen neutralen bis formellen Sprachstil.
- Sie haben eine Minute und 30 Sekunden Vorbereitungszeit. Die Sprechzeit beträgt zwei Minuten.

Hinweis: Sehen Sie sich auf der Webseite des TestDaF-Instituts die Modellaufgaben an.

So gehen Sie vor:

Hören der Aufgabe

- Die **Aufgabenstellung** wird Ihnen vorgelesen und Sie können dabei mitlesen.
- In der **Situationsbeschreibung** wird das Thema genannt, über das im Seminar bzw. in der Diskussionsveranstaltung diskutiert wird und zu dem der Kommilitone sich in einem Redebeitrag äußert.

Redebeitrag hören

- Nach dem Vorlesen der Aufgabe hören Sie den Diskussionsbeitrag eines Kommilitonen / einer Kommilitonin. In dem Beitrag werden in der Regel drei Argumente genannt, die entweder Zustimmung oder Ablehnung gegenüber dem in der Veranstaltung diskutierten Thema zum Ausdruck bringen.
- **Notieren** Sie die **Argumente in Stichpunkten**. Lassen Sie auf Ihrem Notizpapier unter jedem Argument Platz, damit Sie sich Notizen für Ihre Stellungnahme machen können.

77 1. **Hören Sie den Redebeitrag des Kommilitonen und notieren Sie dabei die drei Argumente.**

In Ihrem sozialwissenschaftlichen Seminar diskutieren Sie heute über das Thema „Bedingungsloses Grundeinkommen". Ein Kommilitone äußert sich zu diesem Thema. Ihre Dozentin, Frau Dr. Stark, bittet Sie, zu der Äußerung Stellung zu nehmen.

Geben Sie die Argumente Ihres Kommilitonen wieder und nehmen Sie Stellung zu seinen Argumenten. Begründen Sie Ihren eigenen Standpunkt zum Thema.

Vorbereitungszeit

- Nach dem Diskussionsbeitrag haben Sie eine Minute und 30 Sekunden Zeit, um Ihre Antwort vorzubereiten.
- **Überlegen** Sie, was Sie auf die drei **Argumente Ihres Kommilitonen erwidern** wollen, und **notieren** Sie Ihre **Stellungnahme** zu jedem Argument in Stichworten.
- **Überlegen** Sie, welche **eigene Meinung** Sie zu dem diskutierten Thema vertreten, und notieren Sie Ihren persönlichen **Standpunkt** in Stichworten.
- Schreiben Sie leserlich und strukturieren Sie Ihr Notizpapier übersichtlich.

Wichtig: Sie müssen **jedes Argument wiedergeben** und **zu jedem Argument** gesondert **Stellung nehmen.**

Sprechzeit

- Sobald der Sprechimpuls endet, beginnen Sie zu sprechen. Achten Sie darauf, Ihren ersten Satz passend zum Sprechimpuls zu formulieren.
- Orientieren Sie sich an Ihren Notizen, während Sie antworten.

- **Sprechen** Sie **nicht zu schnell** und achten Sie auf eine **deutliche Artikulation**. Versuchen Sie, möglichst natürlich zu klingen.
- Berücksichtigen Sie die Kommunikationssituation: Sie sind Teilnehmer bzw. Teilnehmerin an einem Seminar bzw. einer Diskussionsveranstaltung an der Hochschule und sprechen mit Ihren Kommilitonen. Verwenden Sie keine umgangssprachlichen Formulierungen.
- **Geben** Sie **in eigenen Worten** die **Argumente** Ihres **Kommilitonen wieder.** Schlüsselbegriffe aus dem Redebeitrag dürfen Sie in Ihrer Antwort übernehmen.
- **Tragen** Sie **zu jedem Argument** Ihre **Stellungnahme vor** und **begründen** Sie sie.
- **Erläutern** Sie danach Ihren **eigenen Standpunkt** zum Thema und **begründen** Sie ihn.
- In der Prüfung zeigt Ihnen eine Zeitanzeige auf dem Bildschirm, wie viel Zeit Sie noch für Ihre Antwort zur Verfügung haben. 10 Sekunden vor dem Ende der Sprechzeit färbt sich die Zeitanzeige rot.

78 2. **Hören Sie nun den Sprechimpuls und formulieren Sie Ihre Antwort. Sprechen Sie etwa zwei Minuten. Nehmen Sie Ihre Antwort auf.**

Nach dem Sprechen

Hören Sie Ihre Antwort noch einmal an und beurteilen Sie:

- Sind Sie von der Aussprache her gut zu verstehen?
- Kann man Ihnen gedanklich gut folgen?
- Haben Sie in Ihrer Antwort alle Argumente Ihres Kommilitonen wiedergegeben und dazu Stellung genommen?
- Haben Sie Ihren Widerspruch bzw. Ihre Zustimmung explizit und ausführlich dargelegt?
- Haben Sie Ihren eigenen Standpunkt deutlich gemacht und diesen begründet?
- Haben Sie innerhalb der Sprechzeit Ihre Antwort vollständig abgeschlossen?

So kommen Sie zu Ihrer Antwort:

1. Wichtige Informationen in der Situationsbeschreibung identifizieren

Die Situationsbeschreibung nennt Ihnen das Thema, über das im Seminar gesprochen wird und um das es im Redebeitrag des Kommilitonen geht. In diesem Fall handelt es sich um das Thema „Bedingungsloses Grundeinkommen".

2. Diskussionsbeitrag hören und Argumente notieren

So könnten die Notizen aussehen:

1. Automatisierung → viele Menschen keine Arbeit, bedingungsloses G. gegen soziale Konflikte
2. G. leicht zu finanzieren, Roboter arbeiten, schaffen Wohlstand
3. mit G. freiwillig arbeiten, sich selbst verwirklichen

3. Stellungnahme und Standpunkt überlegen, Stichwörter notieren

So könnten die Notizen aussehen:

Stellungnahme:
1. nur Geld zahlen keine Lösung, bisher Leben durch Arbeit strukturiert, neue Lebensweise entwickeln
2. Großteil der Bevölkerung arbeitet weiter, Steuerzahler finanzieren G.
3. G. wäre niedrig, muss trotzdem weiterarbeiten, höheres G. nicht realistisch

Eigener Standpunkt:
Arbeit besser bezahlen → weniger arbeiten → mehr Zeit für Selbstentfaltung
Arbeit nicht nur Geld verdienen → soziale Integration, Aufgabe
Nicht alle gut selbst organisieren, sinnvoll beschäftigen

4. Mögliche Lösung:

Ja, vielen Dank. Mein Kommilitone hat erklärt, dass wegen der fortschreitenden Automatisierung bald viele Menschen keine Arbeit mehr finden würden und ein bedingungsloses Grundeinkommen sozialen Konflikten vorbeugen könnte. Das sehe ich allerdings anders. Bisher war das Leben der meisten Menschen durch Arbeit strukturiert. Wenn dieser Teil des Lebens in Zukunft wegfallen sollte, würde es notwendig werden, dafür einen Ersatz zu finden und eine neue Lebensweise zu entwickeln. Es wäre nicht genug und nicht die Lösung des Problems, einfach nur Geld an jeden zu zahlen. Mein Kommilitone hat auch behauptet, dass ein Grundeinkommen leicht zu finanzieren sein werde, da Roboter und Maschinen für uns arbeiten und Wohlstand schaffen würden. Mit dieser Aussage bin ich ebenfalls nicht einverstanden. Es ist eine Illusion, zu glauben, dass in Zukunft der Reichtum nur noch von Maschinen erzeugt wird und wir keine menschlichen Arbeitskräfte mehr brauchen werden. Der größte Teil der Bevölkerung wird auch weiterhin arbeiten müssen und Steuern zahlen. Die Steuerzahler und nicht die Roboter würden das Grundeinkommen finanzieren. Abschließend hat mein Kommilitone noch gesagt, dass alle Menschen durch ein Grundeinkommen die Möglichkeit hätten, sich frei zu entfalten und freiwillig die Arbeit zu wählen, die ihnen gefalle. Mir erscheint das etwas fraglich. Um sich selbst zu verwirklichen, braucht man finanzielle Freiheit. Das Grundeinkommen wäre aber so niedrig, dass man nicht davon leben könnte. Man müsste trotzdem weiterarbeiten. Für ein höheres Grundeinkommen müsste man die Steuern stark erhöhen, was nicht realistisch ist. Ich persönlich halte ein Grundeinkommen deshalb für keine gute Idee. Meiner Meinung nach wäre es sinnvoller, die Arbeit besser zu bezahlen. Auf diese Weise könnten die Menschen es sich finanziell leisten, weniger Stunden pro Woche zu arbeiten. Dadurch hätten sie mehr Zeit, sich zu entfalten und ihren persönlichen Interessen nachzugehen. Arbeit dient außerdem nicht nur dem Geldverdienen. Es bedeutet auch sozial integriert zu sein und hat die Funktion, den Menschen eine Aufgabe zu geben. Man könnte zwar versuchen, solche Strukturen ohne Arbeit zu schaffen. Ich glaube aber nicht, dass alle Menschen sich selbst gut organisieren könnten und sich mit etwas Sinnvollem beschäftigen würden. Zu viel Freizeit kann auch schädlich sein, wenn man sie nicht gut nutzt. Ein bedingungsloses Grundeinkommen hätte daher meiner Ansicht nach mehr negative als positive Auswirkungen.

Maßnahmen kritisieren

- Bei diesem Aufgabentyp sprechen Sie als Vertreter / Vertreterin einer Studierendengruppe.
- Sie sollen Kritik an einer Ankündigung oder einer neuen Maßnahme äußern, die eine negative Folge für die Studierenden nach sich ziehen würde. Anschließend sollen Sie alternative Vorschläge machen.

Vorübungen

Sie sollen im Kontext einer offiziellen Veranstaltung ein neues Vorhaben kritisieren und Ihren Standpunkt begründen. Dabei sprechen Sie nicht für sich allein, sondern als Vertreter / Vertreterin einer Gruppe. Dementsprechend können Sie keine persönlichen Argumente zur Begründung anführen, sondern nur solche, die auf die Allgemeinheit der Studierenden zutreffen.

1. **Lesen Sie die Ankündigung und markieren Sie die Argumente, die zur Begründung Ihrer Kritik angemessen sind.**

Änderung beim Hochschulsport:
Um die Gesundheit der Studierendenschaft zu verbessern, soll der Hochschulsport ausgebaut werden. Zur Finanzierung des größeren Sportangebots wird die Universität die Gebühren für die Teilnahme von 30 Euro pro Semester auf 150 Euro pro Semester erhöhen.

Argumente:

- ◯ **1.** Auf vielen Studierenden lastet schon ein großer finanzieller Druck.
- ◯ **2.** Meine Eltern geben mir ab nächstem Semester kein Geld mehr.
- ◯ **3.** Die Kostenerhöhung hätte den gegenteiligen Effekt.
- ◯ **4.** Ich habe gerade meinen Nebenjob verloren und kann mir die Gebühr nicht leisten.
- ◯ **5.** Weniger Studierende würden Sport treiben.
- ◯ **6.** Mein Fitnesscenter ist billiger als 150 Euro pro Halbjahr.
- ◯ **7.** Die Gesundheit der Studierenden würde sich verschlechtern.
- ◯ **8.** Körperliche Fitness ist die Voraussetzung für geistige Fitness.
- ◯ **9.** Ohne den Zumba-Kurs kann ich nicht gut lernen.
- ◯ **10.** Sport trainiert den Körper und das Gehirn.

Da Sie in einer offiziellen Veranstaltung sprechen, ist es erforderlich, Höflichkeitskonventionen zu beachten. Bedanken Sie sich zu Beginn Ihres Redebeitrags dafür, dass man Ihnen das Wort erteilt. Verwenden Sie einen formellen Sprachstil.
Um zu betonen, dass Sie stellvertretend für eine Gruppe reden, können Sie Ihre Kritik und Ihre Alternativvorschläge z. B. in der 1. Person Plural formulieren.

kritisieren	… ist unserer Ansicht nach nicht akzeptabel. • … können wir Studierenden nicht zustimmen. • … können wir nicht akzeptieren. • … lehne ich im Namen der Studierendenschaft ab. • Gegen … ist einzuwenden … • … hätte negative Folgen für / eine negative Auswirkung auf … • … würde sich gegen die Interessen der Studierenden richten. • Wir Studierenden sind gegen diese Maßnahme / gegen dieses Vorhaben.
begründen	denn • daher • deshalb • aus diesem Grund • da • weil
Argumente verbinden	erstens • zweitens • außerdem • darüber hinaus • nicht zu vergessen ist • hinzukommt • schließlich

2. **Kritisieren Sie die Ankündigung in Übung 1 und begründen Sie Ihre Kritik. Verwenden Sie passende Argumente aus Übung 1 und gegebenenfalls weitere Argumente. Sprechen Sie etwa 45 Sekunden.**

Nachdem Sie Ihre Kritik vorgebracht und begründet haben, sollen Sie konkrete Vorschläge zur Lösung des Problems unterbreiten. Dafür benutzen Sie höfliche Formulierungen unter Verwendung des Konjunktivs II.

vorschlagen	Als Alternative wäre … denkbar. • Unserer Meinung nach wäre es vorzuziehen … • Eine bessere Möglichkeit wäre unserer Ansicht nach … • Eine andere Lösung dafür wäre … • Es wäre zu überlegen, ob … • Was würden Sie davon halten, dass … • Unser Vorschlag wäre … • Wir würden gerne vorschlagen … • Wie wäre es, wenn … • Die Universität / Hochschule sollte …

3. Lesen Sie die alternativen Vorschläge zur Ankündigung in Übung 1 und ergänzen Sie die Lücken mit den Elementen im Schüttelkasten.

Zusätzlich wäre auch zu überlegen | Auf diese Weise | So hätten alle Studierenden eine Chance | Wir würden uns sehr freuen | Unserer Meinung nach wäre es vorzuziehen

Daher würden wir gerne eine Alternative vorschlagen. (1) ______________________________, nicht die Teilnahmegebühr insgesamt zu erhöhen, sondern sie vom jeweiligen Kurs abhängig zu machen. (2) ______________________________ würde jeder nur die Kurse bezahlen, die er besuchen möchte. (3) ______________________________, das Sportangebot zu nutzen, und niemand würde aus finanziellen Gründen von der Teilnahme am Hochschulsport ausgeschlossen. (4) ______________________________, mehr Sportstudierende als Kursleiter zu beschäftigen. Dadurch könnten die Kosten für die Kurse reduziert werden und die Gebühren bräuchten nicht so stark zu steigen. (5) ______________________________, wenn die Hochschule ihr Vorhaben noch einmal hinterfragen und eine für die Studierenden freundlichere Lösung finden würde.

79 **4. Hören Sie nun drei mögliche Antworten zur geplanten Änderung beim Hochschulsport. Welche sind angemessen? Warum (nicht)?**

	Angemessen?	Warum (nicht)?
Antwort 1		
Antwort 2		
Antwort 3		

5. a Lesen Sie die Ankündigung und machen Sie Notizen für Ihre Kritik mit Begründung. Formulieren Sie dann Ihre Antwort. Sprechen Sie etwa 45 Sekunden.

Beachten Sie bitte:
Bei den Verhandlungen zwischen dem Verkehrsverbund und der Universität konnte keine Einigung bezüglich der angekündigten Preiserhöhung beim Semesterticket um 50 % erzielt werden. Daher wird das Semesterticket ab dem nächsten Jahr abgeschafft.

Kritik mit Begründung: ______________________________

____

Tipp: Verwenden Sie in der Prüfung etwa die Hälfte der Sprechzeit auf die Kritik mit Begründung und die Hälfte auf die Alternativvorschläge. Beide Teile der Aufgabe sind gleich wichtig.

b Machen Sie Notizen für alternative Vorschläge zur Lösung des Problems. Formulieren Sie dann Ihre Antwort. Sprechen Sie etwa 45 Sekunden.

Alternative Vorschläge: ______________________________

____

Beispielaufgabe mit Lösungshinweisen

Hinweis: Sehen Sie sich auf der Webseite des TestDaF-Instituts die Modellaufgaben an.

- Bei diesem Aufgabentyp sollen Sie eine Ankündigung, eine neue Maßnahme oder einen Vorschlag kritisieren und Ihren Standpunkt begründen. Danach sollen Sie Alternativvorschläge machen.
- Sie sprechen über ein allgemeines Thema aus dem Hochschulbereich.
- Der Gesprächskontext ist eine Diskussions- oder Informationsveranstaltung an der Hochschule oder einer anderen öffentlichen Einrichtung. Sie sprechen als Vertreter / Vertreterin einer Gruppe von Studierenden.
- Sie sprechen mit mehreren Personen, die Ihnen nicht bekannt sind.
- Sie verwenden einen formellen Sprachstil.
- Sie haben eine Minute und 30 Sekunden Vorbereitungszeit. Die Sprechzeit beträgt eine Minute und 30 Sekunden.

So gehen Sie vor:

Hören der Aufgabe

- Die **Aufgabenstellung** wird Ihnen in der Prüfung vorgelesen und Sie können dabei mitlesen.
- In der **Situationsbeschreibung** wird der allgemeine Bereich genannt, in dem eine Änderung stattfinden soll. In der Arbeitsanweisung bekommen Sie einen genaueren Hinweis auf die erwarteten alternativen Vorschläge.

Vorbereitungszeit

- Sobald das Vorlesen der Aufgabe abgeschlossen ist, wird der Text mit dem konkreten Vorhaben eingeblendet, das Sie kritisieren und zu dem Sie Alternativen vorschlagen sollen.
- Lesen Sie die Ankündigung bzw. den Vorschlag sorgfältig.
- **Überlegen** Sie, welche **negativen Konsequenzen** das Vorhaben für viele Studierende haben würde und welche Argumente man dagegen anführen könnte. **Notieren** Sie Ihre **Kritik** in Form von Stichwörtern.
- **Überlegen** Sie anschließend, welche konkreten **alternativen Vorschläge** Sie machen können, um das Problem zu lösen bzw. um die Situation zu verbessern. **Notieren** Sie Ihre **Ideen** in Form von Stichwörtern.

1. **Lesen Sie die Aufgabenstellung. Nehmen Sie sich danach eine Minute und 30 Sekunden Zeit, um Ihre Antwort vorzubereiten.**

Sie haben auf der Internetseite Ihrer Hochschule gelesen, dass die Anerkennung von Studienleistungen aus dem Ausland verändert werden soll. Auf einer Informationsveranstaltung wird über das Vorhaben gesprochen. Sie vertreten eine Studierendengruppe und möchten sich zu dem Thema kritisch äußern.

Äußern Sie die Kritik der Studierendengruppe an der geplanten Maßnahme.
Begründen Sie diese Position.
Sagen Sie, wie die Anerkennung von im Ausland erbrachten Studienleistungen geregelt werden könnte.

Beachten Sie bitte:
Die während eines Auslandssemesters erworbenen Kreditpunkte können ab dem nächsten Semester nicht mehr anerkannt werden, da die erbrachten Studienleistungen zu wenig vergleichbar sind. Auslandsaufenthalte der Studierenden sind aber selbstverständlich weiterhin erwünscht.

Sprechzeit

- Sobald der Sprechimpuls endet, beginnen Sie zu sprechen. Achten Sie darauf, Ihren ersten Satz passend zum Sprechimpuls zu formulieren.
- Orientieren Sie sich an Ihren Notizen, während Sie antworten.
- **Sprechen** Sie **nicht zu schnell** und achten Sie auf eine **deutliche Artikulation**. Versuchen Sie, möglichst natürlich zu klingen.
- Berücksichtigen Sie den Kontext: Sie sprechen bei einer offiziellen Veranstaltung im Namen einer Gruppe von Studierenden.
- Formulieren Sie Ihre **Kritik sachlich** und **nachvollziehbar** und **begründen** Sie sie. Erläutern Sie Ihre **Vorschläge ausführlich** und **schlüssig**.
- In der Prüfung zeigt Ihnen eine Zeitanzeige auf dem Bildschirm, wie viel Zeit Sie noch für Ihre Antwort zur Verfügung haben. 10 Sekunden vor dem Ende der Sprechzeit färbt sich die Zeitanzeige rot.

80 2. **Hören Sie nun den Sprechimpuls und formulieren Sie Ihre Antwort. Sprechen Sie etwa eine Minute und 30 Sekunden. Nehmen Sie Ihre Antwort auf.**

Hinweis: Die Ankündigung bleibt während der gesamten Sprechzeit eingeblendet.

Nach dem Sprechen

Hören Sie Ihre Antwort noch einmal an und beurteilen Sie:

- Sind Sie von der Aussprache her gut zu verstehen?
- Kann man Ihnen gedanklich gut folgen?
- Haben Sie Ihre Kritik klar vorgetragen und gut begründet?
- Sind Ihre Vorschläge folgerichtig und ausführlich genug?
- Sind die Redemittel und der Wortschatz angemessen für die Situation?
- Haben Sie innerhalb der Sprechzeit Ihre Antwort vollständig abgeschlossen?

So kommen Sie zu Ihrer Antwort:

1. Wichtige Informationen in der Situationsbeschreibung und in der Ankündigung identifizieren

Aus der Situationsbeschreibung erfahren Sie, in welchem Bereich eine Änderung stattfinden soll. In diesem Fall geht es um die Anerkennung von Studienleistungen aus dem Ausland.
Die Arbeitsanweisung sagt Ihnen, worauf Sie sich bei den alternativen Vorschlägen fokussieren sollen. Hier sollen Sie Vorschläge machen, wie man die Anerkennung regeln könnte.

2. Ideen für Kritik und Alternativvorschläge sammeln, Stichwörter notieren

So könnten die Notizen aussehen:

Kritik:
Internationaler Austausch wichtig, Studierende sollen ins Ausland gehen → fehlende Anerkennung widerspricht dem Ziel
unfair gegenüber Kommilitonen im Ausland
Auslandserfahrung von Arbeitgebern erwünscht, Auslandssemester nicht bestrafen

Vorschläge:
Anerkennungssystem mit Partneruniversitäten überarbeiten
Studiengänge gemeinsam entwickeln → ähnliche Veranstaltungen, Inhalte besser vergleichbar

3. Mögliche Lösung:

Ich danke Ihnen, dass Sie mir das Wort erteilen. Das Vorhaben der Universität ist unserer Meinung nach nicht akzeptabel und auch nicht sinnvoll. Denn internationaler Austausch und Kontakte mit anderen Ländern sind sehr wichtig. Außerdem ist der Wunsch der Universität, dass die Studierenden ins Ausland gehen und sich international qualifizieren. Studienleistungen aus dem Ausland nun nicht mehr anzuerkennen würde diesem Ziel widersprechen. Darüber hinaus wäre es unfair, die Anerkennung nun plötzlich zu beenden. Denn viele unserer Kommilitonen sind jetzt gerade im Ausland und verlassen sich darauf, dass ihre Klausuren und Hausarbeiten danach zu Hause angerechnet werden. Hinzu kommt noch ein weiterer Punkt: Auslandserfahrung ist von vielen Arbeitgebern erwünscht. Studierende, die ein oder mehrere Semester im Ausland studieren, sollten nicht benachteiligt oder bestraft werden. Das wäre aber der Fall, falls sich wegen der fehlenden Anerkennung ihr Studium verlängern würde. Ein Ende der Anerkennung lehnen wir Studierenden daher ab. Da die Fakultät Auslandsaufenthalte immer noch befürwortet, muss sie diese folglich auch unterstützen. Unser Vorschlag wäre daher, die Anerkennung auf keinen Fall einzustellen, sondern das System Schritt für Schritt zu überarbeiten. Die Universität sollte mit den Partneruniversitäten gemeinsam festlegen, welche Studienleistungen anerkannt werden. Es wäre außerdem zu überlegen, ob Studiengänge zusammen mit den ausländischen Universitäten entwickelt werden könnten. Das hätte den Vorteil, dass an den verschiedenen Hochschulen ähnliche Veranstaltungen angeboten würden und die Studieninhalte besser vergleichbar wären.

Lesen (Aufgabentyp 1) – Lückentext ergänzen

Vorübungen

1. a Analyse, Annahme, Anwendung, Apparat, Auswirkung, Daten, Einfluss, Erforschung, Ergebnis, Erkenntnis, Folge, Forscher, Fortschritt, Gerät, Grundlage, Hypothese, Innovation, Labor, Methode, Nachweis, Patent, Proband, Resultat, Studie, Theorie, Ursache, Verfahren, Versuch, Versuchsperson, Wahrscheinlichkeit, Wissenschaftler

annehmen, ausführen, auswerten, beeinflussen, durchführen, entdecken, entwickeln, erkennen, erleichtern, ermöglichen, experimentieren, feststellen, forschen, herausfinden, konstruieren, nachvollziehen, nachweisen patentieren, revolutionieren, vermuten, widerlegen

bekannt, berühmt, erfinderisch, erfolgreich, hilfreich, innovativ, praktisch

1. b 1. Forscher, Wissenschaftler 2. Studie, Erforschung 3. Nachweis 4. Hypothese 5. Erkenntnis 6. Methode, Verfahren 7. Resultat 8. Proband, Versuchsperson

2. 1. a) gesammelt b) ausgewertet c) gewinnen 2. a) hinterfragen b) widerlegen c) bestätigen 3. a) anwenden b) anpassen c) eingeführt 4. a) aufgestellt b) vertreten c) erklärt

3. 1a), 2a), 3a), 4a), 5b), 6b), 7a), 8a), 9b)

4. (1) Furcht (2) Diese Störung (3) erfolgreich (4) dargelegt (5) Behandlung (6) Erhebung der genauen Ängste, … (7) Einschränkungen (8) sonst (9) aufgeklärt (10) erfolgt (11) setzen sich dabei immer stärker Reizen aus (12) bestimmen

Beispielaufgabe mit Lösungshinweisen

1 a, 2 b, 3 c, 4 a, 5 b

Lesen (Aufgabentyp 2) – Textabschnitte ordnen

Vorübungen

1. a *Grammatische Mittel:* Schmerzmittel → es, zunächst → später; *Lexikalische Mittel:* Wirkstoff Salicin → Substanz → Verbindung, Aspirin → Schmerzmittel → Erfindung aus Deutschland; *Logische Verbindungen:* künstlich → in chemisch reiner und haltbarer Form zu synthetisieren, gelang lange Zeit nicht → Durchbruch, zunächst als Pulver → ein Jahr später in Tablettenform → wird zum Exportschlager → entwickelt sich zu einem der meistverkauften und besterforschten Arzneimittel

1. b Abschnitt A: Einführung des Themas: Salicin, Abschnitt B: Künstliche Herstellung von Salicin funktioniert nicht, Abschnitt C: Künstliche Herstellung funktioniert, Abschnitt D: Künstlich hergestelltes Salicin wird Medikament, Abschnitt E: Medikament verbreitet sich

2. a 1D Weiter, 2C Dennoch, 3F dieser Charakterzug, 4B Nun, 5A diese Lernmethode, 6E Er

2. b *Mögliche Lösung:* Text 1: Die Ernährung der Kelten, Text 2: Therapieformen gegen Leukämie, Text 3: Neigung zum Aufschieben genetisch bedingt, Text 4: Unsichere Stromversorgung in Deutschland, Text 5: Funktioniert die Methode ‚Schreiben nach Gehör'? Text 6: Antiker Brief gibt interessante Einblicke

3. a Abschnitt 1: Ob sich der Schlaf von Frühgeborenen im späteren Leben von dem Gleichaltriger unterscheidet, Abschnitt 2: Daran nehmen rund 180 Probanden teil, Abschnitt 3: Ergebnisse der ersten Studienwelle, Abschnitt 4: Bekannt ist zudem, Abschnitt 5: Die Studie läuft derzeit in der dritten Welle; Die Frage für die Forschenden ist nun

3. b Wortfeld Schlaf: häufiger erwachen, weniger tief schlafen, Tendenz zu Schlafschwierigkeiten; Wortfeld Frühgeborene: vor der 32. Schwangerschaftswoche geboren, die frühgeborenen Kinder, Frühchen, zu frühe Geburt; Wortfeld Studie: Langzeitstudie, Probanden, Ergebnisse der ersten Studienwelle, die Teilnehmenden, Wissenschaftler, Studie läuft in der dritten Welle, die Forschenden

3. c *Mögliche Lösung:* Abschnitt 1: Fragestellung der Studie, Abschnitt 2: Versuchspersonen, Abschnitt 3: Ergebnisse der ersten Studienwelle, Abschnitt 4: weitere Ergebnisse, Abschnitt 5: Fragestellung der dritten Studienwelle

3. d *Mögliche Lösung:* Hat eine frühe Geburt Auswirkungen auf den Schlaf?

Beispielaufgabe mit Lösungshinweisen

1 d, 2 b, 3 e, 4 a, 5 c

Lesen (Aufgabentyp 3) – Multiple Choice

Vorübungen

1. 1. c), 2. e), 3. a), 4. f), 5. d), 6. b)

2. 1. b), 2. a), 3. b), 4. a)

3. a) Beim Destillationsverfahren entsteht eineinhalb Mal mehr Lauge als gewonnenes Wasser. b) Es gibt nur zwei Verfahren zur Meerwasserentsalzung. d) Das Destillationsverfahren belastet die Umwelt mehr, es verbraucht mehr Energie und dabei entsteht mehr Abfalllauge. f) Die Salze werden immer durch die Membran zurückgehalten.

4. *Mögliche Lösung:* Hauptaussage: Schiffe fördern die gefährliche Ausbreitung von Bioinvasoren.

5. d); a) erwähnt nicht den wichtigen Faktor Schiffe, b) und e) sind positiv formuliert, Bioinvasion ist aber ein negatives Phänomen, c) ist neutral formuliert, es fehlt der negative Aspekt

6. c); a) Der Textabschnitt spricht über die Rolle privat genutzter Schiffe, nicht über kommerziellen Schiffsverkehr, b) Die neue Studie untersucht Schiffe, dieser wichtige Aspekt fehlt, d) Es gibt eine neue Studie über das Phänomen, diese wichtige Information fehlt, e) Die Studie untersucht die Rolle von Schiffen bei Bioinvasion, diese wichtige Information fehlt

7. *Mögliche Lösung:* Jährliche Rumpfreinigung stoppt Bioinvasion nicht

8. 1. Er erklärt damit, warum diese Pflanze überlebt, während andere Pflanzen sterben. Es geht um extreme Trockenheit. Jakobskreuzkraut kann mit wenig Wasser überleben. 2. Ursache: extreme Trockenheit, Folge: bewachsene Flächen fallen brach, Folge: das Kreuzkraut kann sich ansiedeln 3. In Deutschland ein Überwachungsprogramm für Kreuzkräuter einzuführen, so wie es das auch im englischsprachigen Raum gibt. 4. Durch das Verständnis, das für die Verwaltung gezeigt wird, diese würde durch ein Überwachungsprogramm nämlich stark belastet. 5. Die Vergiftung ist ein langsamer Prozess, dadurch steigt das Risiko, dass die Vergiftung zu lange Zeit übersehen wird. 6. Wenn sie leben, sind sie weniger gefährlich für Tiere, da sie dann Bitterstoffe enthalten und die Tiere sie deshalb nicht fressen. Wenn sie getrocknet sind, sind sie gefährlicher, da sie dann keine Bitterstoffe mehr enthalten und gefressen werden. 7. Menschen, sie essen Honig und trinken Kräutertee. 8. In der konventionellen Landwirtschaft, da man dort chemische Unkrautvernichter einsetzen darf. 9. Er will darauf aufmerksam machen, dass diese Pflanzen nicht nur gesundheitsschädlich sein können, sondern auch wirtschaftlich schädlich.

9. A: Jakobskreuzkraut breitet sich bei extremer Trockenheit aus, B: keine Überwachungsprogramme für Kreuzkräuter, wäre zu aufwändig für Verwaltung, C: Kreuzkräuter können tödlich für Pferde und Rinder sein, sind getrocknet besonders gefährlich, D: Giftstoffe von Kreuzkräutern in Honig, Tees und Wildkräutern entdeckt, E: Wasserkreuzkraut besonders für Biolandwirte auch wirtschaftliches Problem

10. Hauptanliegen des Textes ist es, auf die zunehmende Verbreitung und Gefahr von Kreuzkräutern aufmerksam zu machen.

Beispielaufgabe mit Lösungshinweisen

1. d), 2. d), 3. a), 4. c), 5. d), 6. b), 7. c)

Kommentierte Lösungen zu Frage 6 und 7

Frage 6: Schlüsselwörter: „Ähnlichkeiten", „Vormenschen", „Schimpansen"; „Affen", „gleiches Verhalten", „Vormenschen"; „Neue Erkenntnisse", Paviane", „Orang-Utans"; „Stillen", „Orang-Utans", „Gorillas"

Um die passende Überschrift zu finden, betrachten Sie den Inhalt des kompletten Abschnitts und überlegen, welches die zentralen Informationen sind. Die wichtigste Information ist hier, dass die Forscher bei zwei heute lebenden Affenarten, nämlich bei Orang-Utans und Pavianen, das gleiche Stillverhalten beobachten, das auch die schon vor langer Zeit ausgestorbenen Australopitheceten hatten. Das wird durch Antwortoption b zum Ausdruck gebracht. Antwortoption a ist falsch, da Schimpansen nicht das gleiche Stillverhalten wie Australopitheceten zeigen. Antwortoption c passt auch nicht, da zum einen nicht im Text steht, dass die Erkenntnisse über Paviane und Orang-Utans neu sind. Vor allem aber fehlt in dieser Überschrift die wichtigste Information des Textabschnitts, nämlich die Ähnlichkeit zwischen diesen Affenarten und den Vormenschen. Aus diesem Grund passt auch Überschrift d nicht – die Hauptinformation des Abschnitts fehlt.

Frage 7: Schlüsselwörter: „Ähnlichkeiten", „Menschenaffen", „Menschen", „aufzeigen"; „Zahnanalyse", „vorstellen"; „Erkenntnisse", „Aufziehen", „Kindern", „Vormenschen", „mitteilen"; „Lebensbedingungen", „Vormenschen", „informieren"

Wie Sie bereits wissen, bezieht sich Frage 7 immer auf die Hauptaussage des gesamten Textes. Zur Beantwortung dieser Frage müssen Sie also den Text in seiner Gesamtheit betrachten und überlegen, was das hauptsächliche Ziel des Textes ist. Achten Sie dabei auch auf die Überschrift des Textes, da sie dort einen Hinweis auf das wesentliche Thema des Textes finden. Bei diesem Text lautet die Überschrift „Warum Vormenschen-Kinder lange gestillt wurden". Das zeigt Ihnen schon, dass die Kinder der Vormenschen und die Ernährung der Kinder ein wichtiges Thema sind. Im Text bekommen Sie dann zahlreiche Informationen darüber, wie die Vormenschen-Kinder in den ersten Lebensjahren ernährt wurden und mit welchen Untersuchungsmethoden die Forscher zu diesen Erkenntnissen gelangt sind. Diese verschiedenen Aspekte kommen in Antwortoption c zum Ausdruck. Die anderen Antwortoptionen passen weniger gut, da in ihnen nicht diese wesentlichen Aspekte enthalten sind.

Lesen (Aufgabentyp 4) – Sprachhandlungen zuordnen

Vorübungen

1. a Es steht zwar außer Zweifel; Allerdings lässt sich einwenden; Man sollte sich daher bewusst sein; Bedenken sollte man außerdem; Das macht es schwierig; ist ... durchaus zu beklagen; Es wäre daher wünschenswert

1. b 1a), 2a), 3b), 4a), 5b), 6a), 7b), 8a)

1. c *prognostizieren:* ist zu erwarten; *vermuten:* Wahrscheinlich, Es könnte sein, Man kann davon ausgehen; *warnen:* Es ist dringend davon abzuraten; *kritisieren:* ist zu verurteilen, ist verfehlt; *ablehnen:* Ich kann mir nicht vorstellen, Ich halte es für undenkbar; *appellieren:* Wir rufen dazu auf; *empfehlen:* Ich schlage vor, ist zu raten, Ich plädiere für, Es ist am besten; *wünschen:* Mir wäre es lieber, Es wäre daher wünschenswert; *begrüßen:* heiße ich willkommen; *verteidigen:* ist nicht verwerflich; *bedauern:* Es ist schade, ist durchaus zu beklagen; *zweifeln:* Es ist fraglich, Tatsächlich ist es fragwürdig; *relativieren, abwägen:* Allerdings lässt sich einwenden, Man sollte sich daher bewusst sein, Bedenken sollte man, zwar ... aber; *überzeugt sein:* Es ist unbestritten, Es ist fraglos, steht außer Frage, Es steht außer Zweifel; *überrascht sein:* Es ist erstaunlich

2. a 1. a) empfehlen b) appellieren 2. a) begrüßen b) wünschen 3. a) prognostizieren b) warnen c) vermuten 4. a) zweifeln b) kritisieren c) ablehnen

2. b 1. a) und b) Gemeinsamkeit: sagen, dass jemand etwas machen soll; Unterschied: *empfehlen* ist schwächer; *appellieren* ist stärker 2. a) und b) Gemeinsamkeit: von etwas Positivem sprechen; Unterschied: man *begrüßt* etwas, das bereits existiert oder geplant ist / man *wünscht sich* etwas, das noch nicht existiert 3. a), b) und c) Gemeinsamkeit: sich über etwas Zukünftiges äußern (Vermutungen kann man allerdings über die Vergangenheit, Gegenwart und Zukunft anstellen); Unterschied: *prognostizieren* ist neutral, man kann etwas Gutes oder Schlechtes vorhersagen; *warnen* bezieht sich immer auf etwas Negatives; *vermuten* ist auch neutral, es gibt aber weniger Sicherheit bei der Aussage 4. a), b) und c) Gemeinsamkeit: etwas nicht annehmen, sich distanzieren; Unterschied: *zweifeln* und *kritisieren* sind schwächer als *ablehnen* – *ablehnen* bedeutet eine totale Verweigerung

3. 1. a), 2. c), 3. b)

Beispielaufgabe mit Lösungshinweisen

1 d), 2 f), 3 c), 4 a)

Lesen (Aufgabentyp 5) – Aussagen Kategorien zuordnen

Vorübungen

1. 1. a), 2. c)

2. a) F, b) R, c) R, d) F, e) F, f) R, g) R

3. gedrucktes Buch: 3., 5., 8.; E-Book: 1., 2., 7., 10., 11., 12.; nicht im Text: 4., 6., 9., 13.

4. Mit der zunehmenden Zahl der Weltbevölkerung ist zu beobachten, dass auch die Bevölkerungszahl in den Städten wächst. Für diese Tatsache ist eine Reihe von Gründen verantwortlich. Zwar ist das Leben auf dem Land ruhiger und die Luft ist besser (3), aber es gibt auch weniger Arbeitsmöglichkeiten (7). Das liegt zum einen daran, dass vor allem in den sogenannten Entwicklungsländern immer mehr Maschinen in der Landwirtschaft eingesetzt werden, aber zum anderen auch daran, dass es auf dem Land wenig Geschäfte, Banken oder Dienstleistungsbetriebe gibt, die Mitarbeiter benötigen. Trotz der schlechteren Luft in der Stadt, des Verkehrslärms und der Verkehrsdichte zieht es deshalb die Menschen in die Stadt.

Allgemein wird behauptet, dass das Leben auf dem Land weniger anonym als in der Stadt ist, weil im Dorf jeder jeden kennt. Doch auch in den Stadtvierteln der großen Städte ist zunehmend zu beobachten, dass sich soziale Netzwerke ausbilden, sodass die Menschen einander besser kennenlernen (2). Daneben bieten die Städte aber auch sehr viele Freizeitmöglichkeiten wie Theater, Kinos, Museen, Gaststätten usw. Nicht zu vergessen ist auch die Tatsache, dass es eine bessere medizinische Versorgung gibt, weil viele niedergelassene Ärzte Spezialisten sind (4) und auch viele Krankenhäuser zur Verfügung stehen. Zudem gibt es in den Städten bessere Ausbildungsmöglichkeiten (1). Stadtkinder haben die Wahl zwischen vielen verschiedenen Schulen, während es im Dorf meist nur eine einzige Schule gibt., sodass die Kinder und Jugendlichen, die eine weiterführende Schule, z. B. ein Gymnasium besuchen möchten, oft sehr lange Strecken mit dem Bus in die nächste Stadt zurücklegen müssen.

(5) Relevante Textstelle: *Stadtkinder haben die Wahl zwischen vielen verschiedenen Schulen, während es im Dorf meist nur eine einzige Schule gibt., sodass die Kinder und Jugendlichen, die eine weiterführende Schule, z. B. ein Gymnasium besuchen möchten, oft sehr lange Strecken mit dem Bus in die nächste Stadt zurücklegen müssen.* – Aussage 5 passt nicht: Falsch an dem Item ist, dass die Schüler *immer* lange Schulwege haben; es geht aber nur um die Kinder, die weiterführende Schulen besuchen.

(6) Relevante Textstelle: *Daneben bieten die Städte aber auch sehr viele Freizeitmöglichkeiten wie Theater, Kinos, Museen, Gaststätten usw.* – Aussage 6 passt nicht: Man kann vermuten, dass es auf dem Land weniger Freizeitmöglichkeiten gibt, die Textstelle bezieht sich aber auf die Städte.

Beispielaufgabe mit Lösungshinweisen

1. KG, 2. passt nicht, 3. beide, 4. GmbH, 5. passt nicht, 6. beide, 7. passt nicht

Lesen (Aufgabentyp 6) – Aussagen einem Begriffspaar zuordnen

Vorübungen

1. a) Argument – Begründung b) Maßnahme – Schwierigkeit c) Anforderung – Schwierigkeit d) Anforderung – Schwierigkeit e) Problem – Lösung f) Ursache – Wirkung g) Maßnahme – Wirkung h) Problem – Lösung

2. 1. b), 2. b), 3. a), 4. b), 5. b)

3. b

Beispielaufgabe mit Lösungshinweisen

1 g/h; 2 g/h; 3 a/b; 4 a/b

Lesen (Aufgabentyp 7) – Fehler in Zusammenfassung erkennen

Vorübungen

1. 50 %: die Hälfte; 33 %: ein Drittel; 75 %: drei Viertel; 98 %: fast alle, so gut wie jeder; 3 %: fast niemand, ein verschwindend geringer Anteil; 47 %: knapp die Hälfte, fast die Hälfte; 54 %: mehr als die Hälfte, gut die Hälfte; 37 %: mehr als ein Drittel, gut ein Drittel, ein gutes Drittel; 66 %: zwei Drittel

2. 1 e; 2 a; 3 e; 4 b; 5 d; 6 c; 7 d

3. (1) An erster Stelle … steht (2) gefolgt von (3) sind sehr beliebt (4) stehen im Mittelfeld (5) gut die Hälfte der Befragten (6) bildet … das Schlusslicht (7) nicht vorkommen

4. a Die vorliegende Grafik mit dem Titel „Top 10 der schönsten Urlaubsreisen" zeigt, in welchem Land die Befragten ihre schönste Urlaubsreise verbracht haben. <u>Die Angaben sind in absoluten Zahlen.</u> Der Spitzenreiter ist Deutschland, hier gaben 17,9 % der Befragten an, ihre schönste Urlaubsreise verbracht zu haben, <u>dicht gefolgt von Italien mit 7,5 %. Im Mittelfeld liegen die Türkei und Frankreich mit 3,5 bzw. 4,3 %. Ägypten und Kroatien stehen an der letzten Stelle</u>: Nur 2,3 bzw. 2 % nannten diese Ziele.

4. b 1. Fehler: Die Angaben sind in Prozent. 2. Fehler: Es müsste heißen „dicht gefolgt von Spanien mit 8%". 3. Fehler: Es müsste heißen: „Im Mittelfeld liegen die Türkei und Frankreich mit 4,3 bzw. 3,5 %", sonst würde der Leser den Ländern die falsche Prozentzahl zuordnen. 4. Fehler: Es müsste heißen „Ägypten und Kroatien stehen an den letzten Stellen", sonst würde es bedeuten, dass beide dieselbe Prozentzahl haben.

Beispielaufgabe mit Lösungshinweisen

Falsch sind: 2, 4, 7

Hören (Aufgabentyp 1) – Übersicht ergänzen

Vorübungen

1. a) ist in Berlin / wirbt um Forschungsgelder (für das neue Labor) b) Medizin c) 11.30 Uhr d) Hörsaal 8 e) sich vorbereiten (auf das Thema Aneurysma) f) (planmäßig) nächste Woche

2. 1b; 2b; 3a; 4c

3. Julia: Informationsmaterial (vom Bundesumweltamt) anfordern; Hanne: Infomaterial sichten und den Vortrag halten; Jennifer: Bilder / Fotos suchen; Arne: Präsentation erstellen

4. 2.2. Auswirkungen auf menschliche Gesundheit; 3.1. Nachteile; 3.2. Vorteile; 4. Mögliche Maßnahmen: z. B. hitzebeständige Getreidesorten züchten

5. 1. … ist sehr vielversprechend. 2. S. schreibt eine Doktorarbeit zum Thema … 3. Am Montag findet die Marketing-Übung nicht statt. 4. A. hält einen Vortrag zum Thema … 5. … stellt … vor.

Beispielaufgabe mit Lösungshinweisen

(1) London / Großbritannien / England; (2) Zimmer kündigen; (3) allgemeine Didaktik; (4) englischer Literaturwissenschaft; (5) einen Italienischkurs

Hören (Aufgabentyp 2) – Textstellen zu Begriffspaar notieren

Vorübungen

1. *die eigene Meinung äußern:* 1, 3, 15; *eine Annahme äußern*: 5, 6, 7, 17, 21; *eine Beobachtung wiedergeben:* 4, 8, 10, 13; *eine Forderung formulieren:* 11, 14, 16; *eine Ursache nennen:* 2, 9, 18; *ein Problem benennen:* 12, 19, 20

2.

	begründet eine Forderung / Maßnahme	begründet eine Annahme	nennt ein Beispiel	schlussfolgert etwas	nennt ein Ziel
Sprecher 1	x				
Sprecher 2			x		
Sprecher 3		x			
Sprecher 4	x				
Sprecher 5				x	
Sprecher 6				x	
Sprecher 7					x

3.

Substantiv (+ Artikel)	Verb (+ Präposition) + Kasus oder Funktionsverbgefüge	Adjektiv oder Partizip
die Ursache	verursachen + Akk.	ursächlich
die Folge	zur Folge haben + Akk.	folglich
die Maßnahme	Maßnahmen ergreifen	-
die Forderung	fordern + Akk.	fordernd
die Auslösung	auslösen + Akk.	auslösend
die Beobachtung	beobachten + Akk.	beobachtend
das Beispiel	ein Beispiel geben	beispielsweise
die Möglichkeit	ermöglichen + Akk. / eine Möglichkeit aufzeigen	möglich / möglicherweise
die Begründung	begründen + Akk.	begründend
die Schlussfolgerung	schlussfolgern / eine Schlussfolgerung ziehen	schlussfolgernd
die Behauptung	behaupten + Akk.	behauptend
die Annahme	annehmen	annehmend
die Vermutung	vermuten + Akk.	vermutlich
das Argument	argumentieren	argumentierend
die Kritik	kritisieren + Akk. / Kritik üben / Kritik äußern	kritisierend / kritisch

4. a) Es gibt noch einen weiteren Grund für die Aggressivität: Viele Eltern verwenden Lob und Strafe falsch, denn sie loben ihre Kinder nicht, wenn sie etwas Gutes gemacht haben, zum Beispiel eine Bitte erfüllt haben, aber wenn die Kinder ihrer Meinung nach etwas falsch gemacht haben, bestrafen sie sie. Oft wirken die Strafen dann nicht mehr, oder müssen gesteigert werden. Wieder andere Eltern sind süchtig nach Alkohol oder Drogen und schaffen es darum nicht, ihre Kinder zu erziehen. b) Es gibt viele Studierende, die der Meinung sind, dass das Semesterticket, das automatisch mit dem Semesterbeitrag bezahlt wird, abgeschafft werden soll. Wenn sie mit dem Rad zur Universität fahren oder zu Fuß gehen, bezahlen sie für etwas, das sie gar nicht nutzen. c) Die Mitarbeiter des Studierendenwerks denken, ungeachtet eventueller studentischer Proteste, auf ihrer monatlichen Konferenz darüber nach, ob es sinnvoll ist, einen „fleischlosen Tag" in der Mensa einzuführen. Sie wollen damit einen Beitrag zum Umweltschutz leisten, denn durch die Fleischproduktion entsteht sehr viel Methan, das das Klima schädigt. d) Viele Krankenkassenmitglieder plädieren dafür, dass Menschen, die gefährliche Sportarten wie zum Beispiel Extrem-Bergsteigen, Bungeespringen oder Fallschirmspringen treiben, höhere Beiträge für die Krankenversicherung zahlen sollen. Damit soll das höhere Risiko abgedeckt werden, das sie für die Krankenkassen darstellen. e) Statistiken belegen, dass die Kriminalitätsrate in großen Städten wesentlich höher ist als auf dem Land. Reizüberflutung, eine höhere Bevölkerungsdichte und allgemein höhere Preise machen die Menschen aggressiver.

5. b) denn, Zweifel – Begründung c) weil, Argument – Begründung d) Da, Forderung – Begründung e) weil, Meinung – Begründung f) Ursache – Folge g) damit, Meinung – Begründung h) wodurch, Ursache – Folge

Beispielaufgabe mit Lösungshinweisen

Herr Lindemann: *Forderung:* Raucher sollen höhere Krankenkassenbeiträge zahlen. *Argument:* Raucher verursachen höhere Kosten; Fr. Dr. Sauer: *Forderung:* Anteil von Zigarettenpreis an Krankenkasse zahlen. *Argument:* Personen, die viel rauchen, bezahlen dann automatisch mehr.

Hören (Aufgabentyp 3) – Fehler in Zusammenfassung erkennen

Vorübungen

1. a 1. Auf dem in Potsdam veranstalteten Ärztekongress hielt Professor Dr. Scheider einen sehr interessanten Vortrag zum Thema „Neue Techniken bei der Nierentransplantation". 2. Der 14. Juli 1789 ist jener Tag, an dem in Paris der Sturm auf die Bastille stattfand und damit die Französische Revolution begann. 3. Im Grunde genommen hat der Politiker recht, wenn er fordert, eine Steuer auf ungesunde Lebensmittel nach dem Beispiel von Dänemark zu erheben. 4. Wenn man sich Statistiken anschaut, bemerkt man, dass in ländlichen Regionen heutzutage immer weniger Menschen wohnen als früher. 5. Als Grund für seine Forderung, das Licht von Straßenlaternen in der Nacht abzuschalten, nannte der Redner die Tatsache, dass durch das Licht viele Insekten stürben. 6. Der Politiker begründete seine ablehnende Haltung zu einer Steuererhöhung damit, dass eine solche zu sozialen Ungerechtigkeiten führen würde. 7. Durch neuartige Infrarotscanner kann der über das duale System gesammelte Abfall besser sortiert und dadurch auch besser recycelt werden.

1. b *Mögliche Notizen:* 2. 14. Juli 1789: Sturm auf die Bastille, Beginn Französische Revolution 3. Zu Recht gefordert: Steuer auf ungesunde Lebensmittel 4. Statistiken: in ländlichen Regionen immer weniger Menschen als früher 5. Forderung: Straßenlaternen nachts abschalten. Grund: durch Licht sterben viele Insekten 6. Politiker lehnt Steuererhöhung ab. Grund: führt zu sozialen Ungerechtigkeiten 7: neuartige Infrarotscanner: Abfälle besser sortieren und recyceln

2. Hörbeispiel 1: a) richtig b) falsche Information: ein Großteil der Kakaopflanzen; Hörbeispiel 2: a) richtig b) falsche Information: Das kann aber nur funktionieren, wenn sich das kulturelle Erbe und die sozialen Strukturen denen der Industrienationen anpassen.; Hörbeispiel 3: a) falsche Information: die Mehrheit der Kinder b) richtig; Hörbeispiel 4: a) falsche Information: Vor allem durch Plastikabfälle, die direkt in den Ozeanen entsorgt werden, bilden sich in den Meeren Inseln aus Plastik. b) richtig; Hörbeispiel 5: a) richtig b) falsche Information: … kommt der Verbrennungsmotor zum Einsatz, der an den sogenannten Stromzapfsäulen aufgeladen werden muss

3. Hörbeispiel 1: a), Hörbeispiel 2: b), Hörbeispiel 3: c)

Beispielaufgabe mit Lösungshinweisen

Mögliche Notizen: Zunehmender Lichtsmog: negative Folgen für Mensch und Tier; Folgen für Menschen: blaues LED-Licht hält wach (da ähnlich wie Tageslicht), Melatonin (= Schlafhormon) wird nur in der Dunkelheit produziert → chronische Schlafstörungen; Folgen für Tiere: Rhythmus- und Orientierungsstörungen bei Vögeln und Insekten, Beispiel: „Staubsaugereffekt" bei Straßenlaternen; Weltatlas der Lichtverschmutzung: jährl. Anstieg beleuchteter Flächen, Gründe: immer mehr LED-Lichter (da günstig und effizienter), immer hellere LED-Lampen

Erste falsche Information in der Zusammenfassung: Wir leben dann zwar nicht gegen unsere innere Uhr, …; Zweite falsche Information in der Zusammenfassung: … eine Minderheit der Weltbevölkerung …

Hören (Aufgabentyp 4) – Aussagen Personen zuordnen

Vorübungen

1.

Zustimmung	Teilweise Zustimmung	Ablehnung
Das stimmt. Sie haben recht. Da stimme ich Ihnen zu. In diesem Punkt gebe ich Ihnen recht. Ganz genau so ist es!	Es könnte sein, dass Sie recht haben, aber es ist auch zu bedenken, dass … Möglicherweise stimmt das, aber ich gebe zu bedenken, dass …	Da bin ich anderer Ansicht. Ich halte Ihre Ansicht für fragwürdig. Glauben Sie wirklich, dass das der Fall ist? Ich hingegen bin der Auffassung, dass … Naja, aber in der Regel ist es doch so, dass … Nun, da bin ich anderer Meinung. In diesem Punkt irren Sie sich. Meinen Sie nicht, dass Sie auch berücksichtigen sollten, dass …?

2. 1. a); 2. b); 3. b), 4. b)

3.

Gespräch	1	2	3	4
eine Meinung äußern		x		
appellieren	x			
etwas begründen			x	
einer Meinung widersprechen				x

Beispielaufgabe mit Lösungshinweisen

Aussage 1: Herr Hansen, Aussage 2: beide, Aussage 3: Frau Dr. Melchior, Aussage 4: Herr Hansen, Aussage 5: keiner, Aussage 6: beide

Hören (Aufgabentyp 5) – Gliederungspunkte zu Vortrag ergänzen

Vorübungen

1. a) hat keine Aussagekraft, b) ist optimal, c) ist zu lang

2. 1. Vögel und Säugetiere 2. Amphibien und Reptilien: als Haus- und Zootiere gehandelt, Vögel und Säugetiere: Vermarktung als Produkt 3. mit über 3000 weiteren Spezies zukünftig gehandelt, fast 9000 Arten in ihrer Existenz bedroht 4. mit lokalen Gemeinden in betroffenen Gebieten zusammenarbeiten, bessere internationale Abkommen nötig

3. 1. Spezialisierung auf Schriftzeichen nachteilig für andere Fähigkeiten wie Verarbeitung von Gesichtern 2. Gruppe 1: Analphabeten, die sechs Monate lesen und schreiben lernten, Gruppe 2: Analphabeten, die keine Schulung im Schreiben hatten, Gruppe 3: Menschen, die lesen und schreiben konnten 3. Netzwerke im Gehirn veränderten sich, hatte keine negative Folge für andere Gehirnfunktionen 4. beim Erkennen von Buchstaben und komplexen Objekten ähnliche Hirnnetze aktiviert 5. wie genau sich Gehirn beim Lesenlernen umstrukturiert, welche Unterschiede dabei zwischen Kindern und Erwachsenen

4. 1. 36 Stunden Verzicht auf feste Nahrung, 12 Stunden essen ohne Beschränkungen 2. abnehmen, verändert Stoffwechsel nachhaltig, beugt Erkrankungen vor 3. potenzielle Langzeitrisiken des Intervallfastens aufdecken 4. vierwöchiges Fasten: 3,5 Kilogramm Gewicht verloren, einige biologische Werte positiv verändert, sechsmonatiges Fasten: keine erheblichen Nebenwirkungen, Kontrollgruppe: 200 Gramm abgenommen 5. hat keine andere Form des Fastens durchgeführt

5. Eine Variante davon ist das sogenannte alternierende Fasten, das einem 48stündigen Rhythmus folgt. Dabei verzichtet man 36 Stunden lang auf feste Nahrung und ernährt sich in dieser Zeit nur von Gemüsebrühe, Wasser und ungesüßtem Tee. In den folgenden zwölf Stunden darf man dagegen ohne Beschränkungen alles essen, was man will.

6. 1. Dinge, die anders sind als vorhergesagt 2. Man muss selbst einen Entscheidungsprozess durchlaufen. 3. Übertrag von einer kognitiven Leistung auf andere fällt aus 4. Geschwindigkeit, in der Gehirn Informationen verarbeitet / Verknüpfungen innerhalb des Gehirns

7. 1. Was wir besonders gut lernen können 2. das aktive Lernen 3. Lerntechniken wie Gehirnjogging versprechen übrigens wenig Erfolg. … Das heißt … 4. Ein wichtiger Teil von Intelligenz ist …, scheinen … von großer Relevanz zu sein

8. 1. dient als Warnsignal 2. Rolle der individuellen Sensibilität für Bitterstoffe für Vorliebe oder Abneigung gegenüber Kaffee 3. Lebensweise, Gesundheit, Verbrauch bestimmter Genussmittel 4. Diejenigen, die empfindlicher für die Bitterstoffe von Koffein waren, tranken mehr Kaffee. 5. Positive Verstärkung spielt eine Rolle. / Die Menschen haben gelernt, dass Bitternote mit positiven Wirkungen verbunden ist.

9. Besonders wichtig ist in diesem Zusammenhang das Bittere. … An diesem Punkt kommt der Kaffee ins Spiel. … Ich möchte Ihnen nun von einer aktuellen Studie zu diesem Thema berichten. … Das Ergebnis war dann eine Überraschung. … Was aber bedeutet das? …

Beispielaufgabe mit Lösungshinweisen

1. Sprachenlernen muss unter ähnlichen Bedingungen erfolgen wie beim Muttersprachenerwerb. 2. Erwachsene verfügen über mehr und differenziertere Strategien für das Lernen. 3. Defizite im Bereich der Intelligenz / psychische Störungen / Verfall der Moral 4. arbeiten mit sehr wenigen Probanden

Hören (Aufgabentyp 6) – Multiple Choice

Vorübungen

1. gleich sind 1., 2., 4.

2. 1. d), 2. a), 3. b), 4. e), 5. c)

3. 1. a); 2. a), c); 3. a), b); 4. a), b)

4. 2. und 4. entsprechen dem Textinhalt. 1. Unsere Hypothese dabei ist, dass Erfolg nicht primär auf Talent oder IQ beruht, sondern auf anderen Eigenschaften, die wir mit dem Begriff «Grit» bezeichnen. 2. Aber Talent ist keine Garantie für Exzellenz und daher aus unserer Sicht überbewertet. 3. Wie alle anderen Persönlichkeitsmerkmale ist Grit genetisch wie auch sozial geprägt. 4. Die Forschung zeigt, dass Menschen am besten vorankommen, wenn der Charakter multidimensional geprägt ist, also auf der Ebene von Herz, Geist und Willen.

5. 1. a) Eine aktuelle Langzeitstudie zeigt nun, dass auch schon bei jüngeren Menschen die Geschwindigkeit beim Gehen die körperliche und geistige Fitness widerspiegelt. 2. b) … motorische, Intelligenz- und Sprachtests. Die Probanden, die mit drei Jahren am schlechtesten abgeschnitten hatten, waren nun am langsamsten zu Fuß. 3. b) Anhand der vielen Ergebnisse errechneten die Forscher, dass die langsamsten Testpersonen im Vergleich zu den schnellsten um bis zu fünf Jahre schneller gealtert waren. 4. b) Etwaige Schäden rechtzeitig zu bemerken – und idealerweise zu beheben –, könnte helfen, Krankheiten wie Alzheimer zu verhindern.

6. 1. b), 2. c), 3. a), 4. a)

7. 1. …, ist aber durchaus verständlich. 2. Das macht nichts, … 3. … unüberblickbaren Scharen … eine Verzerrung der wissenschaftlichen Realität. 4. Daher wäre es wohl klüger …; Allerdings …; Es wäre deshalb schade …

8. 1. c) Die Regelstudienzeit wird hier wie dort um rund die Hälfte überschritten. Ihr nominell vierjähriges Bachelor-Studium absolvieren die amerikanischen Studierenden … im Durchschnitt in 6,2 Jahren, an privaten in 5,3 Jahren. In Deutschland sieht die Situation ähnlich aus. Die Studierenden sollten ihr Bachelor-Studium üblicherweise nach sechs Semestern abgeschlossen haben … 2. b) fiel der Anteil im vergangenen Jahr auf 36,6 Prozent zurück; waren es über 33 Prozent; 11,7 Prozent

9. 1. b) Dieses scheint auf den ersten Blick gewaltig; Doch schon kurz nach der Veröffentlichung der Studie regte sich unter Klimawissenschaftlern Kritik; Andere Wissenschaftler bezweifeln das Potenzial; Manche Kritiker zweifeln sogar die Zahlen der Studie an; Umstritten ist allerdings; Deshalb sollten wir keine zu großen Erwartungen haben 2. a) Doch es fehlen Aussagen darüber; Dennoch ist das Fazit einer Übersichtsstudie aus dem Jahr 2014: Entgiftungsdiäten sind zu wenig untersucht; vor allem fehlen Humanstudien, um eine Wirksamkeit nachzuweisen

10. *Mögliche Lösung*: Damit Vorwissen hilft, einen Text besser zu verstehen, muss es umfangreich genug sein.

Beispielaufgabe mit Lösungshinweisen

1 d), 2 c), 3 b), 4 b), 5 d)

Kommentierte Lösung zu Frage 5

Schlüsselwörter: „Hauptziel“, „Empfehlungen“, „empathisches Verhalten“; „kontroverse Ansichten“, „Empathie“, „vorstellen“; „Möglichkeiten“, „Steigerung“, „empathischen Fähigkeiten“, „aufzeigen“; „Empathie“, „informieren“

Frage 5 bezieht sich immer auf den gesamten Hörtext. Um diese Frage zu beantworten, müssen Sie also den Inhalt des ganzen Vortrags bzw. der ganzen Vorlesung berücksichtigen und überlegen, welches Ziel der Sprecher oder die Sprecherin dabei hat. Achten Sie besonders auf die Verben bzw. die Nomen-Verbindungen in den vier Antwortoptionen, da sie unterschiedliche kommunikative Ziele zum Ausdruck bringen.

In ihrem Vortrag beschreibt die Sprecherin, welche verschiedenen Formen von Empathie es gibt, welche Unterschiede man bei Frauen und Männern feststellen kann und wie die Fähigkeit zur Empathie sich im Alter verändert. Die Sprecherin informiert uns also über das Thema der Empathie. Das entspricht Antwortoption d. Die Antwortoptionen a und c passen nicht, da die Sprecherin nicht die Absicht zeigt, das Verhalten der Zuhörerinnen und Zuhörer zu beeinflussen – sie stellt vielmehr nur die aktuellen Erkenntnisse aus der Forschung vor. Antwortoption b ist ebenfalls nicht korrekt, da es im Vortrag keinen Hinweis darauf gibt, dass die vorgestellten Erkenntnisse umstritten sind oder darüber Uneinigkeit unter den Forschern besteht.

Hören (Aufgabentyp 7) – Laut- und Schriftbild abgleichen

Vorübungen

1. Beet – Bett, lassen – lasen, Miete – Mitte, Qualen – Quallen, offen – Ofen, bist – Biest, Schaden – Schatten, siezen – sitzen, hoff – Hof, bieten – bitten, muss – Mus, Osten – Ostern, sieden – Sitten, schaffen – Schafen, Höhle – Hölle, Hüte – Hütte, Säge – Säcke

2.

[ɑː] Staat, Hasen, Wahl, Vase, Haken	[a] Stadt, hassen, Wall, hacken
[eː] lesen, Wesen, sehen	[ɛ] Heft, wessen, Kämme, Hemden
[ɛː] ähnlich, Säle, Väter, Nägel	
[iː] riesig, Wiese, schließen	[ɪ] rissig, wissen, richtig
[oː] hohl, Hof, Mond, wohnen, Moos	[ɔ] hoffen, Schloss, voll, Topf, oft
[uː] Flug, Husten, Fuß, Ruhm, Gruß	[ʊ] Druck, Muster, Fluss, Schuss

3. 1. verschieden 2. gleich 3. gleich 4. gleich 5. gleich 6. verschieden 7. verschieden 8. gleich 9. verschieden 10. verschieden

4. 1. wer, wir 2. seht, sieht 3. lieben, leben 4. Fenster, finster 5. liest, lest 6. sprecht, spricht 7. trifft, trefft 8. liegen, legen 9. beten, bieten 10. Stelle, Stille 11. fliehen, flehen 12. Welle, Wille

5. 1. Mohler 2. Mühler 3. Miehler 4. Mehler 5. Meller 6. Miller 7. Müller 8. Möller 9. Moller 10. Muller 11. Muhler

6. können, kennen, küssen, Kissen, Bühne, Biene, Töchter, Tochter, Mütter, Mutter, Bruder, Brüder, lösen, Lose, fühlen, fielen, minder, Münder, wurde, würde, büßen, Bissen, möchte, mochte, schon, schön, gewöhnt, gewohnt

7. 1. ans 2. Haus 3. Elfe 4. hoffen 5. ihr 6. und 7. Hals 8. her 9. hin 10. alt 11. Hast 12. Eis 13. Ende 14. Herde 15. Hort

8. er, ihr, Ohr, Ort, Uhr, für, Kuren, kurz, gern, Wort, Ort, Brot, scharf, Schaf, mir, Meer, jeder, Rasen, Herr, her, Berg, leer, Lehrer, Jahr, vier, wieder, Bier, vorn, vor, wir, Wirt, Spurt, Spur

9. 1. Reise, leise 2. laufen, raufen 3. Rektor, Lektor 4. lang, Rang 5. reiten, leiten 6. hell, Herr 7. alt, Art 8. Wirt, Wild 9. Werk, welk 10. Floh, froh 11. hart, halt 12. Land, Rand

10. 1. jede 2. keiner 3. ehe 4. Lehrer 5. schwerer 6. bitte 7. einfacher 8. fahre 9. lieber 10. schöne 11. jeder 12. keine 13. eher 14. Lehre 15. Schwere 16. bitter 17. einfache 18. Fahrer 19. liebe 20. schöner

11. 1. packen 2. danken 3. Karten 4. Paar 5. Lieder 6. Ober 7. Egge 8. Torf 9. gönnen 10. Bulle 11. Gepäck 12. dick

12. 1. Pass, Bass 2. der, Teer 3. Kunst, Gunst 4. Mandel, Mantel 5. Grenze, Kränze 6. Alpen, Alben 7. begehren, bekehren 8. Seide, Seite 9. Kreis, Greis 10. Boden, Boten 11. rauben, Raupen 12. Tier, dir 13. Brise, Prise 14. Orkan, Organ 15. leider, Leiter

13. 1. ringen 2. Wanne 3. sinnen 4. dringen 5. bang 6. wanken 7. sinken 8. Klinge 9. schlang 10. Lenker 11. fingen 12. Engel 13. Mango 14. Anger 15. Henker

14. 1. Renger, Renker, Renner 2. Sinkbach, Sinnbach, Singbach 3. Tanner, Tanker, Tanger 4. Brong, Bronn, Bronk 5. Brunner, Brunger, Brunker

15. 1. 2. Wort; 2. 1. Wort; 3. 2. Wort; 4. 1. Wort; 5. 1. Wort; 6. 1. Wort; 7. 2. Wort; 8. 2. Wort; 9. 1. Wort; 10. 2. Wort; 11. 1. Wort; 12. 2. Wort; 13. 2. Wort; 14. 2. Wort; 15. 1. Wort; 16. 2. Wort

16. 1. Kirsche, Kirche 2. seelig, seelisch 3. Löcher, Löscher 4. Herrchen, herrschen 5. entwischen, entwichen 6. rußig, russisch 7. Teppich, täppisch 8. feilschen, Veilchen 9. Fichte, fischte 10. brechen, Breschen

17. 1. verschieden: acht, Akt 2. verschieden: Tag, Dach 3. gleich: Loch, Koch 4. verschieden: Bug, Buch 5. gleich: Bach, Nacht 6. verschieden: Schlauch, Schläuche 7. gleich: Fächer, Becher 8. verschieden: Buch, Bücher 9. verschieden: regnen, rechnen 10. verschieden: Pakt, Pacht

18. a 1. fördern 2. Liegst 3. wenn 4. länger 5. Hecke 6. würde 7. Elfte 8. Schwarzwaldtour 9. fühlen 10. keiner

18. b 1. Wir fördern die neuen Studierenden. 2. Liegst du gerne auf dem Sofa? 3. Sag mir Bescheid, wenn du kommen möchtest. 4. In meiner Erinnerung ist die Straße viel länger. 5. Sie steht da drüben an der Hecke. 6. Und wann würde der Computer repariert? 7. Die Elfte habe ich leider nicht geschafft. 8. Zum Geburtstag wünsche ich mir eine Schwarzwaldtour. 9. Es ist wichtig, das richtig zu fühlen. 10. Ich finde es schade, dass keiner gekommen ist.

19. a 1. Bienen 2. zwar 3. erheben 4. Wellen 5. vorwärtstreiben 6. bekannt 7. heben 8. Fortbewegung 9. ans 10. Risiko 11. fallen 12. Denn 13. Pollen 14. Bienenstock 15. erträglichen

19. b Wenn Bienen im Wasser landen, können sie sich zwar nicht wieder in die Lüfte erheben. Mithilfe kräftiger Flügelbewegungen sind sie jedoch in der Lage, Wellen zu erzeugen, die sie vorwärtstreiben. Dabei fungieren die Bienenflügel als Tragflächen, wie sie etwa von Tragflächenbooten bekannt sind. Sie heben den Bienenkörper an und machen eine schnelle Fortbewegung auf dem Wasser möglich. So schaffen die Insekten es, ans rettende Land zu schwimmen.

Das Risiko, auf die Wasseroberfläche zu fallen, steigt für Bienen vor allem an heißen Sommertagen. Denn dann bringen sie neben Pollen und Nektar auch Wasser zum Bienenstock, um die Temperatur dort auf einem erträglichen Niveau zu halten.

20.

Phoneme	Grapheme	Beispiele
ɑː	a, aa, ah	Rad, Staat, Zahn
a	a	Mann
eː	e, ee, eh	Lesen, Tee, Mehl
ɛ	e, ä	Stelle, Kälte
ɛː	ä, äh, ai	schälen, zählen, Training
iː	i, ie, ih, ieh	Igel, Spiegel, ihn, sieh
ɪ	i	Bitte
oː	o, oo, oh, eau	Los, Moos, Sohn, Niveau
ɔ	o, au	von, Chaussee
uː	u, uh, ou	Schule, Schuh, Route
ʊ	u	Mund
yː	ü, üh, y	Lüge, Stühle, Typ
ʏ	ü, y	Gründe, Sylt
øː	ö, öh, oe, eu	schön, Söhne, Goethe, Amateur
œ	ö	zwölf
ə	e	Sitte
ɐ	r, er	er, Winter
aɪ	ei, ai, ey, ay	Reise, Kai, Norderney, Bayern
aʊ	au, oa	Frau, Kakao
ɔɪ	eu, äu	Beute, Mäuse

Phoneme	Grapheme	Beispiele
p	p, pp, b	O**p**er, Tre**pp**e, Hie**b**
b	b, bb	**B**aum, E**bb**e
t	t, tt, dt, th, tth, d	**T**ank, Ri**tt**er, Sta**dt**, **Th**omas, Ma**tth**ias, Hel**d**
d	d, dd	**D**ank, Pa**dd**el
k	k, ck, c, ch, g	**K**lang, Ha**ck**e, **C**oburg, **Ch**arakter, Sar**g**
g	g, gg	**G**ans, Ba**gg**er
f	f, ff, v, ph	**F**reund, A**ff**e, **V**ater, **Ph**iloso**ph**ie
v	w, v	**W**and, **V**ase
s	s, ß, ss, c	Ei**s**, schlie**ß**en, Wa**ss**er, **C**ity
z	s	**S**onne
ʃ	sch, s, ch	**Sch**ule, **S**port, Mat**ch**
ʒ	g, j	Gara**g**e, **J**ournalist
ç	ch, g	i**ch**, ruhi**g**
χ	ch	a**ch**t
j	j, y	**J**oghurt, **Y**acht
ʁ	r, rr, rh	**R**aupe, He**rr**, **Rh**ein
h	h	**H**und
l	l, ll	**L**and, Fa**ll**
m	m, mm	**M**eer, Ha**mm**er
n	n, nn	**N**acht, Gewi**nn**
ŋ	ng, n	Gesa**ng**, Ba**n**k
ks	x, ks, cks, chs	He**x**e, Ke**ks**, Kle**cks**, La**chs**
ts	z, ts, tz, c, zz	**Z**aun, rech**ts**, Wi**tz**, **C**ent, Pi**zz**a
tʃ	tsch, c, ch	Ma**tsch**, **C**ello, Ma**ch**o

Beispielaufgabe mit Lösungshinweisen

Millionen / Billionen; aus / auf; ihnen / innen; mussten / müssten

Schreiben (Aufgabentyp 1) – Argumentativen Text schreiben

Vorübungen

1. a Einleitung: Z. 1-5; Vorteile: Z. 6-8; Begründung mit Beispiel: Z. 8-12; Nachteile: Z. 12-14; Vorschlag: Z. 15; Meinung / Ausblick: Z. 15-16

1. b Vorteile: ... hat das ... viele Vorteile; Nachteile: Aber für ... hat das auch Nachteile; Begründung mit Beispiel: Denn ... zum Beispiel ...; Meinung: Ich denke, ...; Vorschlag: Eine Möglichkeit wäre auch, dass ...

2. a *Mögliche Lösung:* Für einen kostenlosen Zugang spricht: Studierende greifen seltener auf ungeeignete Quellen wie *Wikipedia* zurück. – Gegen einen kostenlosen Zugang spricht: freier Zugang zu Fachartikeln in Universitätsbibliothek und Datenbanken vorhanden; Wissenschaftlerinnen und Wissenschaftler verdienen damit kein Geld.

2. b 2. da 3. denn 4. deshalb 5. sodass 6. trotzdem 7. obwohl 9. falls

2. c *Korrekturen:* Trotzdem ist es im Internet schneller. (Verb steht nach dem Konnektor); ..., sodass die Studierenden seltener auf ungeeignete Quellen wie *Wikipedia* zurückgreifen. (falscher Konnektor); ..., weil sie damit kein Geld verdienen. (Verb steht am Ende)

3. a Studenten haben weder viel Zeit noch Geld. Zwar haben sie auch in der Universitätsbibliothek und in Datenbanken freien Zugang zu Fachartikeln, aber die Suche dort ist oft aufwendiger. Mit einem kostenlosen Zugang zur Fachliteratur im Internet wird nicht nur die Recherche für Referate und Seminararbeiten leichter, sondern die Studierenden greifen auch seltener auf ungeeignete Quellen wie *Wikipedia* zurück. Für die Wissenschaftlerinnen und Wissenschaftler bedeutet das einerseits, dass sie damit kein Geld verdienen, andererseits erreichen sie so mehr Leserinnen und Leser.

3. b 1. nicht nur ... sondern auch 2. weder ... noch 3. einerseits ... andererseits, zwar ... aber

3. c 1. sowohl ... als auch 2. weder ... noch 3. nicht nur ... sondern ... auch 4. andererseits

3. d 1. sowohl ... als auch 2. nicht nur ... sondern ... auch 3. einerseits ... andererseits, weder ... noch

3. e 1. Außerdem; Hinzukommt, dass ...; Ein weiteres Argument für / gegen ist ... 2. Auf der einen Seite ... auf der anderen Seite; Dafür spricht ... Dagegen spricht; Im Gegensatz dazu; Hingegen

4. a Vorteile: 3. ... keine Staus, keine Zugverspätungen / -ausfälle. 4. ... weniger Störung durch Telefonate und Gespräche (entsteht). – Nachteile: 1. ... persönlicher Kontakt und Vertrauen wichtig für gute Teamarbeit (ist). 3. ... (der) Arbeitsplatz kein abgetrennter Ort (ist).

4. b *Mögliche Lösung:* Wenn man von zu Hause arbeitet, spart man sowohl die Anfahrtszeit zur Arbeit als auch evtl. teure Mieten in der Innenstadt, weil es dann keine Rolle spielt, wo man wohnt. Für Menschen, die pendeln müssen, bedeutet das auch keine Staus bzw. Zugausfälle und Verspätungen mehr auf dem Weg zur Arbeit. Außerdem kann man möglicherweise zu Hause konzentrierter arbeiten und schafft mehr, weil man weder durch Telefonate noch durch Gespräche anderer Kollegen gestört wird. Andererseits hat es auch Nachteile, wenn man die Kolleginnen und Kollegen nicht sieht. Denn für gute

Teamarbeit ist persönlicher Kontakt und Vertrauen sehr wichtig. Hinzukommt, dass man evtl. länger auf Antworten per E-Mail warten muss. Im Büro hingegen kann man jemanden bei Fragen direkt ansprechen. Ein weiteres Argument gegen Telearbeit bzw. Homeoffice ist, dass für manche Menschen die Grenze zwischen Arbeit und Privatleben verschwimmt, da ihr Arbeitsplatz nicht mehr getrennt an einem anderen Ort ist.

5. a *Mögliche Lösung:* Ich bin der Meinung, dass Telearbeit für Menschen geeignet ist, die im Team an verschiedenen Aufgaben arbeiten, denn sie müssen sich nur von Zeit zu Zeit über die Ergebnisse austauschen.

5. b *Mögliche Lösung:* Für mich ist es wichtig, dass ich im Studium auch viele neue Menschen kennenlernen kann. Deshalb käme für mich ein Fernstudium nicht in Frage.

6. a In der Einleitung ... steht, warum das Thema heute relevant ist. ... steht, in welchem Kontext die Frage diskutiert wird. ... wird ein aktuelles Beispiel zum Thema aufgegriffen.

6. b Deshalb fordern manche ...; Auch in ... wird das diskutiert ...; Vor diesem Hintergrund wird diskutiert ...

6. c *Mögliche Lösung:* Wenn die Finanzierung aus öffentlichen, also staatlichen, Geldern für Universitäten nicht ausreicht, können sie sich für eine Zusammenarbeit mit privaten Unternehmen entscheiden, um zum Beispiel Forschungsprojekte zu finanzieren. Das bietet Chancen und birgt gleichzeitig Risiken.

7. a *von links nach rechts:* 1 - 2 - 2 - 1 (Der Nebensatz „weil ich das wichtig finde" ist auch eher eine Meinung, weniger eine Begründung. Hier fehlt die Begründung, warum man für die Kooperation ist bzw. warum man sie wichtig findet.)

7. b 1. die Universität 2. die Zusammenarbeit 3. die Firma 4. Kontakt zu Firmen aufnehmen 5. die Forschung, die Studie 6. unabhängig 7. ein Praktikum machen 8. die Ausstattung 9. finanzieren

7. c *Mögliche Lösung:* Positive Aspekte: Einstieg ins Berufsleben leichter, Geld für wissenschaftliches Personal und technisches Equipment, bessere Qualität von Forschung und Lehre; Negative Aspekte: Firmen wollen Gewinne steigern und bieten deshalb finanzielle Hilfe an, Firmen könnten z.B. Forschungsergebnisse beeinflussen, Interessenkonflikte möglich, Universitäten sollten autonom arbeiten können, Bildung ist Ländersache und die Finanzierung ist ihre Aufgabe

7. d *Mögliche Lösung:* ... Mit dem Geld aus der Wirtschaft kann nicht nur wissenschaftliches Personal eingestellt, sondern auch technisches Equipment angeschafft werden. So steigt die Qualität der Forschung und Lehre. Zudem bekommen Studierende die Möglichkeit, in den Firmen erste Berufserfahrung zu sammeln und z.B. durch Praktika wichtige Kontakte in die Arbeitswelt zu knüpfen, was ihnen den Berufseinstieg erleichtert. Auf der anderen Seite besteht die Gefahr, dass die Unternehmen dadurch stärker beeinflussen, woran geforscht wird und z.B. welche Studienergebnisse veröffentlicht werden. Denn Firmen wollen vor allem ihre Gewinne steigern und bieten meist deshalb finanzielle Unterstützung an. Das würde für die Hochschulen einen Interessenkonflikt bedeuten. In Deutschland ist „Bildung Ländersache", d.h. es ist auch Aufgabe der Bundesländer, dafür zu sorgen, dass Universitäten autonom arbeiten können und dafür genug finanzielle Mittel zur Verfügung haben.

7. e *Mögliche Lösung:* Meiner Ansicht nach können Hochschulkooperationen mit Unternehmen sinnvoll sein, aber die Transparenz ist dabei sehr wichtig. Das Studium soll zwar in erster Linie auf den Beruf vorbereiten, aber wirtschaftliche Interessen dürfen nicht vor wissenschaftlichen Erkenntnissen Vorrang haben. Das hätte sonst negative Folgen für die Gesellschaft. Deshalb kommt es darauf an, wie die Zusammenarbeit aussieht.

Schreiben (Aufgabentyp 2) – Informationen aus Lesetext und Grafik zusammenfassen

Vorübungen

1. a Immer wieder missachten Nutzerinnen und Nutzer von E-Rollern diverse Verkehrsregeln. „Viele wissen nicht, wie und wo sie mit den Rollern fahren dürfen"; Wenn E-Scooter-Fahrer Verkehrsregeln brechen, führt das laut Hamburger Polizei auch zu Verkehrsunfällen mit Verletzten. (Deshalb wollen einige Verleiher nun handeln und bieten – wie in einer Fahrschule – Fahrstunden in verschiedenen Städten an.)

1. b 1. zum Vergnügen 2. mehr als die Hälfte 3. aus ökologischen Gründen

2. a 1. die Vorschrift 2. gegen Vorschriften verstoßen 3. die Schulung zu Verkehrsregeln 4. im Internet Fragen zum Thema beantworten 5. am Steuer 6. das Fahrzeug abstellen 7. der Bürgersteig 8. die Fahrerlaubnis

2. b 1. Schulung zu Verkehrsregeln 2. verstoßen … Vorschriften 3. Steuer 4. das Fahrzeug … abstellt 5. Vorschriften

3. a … möchte dabei die Rahmenbedingungen nicht von oben verordnen, sondern die betroffenen Menschen, z. B. Anwohner und Einzelhändler, von der Idee überzeugen.; … in den Innenstädten Parkplätze abgeschafft und dafür Flaniermeilen und Einkaufsstraßen gebaut.; Um den Autofahrerinnen und Autofahrern dennoch Parkmöglichkeiten in der Innenstadt zu bieten, sollen die oft leeren Parkhäuser stärker genutzt werden.; Insgesamt gehe es darum, Anreize zu schaffen, z. B. in Form günstiger Tickets für den öffentlichen Nahverkehr.

3. b 1. F 2. F 3. R

3. c 1e – 2d – 3a – 4b – 5c

3. d 1. … die Stadt die Konditionen nicht diktiert, sondern die Menschen für die Idee gewinnt. 2. … meist ungenutzte Parkhäuser. 3. … sie die Angebote von Bus und Bahn attraktiver machen.

4. a 1. niedriger 2. eine 3. mehr

4. b 1. bei 2. mit 3. zu 4. von 5. um 6. auf

4. c 1. zeigt 2. beträgt 3. steigt 4. liegt

5. 1. sei 2. würden (auch möglich: benutzten) 3. habe 4. könne 5. mache 6. würden (auch möglich: sprächen sich … aus)

6. 1, 4, 7

7. a 1. Demnach 2. Langfristig 3. dafür 4. einem ähnlichen 5. führte das dazu

7. b 2. Demnach können bereits drei Spaziergänge pro Woche einen positiven Effekt auf die Gesundheit haben. 3. … das Stresshormon abgebaut / das Stressniveau gesenkt …

8. a *Mögliche Lösung:* 6 – 3 – 2 – 1 – 4 – 5

8. b 1. So 2. nun auch 3. Aber 4. Ein Grund für 5. Insgesamt

8. c *Mögliche Lösung:* Die Grafik zeigt den Anteil der Menschen, die Online-Angebote von Ärztinnen und Ärzten nutzen oder nutzen wollen. Demnach würde zwar mehr als die Hälfte einen Termin online vereinbaren. Aber nur ca. ein Fünftel (22 %) würde das Angebot einer Online-Sprechstunde wahrnehmen. Und nur knapp jeder Zehnte (9 %) der Befragten würde die digitale Fernuntersuchung (Telemedizin) in Anspruch nehmen. Daran sieht man, dass die meisten Deutschen der Telemedizin eher skeptisch gegenüberstehen.

9. *Mögliche Lösung:* 1. … geht es um Maßnahmen zur Umsetzung der Idee einer autofreien Innenstadt. / … geht es darum, wie Maßnahmen zur Umsetzung der Idee einer autofreien Innenstadt aussehen könnten. 2. … geht es um die Meinung von Ärztinnen und Ärzten und Patientinnen und Patienten zu Telemedizin. / … geht es darum, was Ärztinnen und Ärzte und Patientinnen und Patienten über Telemedizin denken.

Sprechen (Aufgabentyp 1) – Rat geben

Vorübungen

1. Situation 1: c, e; Situation 2: a, d; Situation 3: b, f

a) An deiner Stelle würde ich zuerst mein Studium beenden. b) Wenn ich du wäre, würde ich nicht in eine Großstadt umziehen. c) Ich glaube, es wäre gut, die Wohnung hier nicht aufzugeben. d) Ich finde, du solltest das Angebot annehmen. e) Ich würde dir empfehlen, die Wohnung zu kündigen. f) Ich würde dir raten, zum Studium woanders hinzugehen.

2. 1. Denn 2. Wegen 3. Deswegen 4. da 5. weil

3. 1. empfehlen 2. außerdem 3. Deswegen 4. Stelle 5. Falls

4. a) *Mögliche Lösung*: Ich finde, du solltest das Angebot annehmen. Die Arbeit in der Agentur hat dir doch total Spaß gemacht. Ich habe dich an der Uni noch nie mit so viel Begeisterung gesehen wie bei deinem Praktikum. Und du hast sogar selbst schon gesagt, dass du dich nach dem Studium bei dieser Agentur bewerben willst. Deshalb gibt es da meiner Meinung nach nichts zu überlegen. An deiner Stelle würde ich sofort zusagen. Dann könntest du sofort mit deinem Traumberuf beginnen und müsstest nicht mehr dein langweiliges Studium weitermachen. Das ist doch das Beste, was dir passieren kann. b) *Mögliche Lösung:* An deiner Stelle würde ich zuerst mein Studium beenden. Wenn du das Angebot jetzt annehmen würdest, müsstest du dein Studium abbrechen. Dann hättest du keinen Abschluss und das wäre wirklich schlecht. Was würdest du denn machen, wenn dir in ein paar Jahren die Arbeit in dieser Agentur nicht mehr gefällt? Ohne Abschluss wäre es sehr schwierig, eine andere Stelle zu finden. Außerdem weißt du doch noch gar nicht, ob du wirklich in der Werbebranche arbeiten willst. Ich glaube, in der Psychologie gibt es viele andere Bereiche, die interessanter für dich sein könnten.

5. a) *Mögliche Lösung:* Ich würde dir raten, in Berlin zu studieren. Die Universität dort hat einen guten Ruf und viele Leute träumen davon, dort einen Studienplatz zu bekommen. Du hast es schon geschafft! Außerdem hast du in Berlin eine größere Auswahl an Firmen, in denen du während deines Studiums Praktika machen kannst. In einer von ihnen kannst du vielleicht nach deinem Studium eine Stelle bekommen. Das wäre doch super! Berlin ist auch nicht weit entfernt. Am Wochenende kannst du jederzeit nach Hause fahren und deine Familie besuchen. Wenn ich du wäre, würde ich gar nicht lange überlegen. Such dir lieber dort schon mal eine WG. b) *Mögliche Lösung:* Ich würde dir empfehlen, zum Studium besser hier zu bleiben. Dann kannst du weiter bei deinen Eltern wohnen und brauchst kein Geld für Miete zu zahlen. Du verlierst auch keine Zeit mit Hausarbeit und kannst dich voll aufs Lernen konzentrieren. Außerdem glaube ich nicht, dass es dir in Berlin gefallen würde. Die Stadt ist zu groß und zu laut für dich. Wenn du dort wohnen würdest, könntest du nicht mehr so oft mountainbiken und klettern. Du bist doch immer gerne draußen in der Natur. Also, ich kann mir einfach nicht vorstellen, dass du in einer Großstadt glücklich wirst.

6. Antwort 2: nicht angemessen, zu knapp; Antwort 3: nicht angemessen, zu stockend; Antwort 4: nicht angemessen, zu formell; Antwort 5: Ratschlag angemessen

Sprechen (Aufgabentyp 2) – Optionen abwägen

Vorübungen

1. Markierungen: a) zwar, aber b) Meiner Meinung nach c) Ich bin dagegen, weil d) Ich glaube e) Einerseits, denn f) Andererseits g) Demgegenüber gibt es aber auch negative Aspekte; Aus diesem Grund h) Wir sollten jedoch nicht die Nachteile übersehen; nämlich i) Dafür spricht

Sprachhandlung	Redemittel
Vorteile und Nachteile nennen	dafür spricht; (vorteilhaft ist ...; nachteilig ist ...; gegen / dagegen spricht ...)
Abwägen	zwar ... aber; einerseits ... andererseits; (auf der einen Seite ... auf der anderen Seite); Demgegenüber gibt es aber auch negative Aspekte; Wir sollten jedoch nicht die Nachteile übersehen.
Eigene Meinung sagen	Ich glaube / (finde / denke); Ich bin dagegen / gegen; Meiner Meinung nach; (Ich bin dafür / für)
Begründen	weil; denn; aus diesem Grund; nämlich; (deswegen; deshalb)

2. A 1. Vorteilhaft ist / Dafür spricht 2. Auf der einen Seite / Einerseits; Auf der anderen Seite / Andererseits 3. Nachteilig ist / Dagegen spricht 4. Einerseits / Auf der einen Seite; Andererseits / Auf der anderen Seite 5. Für ... spricht 6. Wir sollten jedoch nicht die Nachteile übersehen. / Demgegenüber gibt es aber auch negative Aspekte. B 1. Ich finde / denke / glaube; Deswegen / Deshalb / Aus diesem Grund 2. finde; Deswegen / Deshalb / Aus diesem Grund 3. Meiner Meinung nach 4. gegen

3. a

Vorteile	Nachteile
weniger Unfälle; bessere Luftqualität; verringerte Lärmbelastung; weniger Stau; Energie sparen; Mobilität für alle	Überfüllung der öffentlichen Verkehrsmittel; finanzielle Belastung für Verkehrsbetriebe und Städte; Auto schneller und komfortabler; öffentliche Verkehrsmittel nicht zuverlässig; zusätzliche Fahrgäste nicht Autofahrer, sondern Radfahrer und Fußgänger

3. b Sprechimpuls: Was hältst du denn von kostenlosen öffentlichen Verkehrsmitteln?

3. c *Mögliche Lösung:* Antwort A: Also, ich glaube, das ist ein guter Vorschlag. Wenn öffentliche Verkehrsmittel kostenlos wären, dann würden viel mehr Menschen sie benutzen, statt mit dem eigenen Auto zu fahren. Dadurch würden weniger Abgase ausgestoßen und die Luftqualität in den Städten würde sich verbessern. Es hätte auch noch weitere Vorteile, wenn weniger Autos auf der Straße wären: Die Straßen in den Städten wären nicht so verstopft, und während des Berufsverkehrs gäbe es weniger Stau. Vorteilhaft ist auch, dass man auf diese Weise Energie sparen kann. Denn beispielsweise kann ein Bus mehr Personen transportieren als ein privates Auto. Das wäre ein guter Beitrag zum Umweltschutz. Für kostenlosen Nahverkehr sprechen aber nicht nur ökologische, sondern auch soziale Gründe: Alle Menschen würden so die Möglichkeit bekommen, mobil zu sein. Man darf jedoch nicht vergessen, dass es auch Nachteile gibt. Die Verkehrsbetriebe würden kein Geld mehr durch den Verkauf von Fahrkarten verdienen. Die öffentlichen Verkehrsmittel müssten dann auf andere Weise finanziert werden. Das wäre eine große finanzielle Belastung für die Städte. Außerdem würden Autofahrer nicht einfach auf

öffentliche Verkehrsmittel umsteigen, nur weil diese kostenlos wären. Viele finden Autos bequemer und schneller, und das ist für sie wichtiger als die Kosten. Aus den genannten Argumenten bin ich zwar für den Vorschlag. Ich glaube aber, die öffentlichen Verkehrsmittel müssen attraktiver werden, damit der Plan erfolgreich sein kann.

Antwort B: Ehrlich gesagt halte ich nicht viel von dieser Idee. In den Großstädten sind die Busse und Bahnen jetzt schon überfüllt. Wenn jeder kostenlos mit ihnen fahren könnte, wären sie völlig überlastet. Für die Menschen, die kein Auto haben und auf die öffentlichen Verkehrsmittel angewiesen sind, würde sich die Situation dadurch verschlechtern. Das wäre nicht fair. Gegen den Vorschlag spricht auch noch ein anderer Punkt: Oft wird ja argumentiert, dass ein kostenloser Nahverkehr zu weniger Autos auf den Straßen führen würde. Ich glaube aber nicht, dass das stimmt. Die zusätzlichen Fahrgäste wären eher nicht die Autofahrer, sondern Fahrradfahrer und Fußgänger. Den Autoverkehr würde man so also nicht reduzieren. Nachteilhaft sind außerdem die finanziellen Folgen. Die Verkehrsbetriebe hätten keine Einnahmen mehr. Gleichzeitig müssten sie aber Geld investieren, denn für die größere Anzahl an Fahrgästen müssten sie mehr Busse und Bahnen kaufen, und sie bräuchten mehr Bus- und Bahnfahrer. Es gibt jedoch nicht nur Nachteile. In kleineren Städten könnte ein kostenloser Nahverkehr auch Vorteile mit sich bringen. Denn dort sind oft nur wenige Fahrgäste in den öffentlichen Verkehrsmitteln. Durch das Angebot, sie kostenlos zu nutzen, könnten sie besser ausgelastet sein. Um eine echte Alternative zum Auto zu sein, müssten die Busse dann aber häufiger fahren. Insgesamt bin ich der Meinung, dass der Vorschlag für Kleinstädte geeignet sein könnte, in Großstädten aber die negativen Aspekte überwiegen.

A Vorteile: bessere Luftqualität, weniger Stau, Energie sparen, Mobilität für alle; Nachteile: finanzielle Belastung für Verkehrsbetriebe und Städte, Auto schneller und komfortabler
B Nachteile: Überfüllung der öffentlichen Verkehrsmittel, zusätzliche Fahrgäste nicht Autofahrer, sondern Radfahrer und Fußgänger, finanzielle Belastung für Verkehrsbetriebe; Vorteil: in Kleinstädten öffentliche Verkehrsmittel besser ausgelastet

4. a *Mögliche Notizen:* Positive Folgen: für die ausländischen Studierenden: Zeit und Geld sparen, weniger Stress, auf natürliche Weise lernen – für die deutschen Universitäten: werden internationaler; Negative Folgen: sprachliche Probleme im Studium; Mein Standpunkt: für den Vorschlag; Begründung: Sprachprüfung unnötiges Hindernis, abschreckende Wirkung auf viele Studierende

4. b Sprechimpuls: Was meinst du? Sollte die deutsche Sprachprüfung vor Beginn des Studiums abgeschafft werden?

4. c *Mögliche Lösung:* Ja, ich denke, man sollte sie abschaffen. Zum einen hätte das positive Folgen für die ausländischen Studierenden. Sie würden Zeit und Geld sparen, weil sie nicht mehr vor dem Studium ein oder zwei Jahre in Deutschkursen verbringen müssten und sich schneller immatrikulieren könnten. Die Deutschprüfung verursacht auch großen Stress, weil man Angst hat, dass man sie nicht besteht. Dieser Stress würde verschwinden. Außerdem ist eine Sprachprüfung vor dem Studium eigentlich gar nicht notwendig. Sobald man an der Universität ist, hat man jeden Tag Kontakt zu Einheimischen und es gibt viele Gelegenheiten, mit den Dozenten zu kommunizieren. So lernt man die deutsche Sprache wie von selbst und auf ganz natürliche Weise. Aber auch die deutschen Universitäten würden von einer Abschaffung profitieren. Denn sie möchten sich internationalisieren und die Zahl der ausländischen Studierenden erhöhen. Dieses Ziel könnten sie dann schneller erreichen. Wir sollten allerdings die Nachteile nicht übersehen. Manche Studierende könnten Probleme im Studium bekommen, wenn sie wegen ihrer mangelnden Sprachkompetenz die Professoren und Kommilitonen nicht verstehen. Dennoch glaube ich, dass die Vorteile überwiegen. Daher sollte es meiner Meinung nach keine Deutschprüfung vor dem Studium mehr geben, denn sie stellt nur ein unnötiges Hindernis dar. Viele Ausländer haben Interesse an einem Studium in Deutschland, aber die Sprachprüfung hat eine abschreckende Wirkung auf sie. Wenn die Prüfung abgeschafft würde, würden alle davon profitieren.

Vorteile: für die ausländischen Studierenden: Zeit und Geld sparen, weniger Stress, Prüfung unnötig, da man Sprache im Studium automatisch lernt; für die Universitäten: können sich schneller internationalisieren; Nachteil: evtl. Probleme im Studium wegen mangelnder Sprachkompetenz

Sprechen (Aufgabentyp 3) – Text zusammenfassen

Vorübungen

1.

Unterthemen	Detailinformationen
Forschungsdesign	- Probanden: 89 Erwachsene und 77 Kinder - Verwendete Gegenstände: Fotos von Hunden mit glücklichen, traurigen, wütenden, neutralen oder ängstlichen Gesichtsausdrücken - Aufgabe der Probanden: bewerten, ob das Tier auf dem Bild glücklich, traurig, wütend oder ängstlich ist
Ergebnisse	- Fähigkeit, Emotionen von Hunden zu erkennen, abhängig von Alter und Erfahrungen - Erwachsene: konnten die Gesichtsausdrücke der Hunde am besten deuten, wenn sie in Kultur aufgewachsen waren, die Hunde positiv wahrnimmt; Hundehalter und Nicht-Hundehalter schnitten gleich ab - Kinder: konnten außer Wut und Glück Emotionen von Hunden nicht gut deuten - alle Befragten: konnten Wut und Fröhlichkeit bei Hunden zuverlässig identifizieren - Schlussfolgerung: Fähigkeit, zu verstehen, wie sich Hunde fühlen, ist nicht angeboren

2. *Mögliche Lösung:* In dem Text geht es um eine wissenschaftliche Studie. Es wurde untersucht, wie gut Menschen die Gesichtsausdrücke von Hunden verstehen können und woher das Verständnis kommt. Die Studie lief folgendermaßen ab: Die Probanden waren 89 Erwachsene und 77 Kinder. Ein Teil von ihnen hatte einen eigenen Hund, ein Teil kam aus hundefreundlichen Kulturen, auf einen anderen Teil traf keines dieser Merkmale zu. Die Probanden sollten Fotos von Hunden anschauen und sagen, ob die Hunde glücklich, traurig, wütend oder ängstlich waren. Die Forscher haben festgestellt, dass es vom Alter und den Erfahrungen abhängt, ob man Hunde versteht. Am besten konnten erwachsene Probanden aus hundefreundlichen Kulturen die Gesichtsausdrücke erkennen. Hundebesitzer waren dabei nicht besser als Probanden, die keinen Hund hatten. Außerdem stellte sich heraus, dass alle Studienteilnehmer gut darin waren, Wut und Fröhlichkeit bei den Hunden zu erkennen. Kinder konnten jedoch die anderen Gefühle der Hunde nicht gut identifizieren. Die Forscher zogen daraus die Schlussfolgerung, dass die Fähigkeit, Hunde zu verstehen, nicht angeboren ist.

3. *Mögliche Notizen:* Wissenschaftliche Studie: Straßenbau von Ameisen; Fragestellung: Kalkulieren Ameisen Kosten und Nutzen wie Menschen?; Untersuchungsdesign: künstliche Rasenmatte als Hindernis zwischen Ameisennest und Zuckerlösung, zwei Varianten: neben Rasenmatte kurze Wand oder lange Barriere; Ergebnis: kurzer Umweg → Ameisen laufen um Rasenmatte herum, langer Umweg → Ameisen schneiden Straße durch Rasenmatte; Fazit: Ameisen kalkulieren ähnlich wie Menschen.

4. *Mögliche Lösung:* In dem Artikel wird eine wissenschaftliche Studie über den Straßenbau von Ameisen beschrieben. Die Forscher wollten wissen, ob Ameisen dabei Kosten und Nutzen kalkulieren, so wie Menschen das tun. Der Aufbau der Studie sah folgendermaßen aus: Die Forscher legten eine künstliche Rasenmatte als Hindernis zwischen ein Ameisennest und eine Zuckerlösung. Zusätzlich stellten sie neben die Rasenmatte das eine Mal eine kurze Wand und das andere Mal eine lange Barriere. Es stellte sich heraus, dass die Ameisen außen um die Rasenmatte herum liefen, wenn der Umweg kurz war. Wenn der Umweg jedoch lang war, dann schnitten die Ameisen eine Straße durch die Rasenmatte. Die Forscher zogen daraus die Schlussfolgerung, dass Ameisen beim Straßenbau ähnlich wie Menschen kalkulieren.

5. Kritik: bei Thema der Studie, Fragestellung und Forschungsdesign fehlen wesentliche Informationen; beim Ergebnis z.T. zu viele Details (Pilz- und Bakterienflora im Boden verbessert Nährstoffversorgung), z.T. eigene Informationen hinzugefügt (Jungpflanze hat mehr Blätter), z.T. falsch wiedergegeben (vielfältigere Pflanzenarten wachsen)

6. *Mögliche Notizen:* Wissenschaftliche Studie: Wachstum und Zusammenarbeit von Pflanzen; Fragestellung: Wie entwickeln sich junge und alte Pflanzen in Wüste in Spanien?; Forschungsdesign: Forscher verglichen drei Monate Wachstum einzeln stehender Jungpflanzen mit Jungpflanzen im Schatten größerer Pflanzen + untersuchten, wie Präsenz der jungen Pflanzen die älteren beeinflusst; Ergebnis: beide Pflanzen profitieren voneinander / haben Vorteile, Jungpflanzen wachsen schneller und besser neben größeren Pflanzen, große Pflanzen treiben mehr Blüten → mehr Chancen auf Fortpflanzung, Zusammenarbeit besonders wichtig unter harten Bedingungen

Mögliche Zusammenfassung: In dem Artikel geht es um eine wissenschaftliche Studie über Wachstum und Zusammenarbeit von Pflanzen. Forscher haben untersucht, wie sich junge und alte Pflanzen in einer Wüste in Spanien entwickeln. Die Studie lief folgendermaßen ab: Die Wissenschaftler verglichen drei Monate lang das Wachstum von Jungpflanzen, die allein standen, mit dem Wachstum von Jungpflanzen, die im Schatten größerer Pflanzen standen. Außerdem untersuchten sie, wie die Anwesenheit der jungen Pflanzen die älteren Pflanzen beeinflusste. Das Ergebnis der Untersuchung war, dass beide Pflanzen voneinander profitieren. Die Jungpflanzen wachsen nämlich schneller und besser neben größeren Pflanzen. Aber auch die großen Pflanzen haben Vorteile. Sie treiben mehr Blüten, wodurch sie mehr Chancen auf Fortpflanzung haben. Abschließend wiesen die Wissenschaftler darauf hin, dass eine derartige Zusammenarbeit von Pflanzen unter harten Umweltbedingungen besonders wichtig ist.

7. *Mögliche Notizen:* Wissenschaftliche Studie: Nutzen von Gerüchen zur Orientierung; Fragestellung: Hat menschlicher Geruchssinn eine Bedeutung für Orientierung?; Untersuchungsdesign: Versuchspersonen suchen Weg durch Labyrinth, keine visuelle Orientierung, Kreuzungen mit zwölf unterschiedlichen Gerüchen markiert, Gerüche merken, um Ziel zu erreichen; Ergebnis: Zu 70 Prozent anhand von Geruch richtigen Weg gewählt; Erklärung zum Ergebnis: im Gehirn mentale Landkarten zur Navigation, visuelle und akustische Orientierungspunkte; Fazit: auch Gerüche als Orientierungspunkte

8. *Mögliche Lösung:* In dem Artikel geht es um eine wissenschaftliche Studie über den Nutzen von Gerüchen zur Orientierung. Es wurde untersucht, ob der menschliche Geruchssinn eine Bedeutung für unsere Orientierung hat. Bei der Studie sollten die Versuchspersonen einen Weg durch ein Labyrinth finden. Sie hatten dabei keine Möglichkeit, sich visuell zu orientieren. Die Kreuzungen des Labyrinths waren allerdings mit

zwölf unterschiedlichen Gerüchen markiert. Die Probanden mussten sich diese Gerüche merken, um das Ziel zu erreichen. Es stellte sich heraus, dass es den Probanden zu 70 Prozent gelang, anhand der Gerüche den richtigen Weg zu wählen. Zu diesem Ergebnis erklären die Forscher, dass Menschen und Tiere im Gehirn mentale Landkarten zur Navigation besitzen. In diesen Karten sind visuelle und akustische Orientierungspunkte abgespeichert. Die Wissenschaftler schließen aus ihrer Untersuchung, dass auch Gerüche die Funktion von Orientierungspunkten haben können.

Sprechen (Aufgabentyp 4) – Informationen abgleichen, Stellung nehmen

Vorübungen

1. Die Mehrheit der Kunden zahlt mit Bargeld, 40 Prozent zahlen mit Karten, nur wenige verwenden andere Zahlungsarten.

2. a Alle zahlen mit Karte oder Handy, niemand mehr mit Bargeld.

2. b Der Kommilitone behauptet, dass alle mit Karten oder ihrem Handy zahlen und niemand mehr Bargeld verwendet. Die Grafik zeigt eine andere Situation: Die Mehrheit zahlt mit Bargeld, fast niemand zahlt mit seinem Handy.

3. 1. widersprechen 2. Meinung/Ansicht 3. belegen 4. behauptet 5. Die Daten der Grafik 6. stimmt 7. überzeugt

4. *Mögliche Lösung:* Bargeld ist praktisch, einfach einsetzbar, ein Stück Kulturgut, kann überall verwendet werden, funktioniert auch bei einem Stromausfall, ermöglicht Anonymität beim Bezahlen; bessere Kontrolle über die eigenen Ausgaben; elektronischer Zahlungsverkehr ist nicht sicher

5. *Mögliche Lösung:* Ich kann meinem Kommilitonen nicht ganz zustimmen. Seiner Meinung nach verwendet heutzutage niemand mehr Bargeld zum Bezahlen in Geschäften, sondern alle zahlen nur noch mit Karte oder Handy. Anhand der Grafik lässt sich allerdings zweifelsfrei belegen, dass die Mehrheit der Kunden mit Bargeld bezahlt und kaum jemand dafür sein Handy benutzt. Die Grafik widerlegt daher seine Aussage. Ich bin sicher, dass Bargeld auch in Zukunft eine wichtige Rolle spielen wird. Es sollte keinesfalls abgeschafft werden, weil es wirklich praktisch ist. Man kann es überall zum Bezahlen verwenden und es funktioniert auch noch, falls einmal der Strom ausfällt. Außerdem weiß man so immer genau, wie viel Geld man ausgegeben hat. Manche Leute behaupten ja, dass Bargeld weniger sicher sei, weil es verloren gehen oder gestohlen werden könne. Elektronische Zahlungen sind aber auch nicht unbedingt sicherer. Ich denke, viele Menschen haben noch kein ausreichendes Vertrauen in diese Zahlweise und zahlen lieber in bar. Deshalb kann ich nur wiederholen, dass ich die Meinung meines Kommilitonen auf keinen Fall teile.

6. a Die Quote der Studienabbrecher in den Bachelorstudiengängen ist sehr hoch, in den Masterstudiengängen ist sie niedriger.

6. b Studienbedingungen ausgezeichnet; kaum Personen, die Studium abbrechen

6. c Der Kommilitone behauptet, dass es kaum Personen gibt, die ihr Studium abbrechen. Die Grafik zeigt jedoch, dass die Studienabbruchquote v.a. im Bachelor hoch ist.

6. d *Mögliche Lösung:* Bedingungen heutzutage sind ungünstig: überfüllte Studiengänge, schlechtes Betreuungsverhältnis; Studierende haben finanzielle Probleme

6. e *Mögliche Lösung:* Ja, also ich finde, die Aussage meines Kommilitonen steht im Widerspruch zur Grafik. Er hat gesagt, dass die Studienbedingungen heutzutage ausgezeichnet seien und daher fast niemand sein Studium abbrechen würde. Die Daten der Grafik zeigen allerdings ganz deutlich, dass die Studienabbruchquote sehr hoch ist. Besonders in den Bachelorstudiengängen bricht fast ein Drittel der Studierenden das Studium ab. Diese Situation ist an den Universitäten noch gravierender als an den Fachhochschulen. Den Zahlen der Grafik zufolge entspricht die Behauptung meines Kommilitonen

also nicht der Realität. Meiner Meinung nach ist die hohe Zahl der Abbrecher keine Überraschung. Denn im Gegensatz zu meinem Kommilitonen halte ich die Bedingungen, unter denen viele heutzutage studieren, für sehr ungünstig. Viele Studiengänge sind überfüllt. Wenn man eine Beratung oder Hilfe von Professoren oder Dozenten braucht, muss man lange auf einen Termin in ihrer Sprechstunde warten. Zu wenige Dozenten sind einfach für zu viele Studierende zuständig. Wenn man dann noch weitere Probleme hat, wie beispielsweise Geldsorgen, dann lassen sich einige Studierende dadurch entmutigen und brechen ihr Studium ab. Ich bin der Meinung, die Hochschulen müssen etwas tun, damit in Zukunft mehr Leute ihr Studium erfolgreich absolvieren.

7. b Antwort 1: nicht angemessen: Die Aufgabenstellung wird nicht erfüllt. Die Äußerung ist eine reine Grafikbeschreibung. Antwort 2: nicht angemessen: In der Äußerung wird die Grafik ignoriert. Es wird nur zum Redebeitrag des Kommilitonen Stellung genommen. Antwort 3: nicht angemessen: In der Äußerung wird der Redebeitrag des Kommilitonen ignoriert. Es werden nur Informationen aus der Grafik genannt und die eigene Meinung gesagt.

7. c *Mögliche Lösung:* Ich muss meinem Kommilitonen widersprechen. Er hat gesagt, dass der Strom in Deutschland überwiegend mit erneuerbarer Energie gewonnen würde und fossile Energieträger wie Kohle und Gas fast vollständig durch erneuerbare Energie ersetzt worden seien. In der Grafik kann man jedoch eindeutig erkennen, dass nur gut ein Drittel des Stroms mit regenerativer Energie produziert wird und der größte Anteil immer noch auf Kohle und Erdgas entfällt. Die Stromerzeugung in Deutschland ist also nicht so umweltfreundlich, wie mein Kommilitone behauptet. Es ist zwar richtig, dass in den letzten Jahren der Anteil von Windkraft und Solarenergie zugenommen hat. Die komplette Umstellung auf erneuerbare Energie wird aber noch mehr Zeit erfordern, weil verschiedene Hindernisse im Weg stehen. Beispielsweise müssen neue Stromleitungen gebaut werden. Dann können wir in der Nordsee mit Windparks Strom produzieren und in andere Landesteile transportieren. Viele Leute protestieren aber gegen den Bau von neuen Stromleitungen, weshalb der Ausbau nur langsam vorangeht. Ein anderes Problem ist, dass Sonne und Wind nicht das ganze Jahr in gleichem Maß zur Verfügung stehen. Wir brauchen daher mehr Möglichkeiten, um den Strom aus erneuerbaren Energien zu speichern. Ich bin aber optimistisch und glaube, dass wir diese Schwierigkeiten in den nächsten dreißig Jahren überwinden.

Sprechen (Aufgabentyp 5) – Thema präsentieren

Vorübungen

2. a *Mögliche Notizen:* Verschiedene Möglichkeiten: Eltern, Nebenjob, Stipendium; Positive Aspekte: Eltern → Geld nicht zurückzahlen, kein Zeitdruck; Nebenjob → berufliche Erfahrungen sammeln; Stipendium → nicht zurückzahlen, zeigt späteren Arbeitgebern Leistungsbereitschaft; Negative Aspekte: Eltern → nicht selbstständig; Nebenjob → kostet Zeit und Energie; Stipendium → an Gegenleistungen gebunden; Häufigste Form: Kombination aus Eltern und Nebenjob, wenige bekommen Stipendium, Studienkredit wird beliebter

3. a *Mögliche Notizen:* Reisearten: Abenteuerreisen → Herausforderung suchen, Kultur- und Bildungsreisen → Wissen erweitern, Erholungsurlaub → entspannen; Wirtschaftliche Bedeutung: Arbeitsplätze, Entwicklung der Infrastruktur; Ökologische Folgen: durch Reisen klimaschädliche Emissionen, Umweltverschmutzung an Urlaubsorten, Müll; Zukünftige Entwicklung: Zunahme, mehr Menschen haben Geld, mehr billige Flüge; mehr nachhaltiger Tourismus

4. a *Mögliche Notizen:* Medienarten: früher: Bücher und Zeitungen, dann Radio und Fernsehen, heute: Computer, Internet, Smartphone und soziale Netzwerke; Zweck der Nutzung: früher: Information und Unterhaltung, heute: zusätzlich Kommunikation, soziale Netzwerke; Dauer der täglichen Nutzung: früher: begrenzt, einige Stunden pro Tag, heute: ständig, auch unterwegs; Nutzung bei verschiedenen Bevölkerungsgruppen: früher: Bücher, Radio, Fernsehen von allen konsumiert, heute: Bücher, Zeitungen auf Papier, Fernsehen → mehr ältere Nutzer, Internet → mehr jüngere Nutzer

4. b *Mögliche Lösung:* Liebe Kommilitoninnen, liebe Kommilitonen, das Thema meiner heutigen Präsentation lautet „Medien früher und heute". Meine Präsentation besteht aus vier Teilen. Ich möchte zu Beginn kurz die verschiedenen Medienarten vergleichen. Anschließend gehe ich auf verschiedene Aspekte der Mediennutzung ein. Zuerst sage ich etwas zum Zweck der Nutzung, danach zur täglichen Dauer und zum Schluss spreche ich noch über die Nutzung bei verschiedenen Altersgruppen.

Fangen wir mit den verschiedenen Medienarten früher und heute an. Vor dem 20. Jahrhundert waren Bücher und Zeitungen die am meisten verbreiteten Medien. In der ersten Hälfte des 20. Jahrhunderts kamen dann Radio und Fernsehen als Massenmedien dazu. Ab dem Ende des 20. Jahrhunderts verbreiteten sich Computer und Internet, und nun im 21. Jahrhundert spielen Smartphone und soziale Netzwerke eine immer wichtigere Rolle.

Soweit zu den verschiedenen Medienarten. Vergleichen wir nun die Mediennutzung in der Vergangenheit und heutzutage. Welche Veränderung lässt sich beim Zweck der Nutzung beobachten? Früher nutzte man Medien, um sich zu informieren und zur Unterhaltung. Heutzutage kommt bei digitalen Medien eine weitere Funktion hinzu: die Kommunikation. Mithilfe von digitalen Medien können wir mit anderen in Kontakt sein und uns austauschen. Für viele Menschen ist das der wichtigste Grund, Medien wie beispielsweise soziale Netzwerke zu nutzen.

Nun komme ich zur Dauer der täglichen Nutzung. In der Vergangenheit war die Mediennutzung zeitlich begrenzter. Man nutzte sie einige Stunden pro Tag, zum Beispiel am Morgen, wenn zum Frühstück die Zeitung gelesen wurde, und am Abend, wenn man fernsah. Heute nutzt man Medien dagegen den ganzen Tag. Durch das Smartphone haben wir von jedem Ort und auch von unterwegs Zugriff auf das Internet. Folglich hat sich die Dauer unserer täglichen Nutzung stark erhöht. Durch soziale Netzwerke sind wir ständig miteinander verbunden und immer online.

Als Letztes sage ich noch etwas zur Mediennutzung bei den verschiedenen Altersgruppen. Die traditionellen Medien wie Bücher, Radio und Fernsehen wurden in der Vergangenheit von allen Personen konsumiert. Heutzutage lässt sich beobachten, dass Bücher und Zeitungen auf Papier überwiegend von älteren Menschen gelesen werden. Auch ferngesehen wird mehr von Älteren als von Jüngeren. Das beliebteste Medium der jüngeren Menschen ist dagegen eindeutig das Internet.

Damit bin ich am Ende meiner Präsentation angekommen. Ich bedanke mich für eure Aufmerksamkeit.

Sprechen (Aufgabentyp 6) – Argumente wiedergeben, Stellung nehmen

Vorübungen

1. a 1. Mit 18 volljährig, ab diesem Alter alle Rechte und Pflichten, nur Rechte ohne Pflichten wäre Widerspruch 2. Haben nicht nötige persönliche Reife, können nicht eigenständig denken, entscheiden nur emotional, schlecht für Demokratie 3. Interessieren sich nicht für Politik, haben kein politisches Wissen, würden schlecht informierte Entscheidungen treffen

1. b 1. Politik soll niemandem Ernährung vorschreiben, Strafsteuer wäre Bevormundung, Freiheit zu essen und zu trinken, was man möchte 2. Auf allen Verpackungen Inhaltsstoffe, brauchen keine Steuer um Bewusstsein zu erhöhen 3. Steuer hilft nicht gegen einseitige Ernährung und ungesunde Lebensweise, Fettsteuer sinnlos, Fett auch in gesunden Lebensmitteln

2. a *Mögliche Notizen:* **Wählen ab 16:** 1. Manche 16- und 17-Jährige schon berufstätig, zahlen Steuern, haben auch politisches Mitspracherecht 2. Heutige 16-Jährige sind wie frühere 18-Jährige, sind schneller erwachsen, mit der Zeit gehen und Wahlalter anpassen, erst ab 18 ist nicht mehr angemessen 3. Viele Jugendliche politisch sehr interessiert, sehr aktiv; bei den anderen würde es helfen, politisches Interesse zu wecken; **Steuern auf ungesunde Lebensmittel:** 1. Ungesunde Ernährung führt zu Krankheiten, verursacht Kosten, alle bezahlen 2. Wenige lesen Packungsaufschriften, wissen nicht Bescheid 3. Brauchen weitere Maßnahmen, Steuer trotzdem nützlich

2. b *Mögliche Lösung:* **Wählen ab 16:** Mein Kommilitone hat gesagt, dass man erst ab 18 das Wahlrecht haben sollte, da man erst mit der Volljährigkeit alle Rechte und Pflichten habe. Diesem Argument muss ich widersprechen. Ein Teil der 16- und 17-Jährigen ist schon berufstätig und hat die Pflicht, Steuern zu zahlen. Aus diesem Grund haben diese jungen Menschen auch ein politisches Mitspracherecht. Außerdem hat mein Kommilitone erklärt, dass 16-Jährigen die persönliche Reife fehle und sie nicht selbständig denken könnten. Ich halte das für falsch, weil junge Menschen heutzutage schneller erwachsen werden und heutige 16-Jährige genauso reif sind wie es früher 18-Jährige waren. Daher ist es nicht mehr angemessen, wenn junge Leute erst ab 18 wählen dürfen, und wir sollten das Wahlalter anpassen. Schließlich behauptet mein Kommilitone noch, dass 16-Jährige kein Interesse an Politik hätten und daher nicht gut über politische Themen informiert seien. Das sehe ich aber ganz anders. Viele Jugendliche sind politisch sehr interessiert und aktiv und wären durchaus in der Lage, politisch bewusst und gut informiert ihre Stimme abzugeben. Bei den weniger interessierten jungen Leuten würde eine Absenkung des Wahlalters helfen, ihr politisches Interesse zu wecken und mehr am politischen Leben teilzunehmen. **Steuern auf ungesunde Lebensmittel:** Mein Kommilitone ist der Meinung, dass alle Menschen selbst entscheiden können sollten, wie sie sich ernähren möchten, und die Politik ihnen dabei keine Vorschriften machen solle. Diesem Argument stimme ich nur teilweise zu. Natürlich müssen wir die persönliche Freiheit und das Recht auf Selbstbestimmung aller Bürger respektieren. Trotzdem betrifft eine ungesunde Ernährung nicht nur die einzelne Person, die sich schlecht ernährt. Denn ungesunde Ernährung führt zu vielen Krankheiten, die hohe Kosten verursachen. Dafür bezahlen dann alle Berufstätigen mit ihren Krankenversicherungsbeiträgen. Ungesunde Ernährung schadet also auch anderen Personen. Daher finde ich es legitim, wenn man versucht, die Menschen zu beeinflussen. Mein Kommilitone findet außerdem, dass alle Verbraucher schon genau über

die Zutaten in Lebensmitteln informiert seien und es deshalb nicht nötig sei, durch eine höhere Steuer ihr Bewusstsein zu erhöhen. Ich kann dieser Argumentation nicht folgen, da meiner Ansicht nach die wenigsten Personen die Packungsaufschriften lesen und daher oft nicht wissen, dass Lebensmittel ungesund sind. Mein Kommilitone hat auch noch gesagt, dass eine höhere Steuer auf fett-, salz- und zuckerhaltige Lebensmittel nicht ausreiche, um einseitige Ernährung und einen ungesunden Lebensstil zu bekämpfen. Mit dieser Aussage bin ich einverstanden, denn wir brauchen tatsächlich noch weitere Maßnahmen. Die Fett- und Zuckersteuer ist aber dennoch ein nützliches Mittel.

3. a *Mögliche Notizen:* **Wählen ab 16:** 16-Jährige von politischen Entscheidungen betroffen, sollen auch mitentscheiden; Anteil Älterer in Bevölkerung steigt → Ausgleich; Politiker achten mehr auf junge Leute → positive Wirkung auf Politik; **Steuern auf ungesunde Lebensmittel:** Steuer hilfreich, zusätzlich andere Schritte → ungesunde Lebensmittel weniger verfügbar und attraktiv machen, z.B. kein Verkauf in Kindergärten und Schulen, Hersteller von Fast Food / Soft Drinks keine Sponsoren von Sportwettkämpfen, gesunde Lebensmittel nicht besteuern

3. b *Mögliche Lösung:* **Wählen ab 16:** Meiner Meinung nach sollte das Wahlalter auf 16 Jahre abgesenkt werden. 16-Jährige sind ebenso wie alle anderen Menschen von politischen Entscheidungen betroffen. Deshalb sollen sie auch das Recht haben, an allen Wahlen teilzunehmen und dadurch die Zukunft mitzugestalten. Bei dieser Frage erscheint mir auch wichtig, dass der Anteil der älteren Menschen in der Bevölkerung steigt und Ältere dadurch immer mehr politische Macht bekommen. Wenn man das Wahlalter auf 16 senken würde, dann könnte das einen kleinen Ausgleich schaffen und ein Gegengewicht zu dieser Entwicklung sein. Wenn 16-Jährige wählen dürften, wären Politiker nämlich gezwungen, sich auch um die Interessen der jungen Menschen zu kümmern, um ihre Stimmen zu bekommen. Ich bin davon überzeugt, dass das insgesamt eine positive Wirkung auf die Politik hätte. **Steuern auf ungesunde Lebensmittel:** Ich bin der Meinung, dass eine Steuer auf ungesunde Lebensmittel hilfreich wäre, um die Ernährung der Menschen zu verbessern. Zusätzlich wären noch andere Schritte denkbar. Das Ziel sollte dabei sein, ungesunde Lebensmittel weniger verfügbar und attraktiv zu machen. Beispielsweise sollten ungesunde Lebensmittel in Kindergärten und an Schulen nicht mehr verkauft werden, damit Kinder und Jugendliche von Anfang an gesündere Ernährungsgewohnheiten entwickeln. Hersteller von Fast Food oder Softdrinks sollten nicht mehr als Sponsoren von Sportwettkämpfen auftreten dürfen. Um den Verkauf von gesunden Lebensmitteln zu fördern, könnte man gesunde Lebensmittel gar nicht mehr besteuern. Dann würde der Unterschied bei den Preisen noch deutlicher werden. Wenn viele Menschen ihre Ernährung verändern würden, würde davon am Ende die ganze Gesellschaft profitieren.

4. a 1. Unabhängigkeit in Forschung und Lehre eingeschränkt 2. Professoren vernachlässigen ihre eigentlichen Aufgaben → Qualität in der Lehre sinkt 3. nur wirtschaftsnahe Fakultäten profitieren

4. b *Mögliche Notizen:* Förderung transparent, Wissen austauschen; mit mehr Geld Lernangebote verbessern; mehr Ressourcen übrig für andere Fakultäten

4. c *Mögliche Notizen:* Hochschulen unterfinanziert, brauchen alternative Einnahmequellen; alle profitieren: Hochschule → bessere Studienbedingungen; Studierende → Kontakte zu Unternehmen, Praktikumsplätze; Unternehmen → gut ausgebildete Absolventen

4. d *Mögliche Lösung:* Ja, gern. Mein Kommilitone hat erklärt, dass es der Freiheit von Forschung und Lehre schade, wenn die Hochschulen von privaten Geldgebern, wie zum Beispiel Unternehmen, unterstützt würden. Ich halte dieses Argument für falsch. Wenn die Förderung transparent bleibt und bekannt ist, woher die Hochschulen Geld erhalten, dann ist die Forschungsfreiheit nicht in Gefahr. Es wäre sogar nützlich, wenn Unternehmen und Hochschulen ihr Wissen austauschen und gemeinsam an aktuellen Forschungsthemen arbeiten. Darüber hinaus ist mein Kommilitone der Meinung, dass die Professoren sich im Falle einer privaten Finanzierung vor allem um ihre Kontakte zu Unternehmen kümmern und die Qualität in der Lehre sinken würde. Ich bin mit dieser Aussage nicht einverstanden. Die Professoren haben noch genug Zeit, ihren Pflichten gegenüber den Studierenden nachzukommen, und die Hochschulen könnten mit zusätzlichem Geld ihre Lernangebote sogar noch verbessern. Zum Beispiel könnten sie Bücher für die Bibliothek oder teure Laborgeräte anschaffen und mehr Tutorien anbieten. Außerdem behauptet mein Kommilitone, dass ein privates Sponsoring nur für Fakultäten vorteilhaft sei, die wirtschaftsnah seien. Ich finde aber nicht, dass das stimmt. Auch Fakultäten, die selbst keine finanziellen Mittel erwerben, können profitieren. Die Universität hat dann insgesamt mehr Geld zur Verfügung. So sind mehr Ressourcen für alle vorhanden. Meiner Meinung nach ist die Förderung von Hochschulen durch Unternehmen sehr gut. Die Studierendenzahlen steigen jedes Jahr und die Studiengebühren wurden abgeschafft. Dadurch sind die Hochschulen unterfinanziert und brauchen alternative Einnahmequellen. Vom Bildungssponsoring können alle Seiten profitieren: Die Hochschulen können durch ihre bessere finanzielle Ausstattung optimale Studienbedingungen garantieren. Die Unternehmen bekommen auf diese Weise besser ausgebildete Absolventen. Und die Studierenden können schon während des Studiums nützliche Kontakte zu Unternehmen knüpfen. Das erleichtert es ihnen, später einen Arbeitsplatz zu finden. Wichtig erscheint mir auch zu betonen, dass von den Unternehmen nicht nur Geld kommt. Sie bieten auch andere attraktive Angebote an, wie zum Beispiel Praktikumsplätze. So können sich Studierende schon während des Studiums ein realistisches Bild von ihrem zukünftigen Job machen. Ich finde, dass die engere Verbindung von Hochschulen und Unternehmen für alle von Vorteil ist.

5. a 1. erhöht Chancen von benachteiligten Kindern, mehr soziale Gleichheit und Gerechtigkeit 2. Einzelkinder lernen sich in Gruppe zu integrieren, können mit Gleichaltrigen spielen 3. alle bekommen gleiche Vorbereitung, Leistungsniveau in Schule steigt

5. b 1. Kindergartenpflicht gut, falls Eltern keine Zeit für Kinder haben 2. für Einzelkinder gut, nicht immer von Eltern kontrolliert zu werden 3. alle Kinder bringen in Schule gleiche Leistung

5. c *Mögliche Notizen:* fast alle besuchen schon Kindergarten, Rest nicht nur aus benachteiligten Familien, Pflicht keine geeignete Unterstützung; Kontakt zu anderen Kindern auch privat zu organisieren, Erziehung ist Recht der Eltern; keine gute Betreuung, schlechte Ausstattung in vielen Kindergärten, Qualität erst verbessern

5. d *Mögliche Lösung:* Ja, vielen Dank. Mein Kommilitone hat erklärt, dass eine Kindergartenpflicht die Chancen von benach-

teiligten Kindern verbessern und zu mehr sozialer Gleichheit führen würde. Diesem Argument kann ich nur teilweise zustimmen. Schon jetzt besuchen fast alle Kinder einen Kindergarten. Die wenigen Kinder, die das nicht tun, stammen nur zum Teil aus benachteiligten Familien. Eine generelle Pflicht würde die Situation also kaum verändern und wäre daher auch keine geeignete Unterstützung für solche Familien. Mein Kommilitone hat außerdem gesagt, dass Einzelkinder von einer Kindergartenpflicht profitieren würden, weil sie dort Kontakt mit Gleichaltrigen hätten und soziale Kompetenzen erlernen würden. Mit dieser Aussage bin ich zum Teil einverstanden. Natürlich stimmt es, dass Einzelkinder nicht nur mit ihren Eltern Zeit verbringen sollten, sondern auch andere Kinder brauchen. Allerdings könnte man das auch privat organisieren. Kinder können Gleichaltrige in der Nachbarschaft kennenlernen. Es gibt auch viele Aktivitäten für Kinder, zu denen Eltern mit ihnen gehen können. Familien sollten das selbst entscheiden, denn die Erziehung ist das Recht der Eltern. Zum Schluss hat mein Kommilitone noch behauptet, eine Kindergartenpflicht würde das Leistungsniveau in der Grundschule erhöhen. Das halte ich für falsch, da die Qualität der Betreuung in vielen Kindergärten nicht gut ist. Sie sind oft nicht gut ausgestattet, und es gibt zu wenige Erzieherinnen. So ist es kaum möglich, die Kinder angemessen zu fördern. Bevor man eine Kindergartenpflicht fordert, sollte man also erst einmal die Qualität der Einrichtungen verbessern.

Sprechen (Aufgabentyp 7) – Maßnahmen kritisieren

Vorübungen

1. 1, 3, 5, 7, 8, 10

2. *Mögliche Lösung:* Die geplante Gebührenerhöhung beim Hochschulsport ist unserer Ansicht nach nicht akzeptabel. Das Ziel der Universität ist es, den Hochschulsport zu erweitern und mehr Studierende zur Teilnahme zu motivieren. Die Kostenerhöhung hätte jedoch den gegenteiligen Effekt. Denn auf vielen Studierenden lastet schon jetzt ein großer finanzieller Druck und sie könnten es sich nicht leisten, 150 Euro pro Semester für Sportkurse zu bezahlen. Als Folge der Erhöhung würden nicht mehr, sondern weniger Studierende Sport treiben. Dadurch würde sich die Gesundheit der Studierenden verschlechtern. Außerdem hätte es eine negative Auswirkung auf das Studium, da körperliche Fitness die Voraussetzung für geistige Fitness ist. Weniger fitte Studierende wären weniger leistungsfähig.

3. 1. Unserer Meinung nach wäre es vorzuziehen 2. Auf diese Weise 3. So hätten alle Studierenden eine Chance 4. Zusätzlich wäre auch zu überlegen 5. Wir würden uns sehr freuen

4. Antwort 1: nicht angemessen: zu umgangssprachlich, kein Alternativvorschlag; Antwort 2: nicht angemessen: zu persönlich, Person spricht vor allem für sich selbst; Antwort 3: sprachlich und inhaltlich angemessen, aber insgesamt zu kurz.

5. a *Mögliche Notizen:* Semesterticket → mit öffentlichen Verkehrsmitteln zur Uni, auch in Freizeit nutzen; ohne Semesterticket mit Auto → Umwelt belastet, mehr Parkplätze, weniger Grünflächen; finanzieller Vorteil, günstiger Preis – *Mögliche Antwort:* Danke, dass Sie mir das Wort erteilt haben. Der geplanten Abschaffung des Semestertickets können wir nicht zustimmen. Das Semesterticket ist seit vielen Jahren ein großer Erfolg und motiviert Studierende dazu, mit öffentlichen Verkehrsmitteln zur Universität zu kommen. Darüber hinaus nutzen die Studierenden durch das Ticket auch in ihrer Freizeit oft Busse und Bahnen. Wenn es in Zukunft kein Semesterticket mehr gäbe, dann würden viele stattdessen mit dem eigenen Auto fahren. Das wäre unserer Ansicht nach aber ein Rückschritt und hätte negative Folgen. Zum einen würde dadurch die Umwelt stärker belastet. Außerdem wären dann noch mehr Parkmöglichkeiten an der Universität notwendig und die Grünflächen würden vielleicht in Parkplätze umgewandelt werden. Nicht zu vergessen ist schließlich auch noch der finanzielle Vorteil. Denn durch das Semesterticket ist es für alle Studierenden möglich, zu einem günstigen Preis mobil zu sein. Seine Abschaffung würde sich also gegen unsere Interessen richten.

5. b *Mögliche Notizen:* Preis langsam anheben; Geltungsbereich verkleinern, auf Stadt mit Universität begrenzen – *Mögliche Lösung:* Als Lösung für das Problem würden wir gerne vorschlagen, den Preis für das Ticket nicht sofort um 50 % zu erhöhen, sondern ihn langsamer anzuheben. Auf diese Weise könnten die Verkehrsbetriebe mehr Geld verdienen, und für uns wäre das Ticket trotzdem noch finanzierbar. Eine andere Möglichkeit wäre, den Geltungsbereich des Tickets zu verkleinern und es auf die Stadt zu begrenzen, in der sich die Universität befindet. Dann wäre das Ticket zwar nicht mehr im ganzen Bundesland gültig. Wir könnten es aber trotzdem noch nutzen, um zur Universität zu fahren. Und das ist für uns Studierende am wichtigsten. Die Fortführung des Semestertickets wäre aber auch vorteilhaft für die Verkehrsbetriebe, da es ein Symbol für eine fortschrittliche Verkehrspolitik ist. Daher hoffen wir auf eine faire Einigung zwischen der Universität und den Verkehrsbetrieben.

Modellprüfung 1

Mit dieser Modellprüfung können Sie die Prüfungssituation simulieren.

- Halten Sie sich dabei unbedingt an die angegebenen Zeitvorgaben.
- Sehen Sie sich die Lösungen erst an, nachdem Sie die Aufgaben gelöst haben.
- Benutzen Sie keine Hilfsmittel, denn in der Prüfung ist das ebenfalls nicht erlaubt.
- Sie müssen Ihre Antworten nicht auf einen separaten Antwortbogen übertragen. Im digitalen TestDaF geben Sie Ihre Antworten am Computer ein und sie werden automatisch abgespeichert.

Die Audios und Videos zu den Aufgaben des Prüfungsteils Hören sowie die Transkriptionen stehen Ihnen online unter www.klett-sprachen.de/MEz-digitalen-TestDaF zur Verfügung. Alternativ können Sie die Audios, Videos und Transkriptionen auch mithilfe der Klett-Augmented-App anhören bzw. sehen. Achten Sie auf dieses Symbol:

Klett-Augmented-App kostenlos downloaden und öffnen | Bilderkennung starten und Seite mit diesem Symbol scannen | Audios laden, scrollen, direkt nutzen oder speichern

Auch zu den Aufgaben des Prüfungsteils Sprechen gibt es Hördateien. Diese Aufgaben folgen wie in der Original-Prüfung einem semi-direkten Format, d. h. Sie hören die Aufgabenstellung, lesen sie gleichzeitig mit (in der echten Prüfung am Bildschirm) und antworten dann einem fiktiven Gesprächspartner bzw. einer Gesprächspartnerin. Die jeweilige Gesprächssituation wird durch Fotos veranschaulicht und die verschiedenen Bearbeitungsschritte werden Ihnen in der digitalen Prüfung durch Symbole und Zeitangaben signalisiert. Die Hördateien der Aufgaben zum Sprechen enthalten die exakten Pausenzeiten, in denen Sie Ihren Redebeitrag vorbereiten können, bzw. die eigentliche Sprechzeit. Im Anschluss an jede Aufgabe können Sie sich in dieser Modellprüfung eine Beispiellösung anhören.

Hinweis: In der Prüfung klicken Sie in die Lücken, dann erst sehen Sie die vier Auswahloptionen für jede Lücke.

Lesen Sie den Lückentext.
Entscheiden Sie für jede Lücke, welches Wort passt.
Für jede Lücke gibt es genau eine richtige Lösung.

Sie haben **4 Minuten** Zeit.

Vegetarische Krokodile

Heute existieren weltweit nur noch 23 unterschiedliche Arten von Krokodilen. Sie alle fressen fast ausschließlich Fleisch und Fisch. Doch das war nicht immer so, wie eine Studie zeigt. Im langen Lauf ihrer evolutionären (1) ______________________ brachten die krokodilartigen Tiere mindestens dreimal Pflanzen fressende Gattungen hervor.
Wissenschaftler analysierten 146 fossile Zähne von 16 unterschiedlichen (2) ______________________, die vor 250 Millionen Jahren bis vor 66 Millionen Jahren existiert haben. Aus Form und Aufbau konnten die Wissenschaftler schließen, welche Nahrung bevorzugt aufgenommen wurde: Einfache, spitze Zähne deuten demnach auf Fleischkonsum hin, breite Formen sprechen dagegen für Pflanzenkost. Allesfresser, die Omnivoren, besaßen Zähne, die ein Mittelding zwischen den beiden anderen Varianten bildeten. Unter den (3) ______________________ Arten stießen die Paläontologen auf acht Pflanzenfresser, eine omnivore Spezies und nur sieben Fleischfresser. Die »Vegetarier« verteilten sich über mehrere Kontinente und lebten zu unterschiedlichen Zeiten der Erdgeschichte.
Die ersten Pflanzen fressenden Krokodilarten entstanden im frühen Jura, einem Erdzeitalter vor etwa 200 Millionen Jahren, und sie hielten sich bis zum Ende der Kreidezeit, als durch den Einschlag eines Asteroiden nicht nur die Dinosaurier, sondern auch viele andere Arten (4) ______________________ wurden. Warum sich danach aus den vorhandenen überlebenden Krokodilen keine neuen vegetarischen Spezies herausbildeten, ist (5) ______________________.

(1)	◯ **a** Auswahl	◯ **b** Entstehung	◯ **c** Entwicklung	◯ **d** Verbreitung
(2)	◯ **a** Formen	◯ **b** Sorten	◯ **c** Spezies	◯ **d** Tieren
(3)	◯ **a** ausgeforschten	◯ **b** entdeckten	◯ **c** gefundenen	◯ **d** untersuchten
(4)	◯ **a** abgeschafft	◯ **b** ausgerottet	◯ **c** beendet	◯ **d** niedergemacht
(5)	◯ **a** unbegreiflich	◯ **b** unbekannt	◯ **c** unerklärlich	◯ **d** unverständlich

Lesen Sie die Textabschnitte rechts.
Bringen Sie die Textabschnitte in die richtige Reihenfolge.
Es gibt genau eine richtige Reihenfolge.

Sie haben **5 Minuten** Zeit.

Hinweis: In der Prüfung ziehen Sie dafür die Textteile von rechts nach links (Drag & Drop).

1.	Das gilt sogar für solche Menschen, die nur wenige Jahre zur Schule gegangen sind und relativ wenig Hirntraining betreiben. [a]
2.	Die Forscher schließen daraus, dass Lesen und Schreiben das Gehirn nicht nur trainiert, sondern es auch bis zu einem gewissen Grad vor dem Abbau der Nervenzellen schützt oder diesen zumindest hinauszögert. [b]
3.	Knapp ein Viertel der Studienteilnehmer waren Analphabeten, der Rest konnte lesen und schreiben. Während der zweijährigen Studienphase entwickelten die Analphabeten doppelt so häufig eine Demenz wie ihre alphabetisierten Altersgenossen. [c]
4.	Wer nie richtig das Lesen und Schreiben beherrscht hat, erkrankt im Alter deutlich häufiger an einer Demenz als Menschen, die regelmäßig Bücher konsumieren oder Briefe verfassen. [d]
5.	Zu diesem Ergebnis gelangten Wissenschaftler nach einer zweijährigen Studie. Dazu hatten sie rund 1000 ältere Menschen aus ländlichen Regionen untersucht, die maximal vier Jahre zur Schule gegangen waren. [e]

Hinweis: In der Prüfung klicken Sie die Fragen an, dann erst sehen Sie die Auswahlmöglichkeiten und entscheiden, welche Lösung passt.

Lesen Sie den Text.
Beantworten Sie die Fragen 1-7.
Für jede Frage gibt es genau eine richtige Lösung.
Sie können die Fragen und Lösungen beliebig oft anklicken.

Sie haben **15 Minuten** Zeit.

Neue Arbeitsformen in der modernen Arbeitswelt

(1) Wie wirkt sich unterschiedliches Personalmanagement in Unternehmen auf die Leistung der Angestellten aus? Mit dieser Frage beschäftigt sich Prof. Michael Beckmann von der wirtschaftswissenschaftlichen Fakultät der Universität Basel seit mehreren Jahren. Dabei untersucht er den Effekt von Maßnahmen, die Mitarbeitenden mehr Autonomie im Hinblick auf die Arbeitszeit geben. Dahinter steht die These, dass dies ein starkes Motivationsinstrument sein kann. Beispiele für derartige Arbeitszeitmodelle sind die sogenannte Vertrauensarbeitszeit - auch selbstbestimmte Arbeitszeit genannt - und das Home Office, bei denen die Angestellten weitestgehend selber bestimmen, wann und wo sie ihre Aufgaben erledigen. Im Vordergrund steht dabei immer die Erledigung vereinbarter Aufgaben, nicht die zeitliche Präsenz. Auf die Dokumentation der Arbeitszeiten wird ganz oder teilweise verzichtet.

(2) Die Arbeit im Home Office ist allerdings ein umstrittenes Instrument. Viele Arbeitgeber befürchten, dass der eingeräumte Freiraum missbraucht werden könnte. «Der klassische Ökonom denkt bei der Förderung von Motivation eher an Anreize wie Leistungsprämien oder Überwachung», sagt Beckmann. Dieser Idee liegt ein Menschenbild zugrunde, das unter dem Begriff Homo oeconomicus bekannt ist und davon ausgeht, dass Menschen nur nach wirtschaftlichen Kriterien denken und handeln und immer ihren Nutzen maximieren möchten. Damit in Zusammenhang steht eine ziemlich pessimistische Haltung, was Arbeitsbereitschaft betrifft. «Den Homo oeconomicus muss man von außen dazu bringen, dass er das tut, was er soll - das heißt, er muss extrinsisch motiviert werden.»

(3) Geht man von solchem Verhalten aus, muss man tatsächlich befürchten, dass Arbeitnehmende nur dann Leistung bringen, wenn sie unter Aufsicht stehen. Für Beckmann greift dieses Menschenbild allerdings zu kurz. «Es gibt durchaus Menschen, die sich mit ihrem Job identifizieren, Freude an ihrer Tätigkeit haben oder von Natur aus pflichtbewusst sind - sie verfügen über eine intrinsische Motivation.» Um die bestehende Eigenmotivation dieser Mitarbeitenden zu fördern, so Beckmann, müssen Firmen andere Methoden finden. Großes Potenzial sieht er dabei in der Mitarbeiterautonomie.

(4) Dieses Jahr veröffentlichten Beckmann und Co-Autoren eine große Studie zur Vertrauensarbeitszeit. Die Ergebnisse zeigten, dass Beschäftigte, die weitgehende Kontrolle über ihre Arbeitsstunden haben, nicht weniger, sondern sogar mehr Arbeitseinsatz liefern. Nach Abzug aller anderen Faktoren arbeiten Angestellte bei Vertrauensarbeitszeit pro Woche durchschnittlich 80 Minuten länger als Angestellte mit festen Arbeitszeiten. «Die Studie widerlegt deutlich die Befürchtungen, dass eine fehlende Arbeitszeitkontrolle zu Faulheit führt», so Beckmann. Im Gegenteil: Selbstbestimmung scheint für viele Arbeitnehmende ein starkes intrinsisches Motivationsinstrument zu sein. «Das soll nicht bedeuten, dass es nicht auch Angestellte gibt, die ihre Arbeitszeitsouveränität missbrauchen - die empirischen Daten zeigen allerdings, dass dies eine große Anzahl nicht tut», erläutert er.

(5) Schwierig wird es, wenn Unternehmen versuchen, den entstandenen Kontrollverlust durch Kontrollinstrumente zu kompensieren. Als Beispiel nennt Beckmann überambitionierte Zielvereinbarungen: Wird den Mitarbeitern einerseits gesagt, dass sie zwar arbeiten können, wann und wo sie wollen, dass sie aber bestimmte Ziele erfüllen müssen, kann das kontraproduktiv wirken. Häufig seien diese Ziele nämlich so hoch gesteckt, dass sie nicht realistisch zu erreichen sind, oder sie würden immer wieder nach oben angepasst: «Das hat mit Autonomie dann nichts mehr zu tun, und der positive Effekt kann dadurch verloren gehen.» Sollten Firmen Instrumente für mehr Mitarbeiterautonomie nutzen, ist es entscheidend, dass sie es ernst meinen mit dem Vertrauen. Selbstbestimmte Arbeitszeiten und Home Office funktionieren nur dann, wenn gegenseitiges Vertrauen herrscht. Fühlen sich die Mitarbeitenden überwacht, zerstört das ihre ursprüngliche Eigenmotivation.

(6) Trotz aller Bedenken: Arbeiten in den eigenen vier Wänden liegt im Trend. Auch in der Schweiz steigt die Anzahl jener, die zumindest teilweise auf das Büro verzichten. Möglich macht dies nicht zuletzt die moderne Kommunikationstechnik. So kann man leichter von anderen Orten aus arbeiten, und viele Menschen schätzen Selbstbestimmung und Flexibilität bei der Zeiteinteilung – gerade im Hinblick auf die Vereinbarkeit von Beruf und Familie. «Das Aufkommen von flexiblen Arbeitszeitmodellen hängt auch damit zusammen, dass sich die Tätigkeiten geändert haben. Im Schnitt werden die Arbeitsaufgaben immer anspruchsvoller», sagt Beckmann. Wachsender Wettbewerb und technologischer Wandel stellen hohe Anforderungen an die Flexibilität sowohl von Unternehmen als auch von Arbeitnehmenden. Die neuen Arbeitsmodelle werden sich also weiter verbreiten.

Frage 1: Welches ist laut Absatz 1 das Hauptmerkmal der neuen Arbeitszeitmodelle?
a) Die Zeit kann frei eingeteilt werden.
b) Die zu erledigenden Aufgaben werden selbst gewählt.
c) Es findet Teilzeitarbeit statt.
d) Telearbeit ist vorherrschend.

Frage 2: Welche Aussage ist in Absatz 2 impliziert?
a) Angestellte sollten durch bessere Löhne motiviert werden.
b) Das Menschenbild beeinflusst die Motivationsstrategien.
c) Der Homo oeconomicus ist als Mitarbeiter wenig leistungsorientiert.
d) Der Homo oeconomicus ist wichtig für den Erfolg eines Unternehmens.

Frage 3: In Absatz 3 empfiehlt der Forscher,
a) den Angestellten mehr Freiheit zu geben.
b) die Angestellten besser zu kontrollieren.
c) die Identifikation der Mitarbeiter mit der Firma zu stärken.
d) pflichtbewusste Mitarbeiter einzustellen.

Frage 4: In Absatz 4 wird gesagt, dass
a) ein negativer Effekt durch Arbeitszeitsouveränität auszuschließen ist.
b) eine Studie die Skepsis gegenüber Arbeitszeitautonomie bestätigt.
c) selbstbestimmte Arbeitszeit die Leistung nicht beeinflusst.
d) selbstverantwortlich gestaltete Arbeitszeit beflügelnd wirken kann.

Frage 5: Welche der folgenden Überschriften passt inhaltlich zu Absatz 5?
a) Arbeitsziele flexibel anpassen
b) Gefahr von neuem Leistungsdruck
c) Klare Vorgaben für Heimarbeiter
d) Zuhause die Produktivität steigern

Frage 6: Laut Absatz 6 nimmt das Arbeiten von Zuhause zu, weil
a) ein Bürojob heute schwieriger zu finden ist.
b) es mehr Konkurrenz auf dem Arbeitsmarkt gibt.
c) viele Angestellte mehr Freiheit möchten.
d) viele Menschen kein Büro mehr haben.

Frage 7: Das Hauptanliegen des Textes ist es,
a) Empfehlungen für ein besseres Betriebsklima zu geben.
b) Maßnahmen für Mitarbeiterzufriedenheit vorzustellen.
c) Vorschläge zur Mitarbeiterführung zu machen.
d) über neue Arbeitsformen aufzuklären.

Hinweis: In der Prüfung ziehen Sie die Zahlen im Text rechts zu den entsprechenden Aussagen (Drag & Drop).

Lesen Sie den Text.
Ordnen Sie die Textstellen 1-4 den Aussagen rechts zu.
Für jede Textstelle gibt es genau eine richtige Lösung.

Sie haben **6 Minuten** Zeit.

Kommentar eines Experten zu Umweltsorgen

[1] Jeden Tag sagen uns irgendwelche angeblichen Experten, wovor wir jetzt wieder ganz dringend Angst haben sollen. Drei Grundregeln helfen, Panikpropaganda von echten Gefahren zu unterscheiden.
Zuallererst sollten wir fragen: Ist das, wovor wir uns fürchten, überhaupt real? Das klingt banaler als es ist. Als Kinder haben wir uns in der Dunkelheit vor Monstern gefürchtet, heute erzählt man uns, dass dunkle Mächte aus Flugzeugen giftige Chemikalien über den Himmel sprühen. **[2]** Beide Geschichten entsprechen nicht der Realität. Daher lautet Grundregel eins: Wenn sich das Objekt unserer Angst gar nicht belegen lässt, ist jede Angst bloß Zeitverschwendung.
Doch meistens fürchten wir uns vor Sachen, die es wirklich gibt: Etwa vor Handystrahlen oder vor mikrowellengewärmter Nahrung. Mikrowellen sind real – aber wir kennen keinen Mechanismus, durch den sie unser Essen in etwas Ungesundes verwandeln können. Das bringt uns zu Grundregel zwei: Wenn man keine Verbindung zu schädlichen Auswirkungen nachweisen kann, sollten wir uns nicht fürchten.
Außerdem muss man immer die Dosis beachten. Jeder Bioapfel enthält Pestizide, die er von Natur aus selbst produziert. **[3]** Auch fern von der Zivilisation nimmt man mit jedem Atemzug schädliche Substanzen auf, weil sie in der Luft vorkommen, seit es die Atmosphäre gibt. Grundregel Nummer drei lautet daher: Wir sollten uns nicht vor etwas fürchten, wenn es harmloser ist als andere Dinge, die wir bedenkenlos akzeptieren. Wer aus Angst vor Dieselabgasen das Fenster nicht öffnet und dann auf den Balkon rauchen geht, handelt irrational.
[4] Es wird immer schwierig sein, die Grenze zwischen gerade noch harmlosen und gerade schon gefährlichen Dingen zu ziehen. Doch wenn wir es nicht schaffen, die Gefahren in die richtige Reihenfolge zu bringen, droht uns ein Scheitern bei der Lösung der eigentlichen Probleme.

- ◯ **a** Der Experte bedauert etwas.
- ◯ **b** Der Experte empfiehlt etwas.
- ◯ **c** Der Experte erklärt etwas.
- ◯ **d** Der Experte kritisiert etwas.
- ◯ **e** Der Experte prognostiziert etwas.
- ◯ **f** Der Experte vermutet etwas.
- ◯ **g** Der Experte warnt vor etwas.
- ◯ **h** Der Experte widerspricht etwas.

Lesen Sie den Text.
Ordnen Sie die Aussagen 1-7 zu: Entscheiden Sie für jede Aussage, ob sie zum Antrieb durch Diesel, durch Erdgas, zu beiden oder gar nicht passt.
Für jede Aussage gibt es nur eine richtige Lösung.
Die Aussagen folgen nicht dem Textverlauf.

Sie haben **9 Minuten** Zeit.

Diesel oder Erdgas?

Als Nikolaus August Otto 1876 in seiner Gasmotorenfabrik im Kölner Stadtteil Deutz den nach ihm benannten Ottomotor erfand, lief dieser mit Gas. Allerdings hatte Ottos damaliger Motor eine außerhalb des Motors liegende Zündquelle, nämlich eine Gasflamme. Das Problem dabei war, dass das Gas damals stationär war, das heißt, dass ein Auto kein Automobil war, weil es nicht mobil, sondern an die Gasquelle gebunden war. Erst die 1884 erfundene elektrische Zündung ermöglichte schließlich die Verwendung flüssiger Kraftstoffe, z. B. Diesel.
Die Zahl der Fahrzeuge mit Verbrennungsmotor hat seit dieser Zeit stark zugenommen, sodass wir heute nicht nur Probleme mit Staus haben, sondern auch vor gravierenden Umweltproblemen stehen. Deshalb ist die Diskussion um Feinstaubemission, CO_2-Minderung und Dieselfahrverbote sehr aktuell.
Nicht zuletzt aus diesem Grund wurden an der Fachhochschule Dortmund Möglichkeiten untersucht, Dieselmotoren auf das schadstoffärmere Erdgas umzustellen. Das Umstellen funktioniert bei Dieselmotoren besser als bei Benzinmotoren, denn der Wirkungsgrad des Erdgases ist in einem Dieselmotor sehr viel effizienter. Aber Dieselmotoren sind für gasförmige Kraftstoffe wie Erdgas nicht geeignet, weil heutige Dieselsysteme hydraulisch, also mit Druck arbeiten. Deshalb funktionieren sie nur bei flüssigen Kraftstoffen. Zudem kann das Gas nicht in den Motor eingespritzt werden wie beim Diesel, sondern es muss bei einem Druck von 200 bar eingeblasen werden. Dafür haben die Dortmunder Ingenieure bereits eine Lösung gefunden. Zudem müssen aber im Tank des Wagens 200 Bar aufrechterhalten werden, weil der Dieselmotor einen konstanten Druck braucht. Auch dieses Problem wurde gelöst.
Die Vorteile der Entwicklung dieses Erdgasmotors liegen auf der Hand: Die Effizienz eines Dieselmotors wird jetzt erreicht und der Motor stößt weder Ruß noch andere Partikel aus, die die Umwelt belasten.
Diese Technik, die zurzeit vor allem für Nutzfahrzeuge geeignet ist, also zum Beispiel für Lastkraftwagen oder Busse, ist sicherer, denn bei einem Unfall entweicht das Gas und entzündet sich nicht wie Benzin. Als z. B. in den Niederlanden ein Busdepot brannte, blieb von den Dieselbussen nur noch Asche übrig. Die Busse, die mit Erdgas betrieben waren, überstanden das Feuer unbeschadet, denn das Gas wurde durch ein Ventil abgelassen, als es im Bus zu heiß wurde.

	Diesel	Erdgas	beide	passt nicht
1. Dieses System funktioniert mit Druck.				
2. Bei einem Unfall herrscht erhöhte Brandgefahr.				
3. Der Motor muss extern gezündet werden.				
4. Diese Technik ist z. B. für LKW geeignet.				
5. Spezielle Technik beim Befüllen des Tanks				
6. Im Tank ist ein bestimmter Druck nötig.				
7. Die Antriebsart ist schadstofffrei.				

Hinweis: In der Prüfung ziehen Sie die richtigen Aussagen an die passende Stelle (Drag & Drop).

Lesen Sie den Text.
Entscheiden Sie, welche Aussagen richtig sind.
Schreiben Sie die richtigen Aussagen an die passende Stelle in der Tabelle.
Es müssen vier Aussagen zugeordnet werden.

Sie haben **7 Minuten** Zeit.

Stadtentwicklung

Der Prozess der Urbanisierung setzte mit dem Beginn der Industrialisierung im 19. Jahrhundert in Großbritannien ein, wo es die Menschen vermehrt vom Land in die Städte zog. Im heutigen 21. Jahrhundert leben bereits mehr als 50 Prozent der Weltbevölkerung in städtischen Siedlungsgebieten, in Deutschland sind es bereits 75 Prozent. Die Vereinten Nationen sagen voraus, dass bis zum Jahr 2050 bis zu 70 Prozent der Menschen weltweit in einer Stadt leben werden. Diese Menschen erwarten nicht zu Unrecht in den Städten bessere Karrierechancen und eine gute Ausbildung sowie eine bessere medizinische Versorgung und eine größere Mobilität. Das Leben in kleineren Städten und auf dem Land ist für sie dagegen weniger ansprechend. Doch wo viele Menschen leben, kommt es auch zu Problemen: Die Luft in den Städten ist meistens alles andere als rein, wofür schon die Nutzung fossiler Energien für die Heizungen der Wohnungen und Häuser und auch die Emissionen, die durch den Transport von Waren und Personen entstehen, sorgen.
Zudem ist das Prinzip von Angebot und Nachfrage dafür verantwortlich, dass das Angebot auf dem Arbeitsmarkt größer ist und es somit meistens viele Bewerber für einen Job gibt. Das gilt auch auf dem Wohnungsmarkt: In den großen Städten steigen die Preise für Immobilien und damit auch die Mieten, sodass es vor allem für größere Familien ein Problem ist, bezahlbaren Wohnraum zu finden. Vor allem stehen die Städte auch vor logistischen Problemen, denn die vielen Stadtbewohner müssen mit Nahrungsmitteln, Wasser und Strom versorgt werden. Auch der Abtransport von Müll bzw. die Entsorgung von Abwasser muss sichergestellt werden. Das stellt vor allem die wirtschaftlich weniger entwickelten Länder vor große Probleme: Oft fehlen besonders in den ärmeren Stadtvierteln Kanalisation, Wasserleitungen und entsprechende Unterkünfte. Die Folge ist, dass die Bewohner hier unter sehr schlechten Bedingungen leben müssen.

a) Beschaffung von Nahrungsmitteln problemlos
b) Zunahme der Luftverschmutzung
c) Erhöhung des Lebensstandards
d) Die Nachfrage auf dem Wohnungsmarkt steigt.
e) Konkurrenz um Arbeitsplätze
f) Die Menschen finden leichter eine Arbeitsstelle.
g) Geringe Attraktivität von Kleinstädten
h) Die Mietpreise sinken.

Stadtentwicklung	
Gründe	Folgen
1	3
2	4

Lesen Sie den Text.
Beachten Sie auch die Informationen aus der Grafik.
Sie sehen eine Zusammenfassung. Diese Zusammenfassung folgt nicht dem Textverlauf. Unterstreichen Sie die Sätze in der Zusammenfassung, die inhaltlich falsch sind.
Es gibt genau drei inhaltlich falsche Sätze.

Sie haben **7 Minuten** Zeit.

Hinweis: In der Prüfung klicken Sie auf die inhaltlich falschen Sätze in der Zusammenfassung. Ein erneuter Klick löscht die Auswahl wieder.

Mülldeponien sind Rohstofflager

In den sechziger und siebziger Jahren des vergangenen Jahrhunderts gab es noch kein Bewusstsein dafür, dass unsere Ressourcen irgendwann knapp werden könnten: Abfälle, welcher Art auch immer, wurden auf Mülldeponien innerhalb oder außerhalb der Städte entsorgt. Das führte dazu, dass dort heute wertvolle Metalle, aber auch Papier, Bauschutt und anderes lagern, Dinge, die man nutzen könnte: „Urban Mining" ist das Stichwort. Anders als der Name vermuten lässt, bezieht sich Urban Mining nicht allein auf die Nutzung innerstädtischer Lager, sondern befasst sich vielmehr mit dem gesamten Bestand an langlebigen Gütern wie Elektrogeräte und Autos, aber auch Bauschutt. Wenn man diese Güter wiederverwertet, leistet das einen wichtigen Beitrag zur Schonung natürlicher Quellen. Man spricht dann von „Kreislaufwirtschaft": Das bedeutet, dass am Ende der Nutzungsphase von Gütern die darin gebundenen Materialien, z. B. Metalle, über Recyclingprozesse zurückgewonnen oder zur Energieherstellung verwertet werden.
In Hinblick auf einen zunehmenden internationalen Wettbewerb um die knappen Ressourcen der Erde kann die Nutzung von diesen wiedergewonnenen Rohstoffen, auch Sekundärrohstoffe genannt, dazu beitragen, die Lebensgrundlagen bestehender und zukünftiger Generationen zu sichern. Urban Mining trägt damit auch zum Umweltschutz bei, denn die Gewinnung sogenannter Primärrohstoffe, also neuer Rohstoffe, ist oft mit empfindlichen Eingriffen in die Ökosysteme der Länder verbunden, in denen diese Stoffe gewonnen werden. Und nicht selten kommt es dabei zur Freisetzung umweltgefährdender Substanzen. Aber nicht nur das: Deren Förderung konkurriert oftmals mit der lokalen Bevölkerung um die Nutzung knapper natürlicher Vorkommen wie Wasser und Flächen. Urban Mining kann deshalb auch helfen, die Konflikte bei dieser Nutzung zu entschärfen.

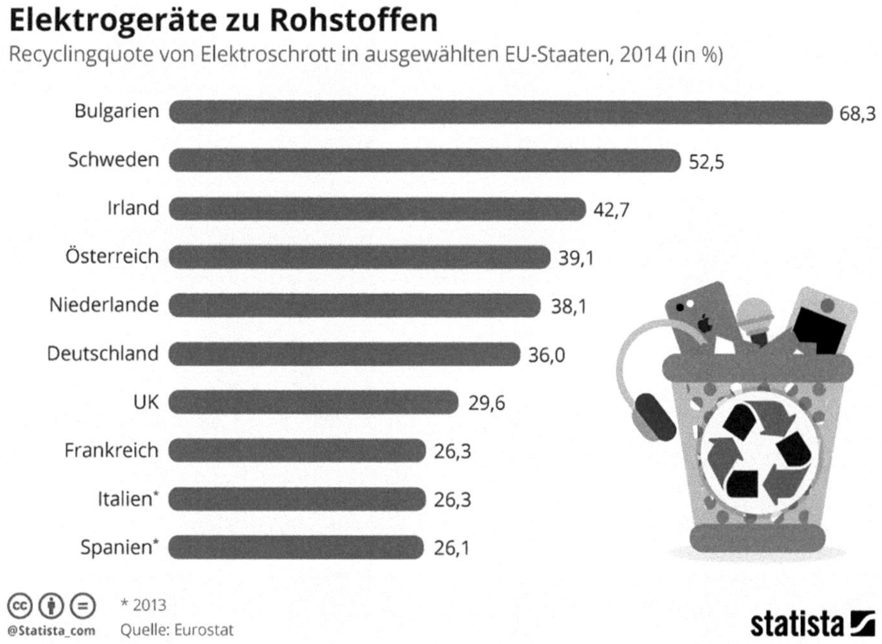

Zusammenfassung

(1) Auf den Mülldeponien befinden sich viele Rohstoffe, die noch gut zu nutzen wären. (2) Denn früher haben die Menschen einfach alles weggeworfen. (3) Heute betreibt man „Urban Mining". (4) Das bedeutet, dass auf den Müllhalden in den Städten diese wertvollen Stoffe wiedergewonnen werden. (5) Das ist umweltfreundlich, weil damit natürliche Vorkommen geschont werden. (6) Eine andere Möglichkeit zur Schonung dieser Quellen ist das direkte Recycling. (7) Beispielsweise werden in der EU Elektrogeräte von den Händlern zurückgenommen und direkt dem Recycling zugeführt. (8) Auf diese Weise wurde in Deutschland in einem Jahr mehr als die Hälfte der ausgedienten Geräte recycelt. (9) Spitzenreiter in diesem Zusammenhang ist allerdings die schwedische Recyclingquote.

1 Sie hören ein Gespräch zwischen den Studierenden Sandra und Julius, die sich zufällig vor der Tür zu Professor Dr. Kruses Büro treffen.
2 Sie hören das Gespräch **einmal**.
Ergänzen Sie beim Hören die fünf leeren Felder in der Tabelle.
Schreiben Sie pro Feld maximal 2 Wörter.

Sie haben nach dem Hören noch **20 Sekunden** Zeit, um Ihre Antworten zu kontrollieren.
Sie haben jetzt **15 Sekunden** Zeit, um sich die Tabelle anzuschauen.

<table>
<tr><td colspan="5">Sandra arbeitet bei Professor Dr. Kruse an (1) ____________________.</td></tr>
<tr><th></th><th>Dienstag</th><th>Mittwoch</th><th>Donnerstag</th><th>Freitag</th></tr>
<tr><td>Vor-mittag</td><td>Vorlesung in:
(2)____________
____________</td><td rowspan="2">Arbeit in der Buchhandlung</td><td>Treffen Arbeitsgruppe (Präsentation besprechen)</td><td>Kurs in:
(5)____________
____________</td></tr>
<tr><td>Nach-mittag</td><td>Abgabe der Seminar-arbeit bei Prof. Kruse!

Problem:
(3)____________
____________</td><td>Klausur in:
(4)____________
____________</td><td>Geburtstagsfeier Vater</td></tr>
</table>

3 Sie hören eine Podiumsdiskussion zum Thema „Citymaut".
4 Das Gespräch hören Sie **einmal**.
Notieren Sie auf der linken Seite für jede Person, welche Maßnahme diese Person vorschlägt, und auf der rechten Seite die dazugehörige Folge in Stichpunkten.

Danach haben Sie **3 Minuten** Zeit, um Ihre Antworten zu überprüfen.

Herr Klöbner

Maßnahme	Folge

Frau Wagner

Maßnahme	Folge

5 Sie hören einen Ausschnitt aus einer Vorlesung im Fach Ingenieurwissenschaften zum Thema „Regenerative Energien".
6 Sie hören den Text **einmal**.
Machen Sie sich beim Hören Notizen. Sie müssen nicht jedes Detail notieren.
Nach dem Hören wird in der digitalen Version eine schriftliche Zusammenfassung eingeblendet, bei der Sie die Sätze, die eine falsche Information enthalten, anklicken müssen. Ein zweiter Klick würde die Antwort wieder löschen. Hier ist es ausreichend, wenn Sie die inkorrekten Sätze unterstreichen.

Nach dem Hören haben Sie **2 Minuten und 30 Sekunden** Zeit, um die Aufgabe zu bearbeiten.

Zusammenfassung: Regenerative Energien

Viele Menschen sind mittlerweile zu der Auffassung gelangt, dass regenerative Energien doch nicht so umweltfreundlich sind, wie man anfänglich angenommen hat.
Die Solarenergie verursacht Umweltprobleme, denn bei ihrer Produktion finden große Mengen Blei und Cadmium Verwendung. Das ist aber noch nicht alles, denn im Falle einer Beschädigung eines Moduls kann durch diese Stoffe das Grundwasser kontaminiert werden.
Windräder zerstören das Landschaftsbild und sind, so haben Ornithologen festgestellt, vor allem für Vögel gefährlich: Die Zahl der pro Jahr durch Windräder getöteten Vögel ist enorm hoch.
Beide Systeme sind abhängig vom Standort und lohnen sich deshalb nicht überall. Auch das Problem der Speicherung ist aus ingenieurwissenschaftlicher Sicht noch nicht befriedigend gelöst.
Das Problem bei der Wasserkraft ist, dass dafür Staudämme notwendig sind. Diese Dämme halten zwar das Wasser zurück, aber nicht die für viele Lebewesen notwendigen fruchtbaren Sedimente, die dann weggeschwemmt werden. Zudem hindern sie Fische an der Fortpflanzung.

7 Sie sehen eine Podiumsdiskussion zum Thema „Resistenz gegen Antibiotika".
1 Sie sehen das Video **einmal**.
Klicken Sie an, zu wem die Aussagen 1-6 passen.
Für jede Aussage gibt es nur eine richtige Lösung.

Nach dem Video haben Sie **45 Sekunden** Zeit, um Ihre Antworten zu überprüfen.
Sie haben jetzt **45 Sekunden** Zeit, um die Aussagen zu lesen.

	Herr Dr. Matthäus	Frau Zeltler	beide	keiner
1. Schon der Erfinder des Penicillins hat befürchtet, dass Bakterien resistent werden könnten.				
2. Die Landwirtschaft ist ein Faktor, der zur Resistenzbildung beiträgt.				
3. Wenn der Mensch Fleisch isst, nimmt er damit möglicherweise auch Antibiotika auf.				
4. Vor den Bakterien gab es keine anderen Lebewesen auf der Erde.				
5. Die entwickelten Länder sind durch die Antibiotikaresistenz weniger gefährdet.				
6. Ein Antibiotikum zu entwickeln, das gegen alle Bakterien wirkt, lohnt sich finanziell nicht.				

8
2

Sie sehen einen Ausschnitt aus einer Vorlesung im Fach Biologie zum Thema „Artensterben".
Sie sehen das Video **einmal**.
Ergänzen Sie beim Hören die Gliederungspunkte in den Textfeldern in Stichpunkten.

Nach dem Video haben Sie **3 Minuten** Zeit, um Ihre Antworten zu kontrollieren.
Sie haben jetzt **10 Sekunden** Zeit, sich die Gliederungspunkte anzuschauen.

Definition von Massensterben:
(nennen Sie einen Aspekt)

Argument gegen Ausrufung des Anthropozäns:

Seit 1800 paralleler Anstieg von:

Vom fünften Massensterben profitierten:

9
10

Sie hören einen Ausschnitt aus einem Vortrag zum Thema „Prozessautomatisierung".
Sie hören den Text **einmal**.
Beantworten Sie die Fragen 1 - 5. Klicken Sie die Fragen an und entscheiden Sie, welche Lösung passt.
Für jede Frage gibt es genau eine richtige Lösung.

Nach dem Hören haben Sie **1 Minute und 30 Sekunden** Zeit, um Ihre Antworten zu kontrollieren.
Sie haben jetzt **1 Minute und 30 Sekunden** Zeit, um die Fragen zu lesen.

Prozessautomatisierung

Frage 1: Die Automatisierung von Arbeitsprozessen
- **a.** gibt es schon seit der Industrialisierung.
- **b.** konzentrierte sich bis jetzt auf bestimmte Bereiche.
- **c.** wird heutzutage kritischer gesehen als früher.
- **d.** wird in der modernen Welt begrüßt.

Frage 2: Software-Roboter
- **a.** können Forschungsdaten analysieren.
- **b.** machen Fabrikarbeiter überflüssig.
- **c.** simulieren menschliche Handlungen.
- **d.** unterstützen die industrielle Produktion.

Frage 3: Die von dem Sprecher genannten Vorteile
- **a.** betreffen nur wenige Wirtschaftszweige.
- **b.** gelten vor allem für die Unternehmen.
- **c.** kommen besonders den Mitarbeitenden zugute.
- **d.** sind bis jetzt noch nicht bewiesen.

Frage 4: Wie äußert sich der Sprecher über die zukünftige menschliche Arbeit?
- **a.** Er empfiehlt, dass die Unternehmen die Arbeitszeiten reduzieren.
- **b.** Er kritisiert, dass Menschen nicht mehr arbeiten möchten.
- **c.** Er vermutet, dass qualifizierte Tätigkeiten bald automatisiert werden.
- **d.** Er warnt, dass das Leben ohne Arbeit seinen Sinn verliert.

Frage 5: Das Hauptziel des Vortrags besteht darin,
- **a.** auf die Gefahren der Automatisierung hinzuweisen.
- **b.** die Geschichte der Automatisierung darzulegen.
- **c.** die großen Vorteile von Automatisierung zu erklären.
- **d.** einen guten Umgang mit Automatisierung aufzuzeigen.

11

12

Sie hören einen Text zum Thema „Die Entwicklung der Sprachen", den Sie gleichzeitig mitlesen müssen. Hörtext und schriftlicher Text sind nicht identisch. Vier Wörter sind unterschiedlich.
Sie hören den Text **einmal.**
Klicken Sie beim Hören auf die vier Wörter, die nicht dem Hörtext entsprechen, um sie zu markieren. Ein zweiter Klick löscht die Markierung wieder.

Nach dem Hören haben Sie **20 Sekunden** Zeit, um Ihre Antworten zu kontrollieren.

Die Entwicklung der Sprachen

Wie sind die menschlichen Sprachen entstanden und was prägte ihre charakteristischen Unterschiede? Bisher hat sich die Forschung bei dieser Frage vor allem auf die Untersuchung kultureller Aspekte konzentriert. Es scheint allerdings auch denkbar, dass feine Unterschiede in der Anatomie der Sprachorgane eine Rolle gespielt haben. Es ist allgemein bekannt, dass anatomische Besonderheiten beeinflussen können, wie sich Menschen beim Sprechen anhören. Schon kleine Abweichungen in der Form unseres Stimmapparates können sich auf die Art und Weise auswirken, wie wir sprechen, und das kann sich über Generationen hinweg auf die Unterschiede zwischen Dialekten und Sprachen auswirken.

Auf einer Lernplattform diskutieren Sie mit Ihrem Dozenten und anderen Seminarteilnehmenden über das Thema „Massentourismus".
Schreiben Sie einen kurzen Beitrag.
Erläutern und begründen Sie, welche positiven und negativen Aspekte es für die Bewohner hat, wenn viele Touristen ihre Stadt besuchen.

Schreiben Sie mindestens **200 Wörter.**
Sie haben **30 Minuten** Zeit.

In Ihrem Seminar für Umweltwissenschaften schreiben Sie eine Hausarbeit zum Thema „Verlust von Waldflächen weltweit". In einem Abschnitt wollen Sie sich mit folgender Frage beschäftigen:
Welche Hauptursachen und Folgen hat der Verlust von Waldflächen?
Fassen Sie zu dieser Frage Informationen aus dem Text und der Grafik zusammen.
Benutzen Sie eigene Formulierungen. Das Abschreiben von Textpassagen ist nicht erlaubt.

Schreiben Sie **ca. 100 - 150 Wörter.**
Sie haben **30 Minuten** Zeit.

Der Wald im Wandel

Weltweit geht der Bestand an Wäldern seit Jahrzehnten zurück, auch in Deutschland. Diese Entwicklung hat weitreichende Folgen für Mensch und Natur. Wälder sind Lebensraum für viele Pflanzen- und Tierarten, die mit der Abholzung der Bäume verschwinden können. Auch für den Menschen sind Wälder lebenswichtig. Denn Bäume verwandeln nicht nur CO_2 in Sauerstoff (O_2), der zum Atmen benötigt wird, sondern sie können auch große Mengen an Kohlenstoff langfristig speichern, z. B. aus Abgasen der Industrie und von Fahrzeugen. Wenn Bäume sterben, wird diese Menge an Abgasen in die Atmosphäre freigesetzt und trägt zusätzlich zum Klimawandel bei. Außerdem kühlen Bäume z. B. die Luft in den Städten. Messungen zeigen, dass Städte mit wenig Baumbestand im Sommer durchschnittlich heißer werden als andere Gebiete. Auch deshalb sind Wälder wichtig für den Lebensraum des Menschen.
Um die Gründe für den Waldverlust besser zu verstehen, wurde eine Studie erstellt, die 2018 im Science Magazin erschienen ist. Die Forscherinnen und Forscher haben diese Entwicklung im Zeitraum zwischen 2001 und 2015 mithilfe von Satellitenbildern untersucht und dabei die Ursachen klassifiziert. Ihnen zufolge gibt es weltweit regionale Unterschiede. In Europa z. B. werden Bäume vor allem für die Forstwirtschaft gefällt, also um das Holz zu verarbeiten. In anderen Regionen dagegen werden nach der Rodung Minen gebaut, um aus Rohstoffen Energie zu erzeugen. Laut Studie sei es deshalb besonders wichtig, zu unterscheiden, ob der Verlust der Waldfläche von Dauer oder nur temporär sei, das heißt ob auf dem Boden wieder Bäume nachwachsen können oder nicht. Diese Klassifizierung helfe dabei, der Entwicklung gezielter entgegenzuwirken.

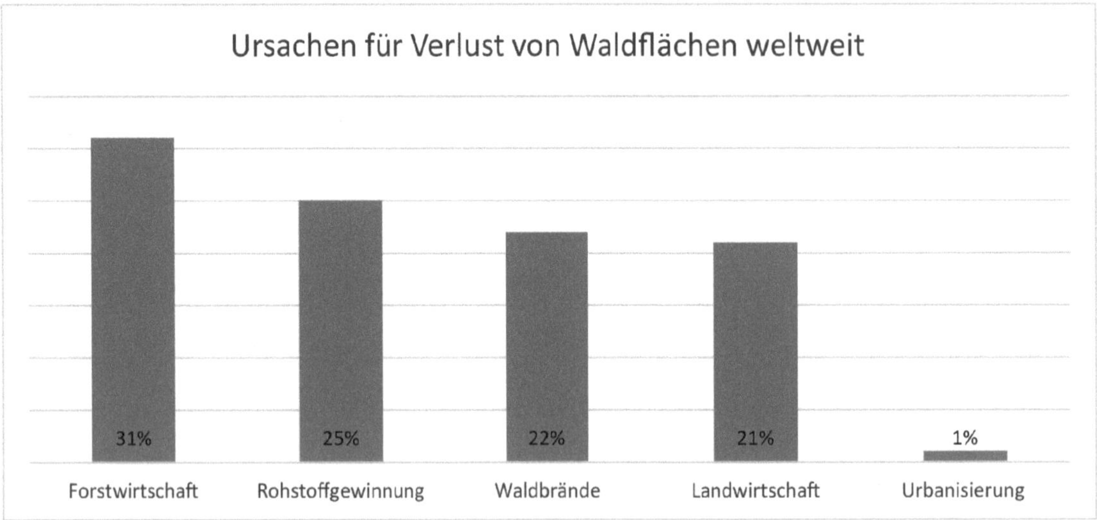

13 Ihre Freundin Klara wird bald zwei Austauschsemester in Sydney machen. Da sie noch nie in Australien war, ist sie sehr aufgeregt. Klara überlegt, wie sie sich am besten auf den Auslandsaufenthalt vorbereiten kann,
14 und fragt Sie um Rat.

Sagen Sie Klara, wozu Sie ihr raten würden.

Hinweis: In der Prüfung haben Sie bei diesem Aufgabentyp **0:30 Minuten Vorbereitungszeit** und **0:45 Minuten Sprechzeit**. Halten Sie sich auch beim Üben an diese Zeitvorgaben.

Notizen:

15 Wenn Sie möchten, hören Sie sich eine Modelllösung an.

16 Sie sind mit einigen Kommilitonen in der Cafeteria Ihrer Hochschule. Sie jobben alle neben dem Studium und diskutieren über den finanziellen Stress von Studierenden. Ihr Freund Michael meint, dass alle

17 Studierenden ein staatliches Stipendium von 1000 Euro pro Monat bekommen sollten.

Wägen Sie positive und negative Folgen eines staatlichen Stipendiums ab. Legen Sie Ihren Standpunkt dar und begründen Sie Ihre Meinung.

Hinweis: In der Prüfung haben Sie bei diesem Aufgabentyp **0:45 Minuten Vorbereitungszeit** und **1:30 Minuten Sprechzeit**. Halten Sie sich auch beim Üben an diese Zeitvorgaben.

Notizen:

18 Wenn Sie möchten, hören Sie sich eine Modelllösung an.

19 In einer Arbeitsgruppe an Ihrer Hochschule behandeln Sie gerade das Thema „Maßnahmen zur Verbesserung des Raumklimas". Sie haben dazu einen interessanten Artikel gelesen und wollen ihn für Ihre Mitstudierenden zusammenfassen.

Lesen Sie den Text.
Der Text ist **4 Minuten** lang zu sehen.
20 **Fassen Sie dann die wesentlichen Informationen zusammen.**

Hinweis: In der Prüfung haben Sie bei diesem Aufgabentyp **4:00 Minuten Vorbereitungszeit** und **2:00 Minuten Sprechzeit**. Halten Sie sich auch beim Üben an diese Zeitvorgaben.

Verbessern Zimmerpflanzen die Raumluft?

Zimmerpflanzen geben monotonen Bürowüsten und kargen Fensterbrettern grüne Akzente und sorgen für ein bisschen Natur in der Wohnkultur. Studien belegen, dass der Anblick von Pflanzen das Wohlbefinden von Menschen steigern kann. Als ein weiteres Argument für die Raumbegrünung wird allerdings auch immer wieder angeführt, dass die Gewächse die Raumluft verbessern können. Theoretisch lässt sich auch dabei auf wissenschaftliche Erkenntnisse verweisen: Studien haben gezeigt, dass Pflanzen potenziell schädliche organische Verbindungen wie Kohlenwasserstoffe, Alkohole oder organische Säuren aus der Luft filtern und dadurch beseitigen können.
Die entsprechenden Studien wurden jetzt von Forschern ausgewertet. Aus der Auswertung geht hervor, dass die Filterfunktion von Zimmerpflanzen in Wohnräumen kein relevantes Niveau erreicht. Der natürliche Luftwechsel übertrifft demnach die Effekte der Pflanzen bei Weitem. „Es handelt sich letztlich um ein Missverständnis: Pflanzen sind großartig und können tatsächlich Luft filtern, aber sie reinigen sie nicht schnell genug, um die Luftqualität von Wohnräumen oder Büros relevant zu verändern", resümieren die Wissenschaftler. Nach ihren Berechnungen müsste man Räume komplett mit Pflanzen füllen, um mit dem Effekt durch den ständigen Luftwechsel in Gebäuden oder durch Lüften zu konkurrieren.
Wie die Forscher erklären, fanden die Studien, die Pflanzen eine Filterwirkung gegenüber schädlichen organischen Verbindungen bescheinigt haben, hingegen in geschlossenen Systemen statt. So hat etwa die NASA festgestellt, dass Pflanzen dabei helfen könnten, Schadstoffe aus der Luft der Internationalen Raumstation ISS zu entfernen. Dort findet allerdings kein Austausch mit der Außenluft statt wie in einem Wohnraum und man kann auch kein Fenster öffnen. Sobald diese Faktoren eine Rolle spielen, ist der Effekt von Pflanzen in Räumen nicht mehr ausschlaggebend, betonen die Forscher. „Es handelt sich um ein Beispiel dafür, wie wissenschaftliche Erkenntnisse im Laufe der Zeit falsch interpretiert werden."

21 Wenn Sie möchten, hören Sie sich eine Modelllösung an.

22 In Ihrem wirtschaftswissenschaftlichen Seminar sprechen Sie über wichtige Kriterien in Unternehmen bei der Auswahl neuer Mitarbeiter und Mitarbeiterinnen. Ihre Dozentin, Frau Dr. Rabenstein, hat eine Grafik mitgebracht und bittet die Seminarteilnehmenden um eine Stellungnahme.

23 **Hören Sie, was ein Seminarteilnehmer zum Thema sagt.**
24 **Nehmen Sie Stellung zu der gehörten Aussage.**
Beziehen Sie sich dabei auch auf die vorliegende Grafik.

Hinweis: In der Prüfung haben Sie bei diesem Aufgabentyp **0:30 Minuten Vorbereitungszeit**, um zuerst die Grafik anzusehen, **1:30 Minuten Vorbereitungszeit** nach dem Hören des Redebeitrags und **1:30 Minuten Sprechzeit**. Halten Sie sich auch beim Üben an diese Zeitvorgaben.

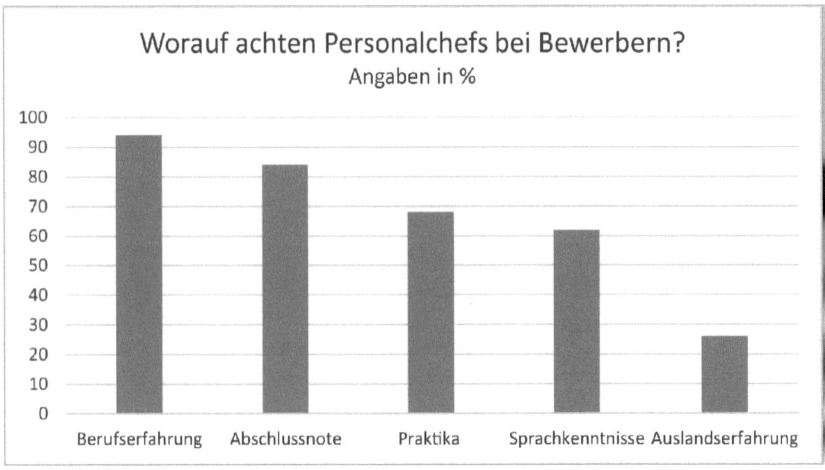

25 Wenn Sie möchten, hören Sie sich eine Modelllösung an.

26
27
Sie haben für Ihren studienvorbereitenden Deutschkurs eine Kurzpräsentation zum Thema „Familie früher und heute" vorbereitet. Ihre Tutorin, Frau Hofmann, bittet Sie, Ihre Präsentation vorzutragen.

Erläutern Sie zunächst den Aufbau Ihrer Präsentation. Gehen Sie dann auf die einzelnen Punkte näher ein und heben Sie wichtige Einzelheiten hervor.

Hinweis: In der Prüfung haben Sie bei diesem Aufgabentyp **2:00 Minuten Vorbereitungszeit** und **2:30 Minuten Sprechzeit**. Halten Sie sich auch beim Üben an diese Zeitvorgaben.

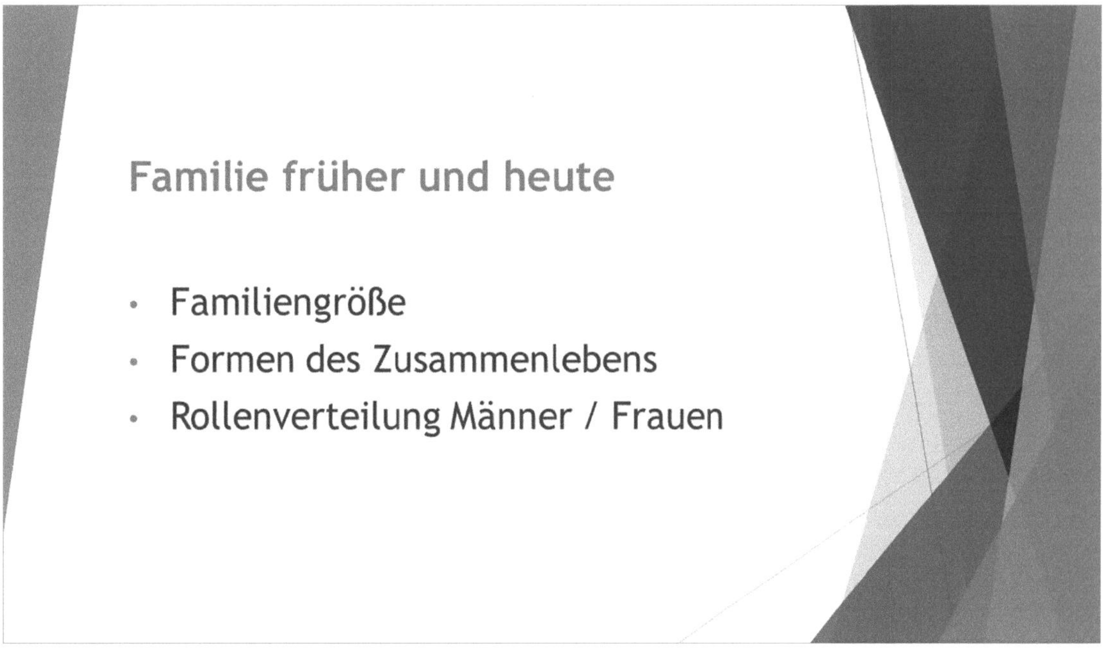

28 Wenn Sie möchten, hören Sie sich eine Modelllösung an.

29
30
31

In Ihrem sozialwissenschaftlichen Seminar diskutieren Sie heute über das Thema „Verbot von Benzin- und Dieselfahrzeugen - Umstieg auf Elektromobilität". Eine Kommilitonin äußert sich zu diesem Thema. Ihre Dozentin, Frau Dr. Bauer, bittet Sie, zu der Äußerung Stellung zu nehmen.

Geben Sie die Argumente Ihrer Kommilitonin wieder und nehmen Sie Stellung zu ihren Argumenten. Begründen Sie Ihren eigenen Standpunkt zum Thema.

Hinweis: In der Prüfung haben Sie bei diesem Aufgabentyp **1:30 Minuten Vorbereitungszeit** nach dem Hören des Redebeitrags und **2:00 Minuten Sprechzeit**. Halten Sie sich auch beim Üben an diese Zeitvorgaben.

32 Wenn Sie möchten, hören Sie sich eine Modelllösung an.

33 Sie haben auf der Internetseite Ihrer Hochschule gelesen, dass aufgrund von Sparmaßnahmen geisteswissenschaftliche Studiengänge umstrukturiert werden sollen. Sie vertreten eine Studierendengruppe, die dieses Vorhaben kritisch verfolgt, und möchten sich bei einer Informationsveranstaltung zum Thema

34 äußern.

Äußern Sie die Kritik der Studierendengruppe an der geplanten Maßnahme.
Begründen Sie diese Position.
Sagen Sie, wie die Geisteswissenschaften anderweitig Geld einsparen könnten.

Hinweis: In der Prüfung haben Sie bei diesem Aufgabentyp **1:30 Minuten Vorbereitungszeit** und **1:30 Minuten Sprechzeit**. Halten Sie sich auch beim Üben an diese Zeitvorgaben.

Neu ab dem nächsten Jahr

Die Universität ist gezwungen, Kosten einzusparen. Daher werden geisteswissenschaftliche Studiengänge ab dem nächsten Jahr nur noch als Online-Studium im Internet angeboten.
Die Lernpläne werden dementsprechend angepasst.

35 Wenn Sie möchten, hören Sie sich eine Modelllösung an.

Lösungen der Modellprüfung 1

Lesen

Aufgabentyp 1

(1) c, (2) c, (3) d, (4) b, (5) b

Aufgabentyp 2

1d, 2e, 3c, 4b, 5a

Aufgabentyp 3

(1) a), (2) b), (3) a), (4) d), (5) b), (6) c), (7) d)

Aufgabentyp 4

1d, 2h, 3c, 4e

Aufgabentyp 5

1. Diesel, 2. Diesel, 3. passt nicht, 4. Erdgas, 5. Erdgas, 6. beide, 7. Erdgas

Aufgabentyp 6

1 f/g; 2 f/g; 3 b/e; 4 b/e

Aufgabentyp 7

Falsch sind 4, 8, 9.

Hören

Aufgabentyp 1

(1) einer Promotion / Dissertation / Doktorarbeit (2) praktischer Philosophie (3) Computer abgestürzt / Daten weg / alles weg / Computer kaputt (4) alter Geschichte (5) kreativem Schreiben

Aufgabentyp 2

Herr Klöbner: Maßnahme: Citymaut einführen; **Folge:** weniger Verkehr / weniger Staus

Frau Wagner: Maßnahme: öffentliche Verkehrsmittel billiger / kostenfrei anbieten; **Folge:** Leute steigen auf öffentliche Verkehrsmittel um

Aufgabentyp 3:

1. Viele Menschen sind mittlerweile zu der Auffassung gelangt, dass regenerative Energien doch nicht so umweltfreundlich sind, wie man anfänglich angenommen hat.

2. Diese Dämme halten zwar das Wasser zurück, aber nicht die für viele Lebewesen notwendigen fruchtbaren Sedimente.

Aufgabentyp 4:

Aussage 1: Herr Dr. Matthäus, Aussage 2: Frau Zeltler, Aussage 3: beide, Aussage 4: Herr Dr. Matthäus, Aussage 5: keiner, Aussage 6: beide

Aufgabentyp 5:

Viele Arten sterben schnell aus / Viele Arten sterben aus / Arten sterben schnell aus; Zeitspanne ist zu kurz; Bevölkerungszahl und Artensterben / Aussterben von Tierarten; Säugetiere / Menschen

Aufgabentyp 6:

1b, 2c, 3b, 4a, 5.d

Aufgabentyp 7:

vor - von; Rolle - Roller; Menschen - Männchen; zwischen - wischen

Schreiben

Aufgabentyp 1

Musterlösung: Das Reisen ist in den letzten Jahrzehnten viel günstiger geworden, durch Angebote von Billigairlines, Fernbussen und Ferienwohnungen. Das hat zur Folge, dass immer mehr Menschen meist kurze Städtereisen buchen. Aber was bedeuten die hohen Besucherzahlen für die Bewohner einer Stadt?

Der Massentourismus kann auf der einen Seite ein wichtiger wirtschaftlicher Faktor für die Stadt und Region darstellen. In der Gastronomie und Hotellerie, aber auch in anderen Bereichen, können so mehr Arbeitsplätze entstehen. Das Geld, das die Stadt dadurch zusätzlich einnimmt, kann sowohl in die Renovierung von Gebäuden als auch in die Infrastruktur investiert werden, was auch den Bewohnerinnen und Bewohnern zugutekommt. Zudem reisen manche Menschen in andere Länder, weil sie sich für die Kultur und Geschichte der Region interessieren. Dieser Austausch kann für beide Seiten eine Bereicherung sein.

Ein Nachteil des Tourismus hingegen ist, dass viele Wohnungen nicht mehr an die Einwohner, sondern als Ferienwohnungen an Gäste vermietet werden. So steigen die Mietpreise, und Menschen, die in der Stadt leben und arbeiten, werden aus dem Zentrum verdrängt. Hinzukommt der Lärm, den die Besucherinnen und Besucher verursachen können. Viele Touristen möchten sich im Urlaub amüsieren und nehmen nicht immer Rücksicht auf die Anwohner. In beliebten Küstenstädten wie z.B. Venedig beklagen die Bewohner außerdem den zunehmenden Müll und die Umweltverschmutzung und fordern, den Tourismus stärker zu regulieren.

Es wäre in der Tat wünschenswert, dass Städte ein Konzept für den Tourismus entwickeln, damit sich einerseits die Gäste willkommen und gleichzeitig die Bewohner in ihrer Stadt wohlfühlen können.

Aufgabentyp 2

Musterlösung: In dem Text „Der Wald im Wandel" und der dazugehörigen Grafik geht es um die Hauptursachen und Folgen des Verlusts von Waldflächen weltweit. Unter den Gründen ist die Forstwirtschaft mit einem Anteil von 31% der wichtigste Faktor. An zweiter Stelle stehen Rohstoffe, deren Gewinnung ein Viertel der Abholzung verursacht. Waldbrände (22%) und die Landwirtschaft (21%) sind zu fast gleichen Teilen für den Rückgang verantwortlich.

Infolge dieser Entwicklung verlieren nicht nur Pflanzen und Tiere ihren Lebensraum. Auch für den Menschen bedeutet das eine zunehmende Luftverschmutzung und höhere Temperaturen im Sommer in den Städten, wenn es immer weniger Bäume auf der Welt gibt. Zudem wird der Klimawandel dadurch noch weiter verstärkt.

Sprechen

Aufgabentyp 1

Mögliche Antwort: Also Klara, ich kann gut verstehen, dass du nervös bist. Du wirst ein Jahr in einem ganz fremden Land leben. An deiner Stelle würde ich mich erstmal gut über alles informieren, was dich in Sydney erwartet. Schau doch mal im Internet nach, wie groß die Stadt ist, wie viele Leute an der Uni eingeschrieben sind und welche Aktivitäten es für die Studierenden gibt. Dann kannst du dir besser vorstellen, wie dein Leben in Australien aussehen wird. Du könntest auch versuchen, zu Studierenden in Sydney Kontakt aufzunehmen, es gibt sicher verschiedene Gruppen in sozialen Netzwerken. Da könntest du noch mehr Informationen bekommen.

Aufgabentyp 2

Mögliche Antwort: Ja, das wäre natürlich super. Mit 1000 Euro pro Monat müsste man keinen Nebenjob mehr machen und könnte sich voll auf sein Studium konzentrieren. Dann hätte man nicht nur weniger Stress, sondern man könnte das Studium auch schneller abschließen. An einem Stipendium wäre auch positiv, dass es im Gegensatz zu einem Studienkredit nicht zurückgezahlt werden muss. So hat man keine jahrelange finanzielle Belastung, nachdem man mit der Uni fertig ist. Es könnte aber auch negative Folgen haben. Alle Studierenden mit 1000 Euro pro Monat zu unterstützen, wäre sehr teuer für den Staat. Zudem könnte man kaum überprüfen, ob jemand wirklich ein Student ist und fleißig lernt, oder einfach nur eingeschrieben ist, um das Geld zu bekommen. So könnte auch viel Geld verschwendet werden für Leute, die die Unterstützung gar nicht verdienen. Aus diesem Grund finde ich die Idee zwar gut, aber das Stipendium müsste meiner Meinung nach mit bestimmten Voraussetzungen verbunden sein. Zum Beispiel sollten die Studierenden ihre Klausurergebnisse und ihren Fortschritt im Studium nachweisen müssen. Dann wäre es eine gute Sache, weil dadurch alle die Chance bekommen zu studieren, solange sie gute Leistungen erbringen, und zwar ganz unabhängig vom Geld der Eltern.

Aufgabentyp 3

Mögliche Antwort: In dem Text geht es um wissenschaftliche Studien zur Wirkung von Zimmerpflanzen. Einige dieser Studien haben gezeigt, dass Zimmerpflanzen schädliche Stoffe aus der Luft filtern und die Luftqualität in Räumen dadurch verbessern können. Forscher haben diese Studien jetzt jedoch ausgewertet und sind zu dem Ergebnis gekommen, dass dieser Effekt nicht relevant ist. Denn der natürliche Luftwechsel, der in Gebäuden stattfindet, hat einen stärkeren Einfluss auf die Luftqualität als die luftreinigende Wirkung der Pflanzen. Die Forscher erklären ihr Ergebnis damit, dass die ursprünglichen Studien in geschlossenen Systemen durchgeführt wurden, in denen kein Austausch mit der Außenluft stattfand. Unter solchen Bedingungen haben Pflanzen einen Effekt. In normalen Gebäuden ist diese Wirkung allerdings nicht entscheidend.

Aufgabentyp 4

Mögliche Antwort: Ja, danke. Ich kann meinem Kommilitonen nicht ganz zustimmen. Er ist der Meinung, dass es heutzutage nur noch auf die Berufserfahrung und Auslandserfahrung eines Bewerbers ankomme und Noten für die Personalchefs nicht mehr wichtig seien. Diese Aussage steht jedoch im Widerspruch zur Grafik. Dort können wir eindeutig erkennen, dass Berufserfahrung zwar das wichtigste Kriterium für Personaler ist, aber mehr als vier Fünftel interessieren sich auch für die Abschlussnote. Im Gegensatz dazu ist Auslandserfahrung nur für eine Minderheit von Bedeutung. Meiner Ansicht nach ist es erstaunlich, dass die Abschlussnote weiterhin ein so wichtiges Kriterium bei der Auswahl zukünftiger Mitarbeiter ist. Denn gute Noten im Studium zeigen nur, wie gut man Tests bestehen kann. Sie sagen aber nichts darüber aus, wie erfolgreich jemand im Berufsleben sein wird. Mich überrascht auch, dass Auslandserfahrung für Personalchefs nicht wichtiger ist. In der heutigen globalisierten Arbeitswelt würde ich erwarten, dass internationale Erfahrungen eine viel größere Bedeutung haben. Außerdem scheinen mir noch andere Kriterien sehr wichtig, die nicht in der Grafik genannt sind, wie zum Beispiel die Persönlichkeit eines Bewerbers und seine soziale Kompetenz. Wenn man erfolgreich zusammenarbeiten will, dann müssen diese Faktoren auch stimmen.

Aufgabentyp 5

Mögliche Antwort: Liebe Kommilitoninnen und Kommilitonen, in meiner heutigen Präsentation möchte ich das Thema „Familie früher und heute“ vorstellen. Meine Präsentation besteht aus drei Teilen. Zuerst werde ich euch einige Informationen über die Familiengröße geben. Danach gehe ich auf die Formen des Zusammenlebens ein. Am Ende spreche ich noch über die Rollenverteilung zwischen Männern und Frauen.

Beginnen wir mit der Familiengröße. Vor etwa einhundert Jahren war die Großfamilie verbreitet, und es war keine Seltenheit, dass Frauen fünf bis sechs Kinder hatten. Familien bestanden aus vielen Mitgliedern und jede Person hatte Tanten und Onkel, Cousins und Cousinen und auch Brüder und Schwestern. Im Gegensatz dazu sind die heutigen Familien viel kleiner. Frauen bekommen im Durchschnitt nur noch ein bis zwei Kinder, weshalb viele Kinder ohne Geschwister aufwachsen. Wenn dann auch die Eltern Einzelkinder sind, haben die Kinder außer den Großeltern keine anderen Verwandten. Soviel zur Familiengröße.

Kommen wir nun zum zweiten Aspekt, den veränderten Formen des Zusammenlebens. Zur Zeit der Großfamilie war es üblich, dass mehrere Generationen unter einem Dach lebten. Die Großeltern gehörten zum Haushalt und halfen zum Beispiel bei der Kindererziehung. Es konnte auch vorkommen, dass noch weitere Verwandte mit im Haus lebten. Heute dagegen ist es der Normalfall, als Kleinfamilie zusammenzuleben, das heißt, nur die Eltern mit den ein oder zwei Kindern. Neben der Kleinfamilie gibt es aber auch zunehmend andere Familienformen, wie etwa Patchworkfamilien, in denen ein oder beide Partner ein Kind aus einer früheren Beziehung mitbringen oder Familien mit nur einem Elternteil.

Als Letztes sage ich noch etwas zur Rollenverteilung. In der traditionellen Familie der Vergangenheit war im Allgemeinen der Mann das Familienoberhaupt. Er traf wichtige Entscheidungen. Auf dem Land arbeiteten Männer und Frauen zusammen in der Landwirtschaft. In der Stadt galt häufig ein Familienmodell als Ideal, bei dem die Frau für Kindererziehung und Hausarbeit zuständig war und der Mann für den finanziellen Unterhalt. Heutzutage besteht mehr Gleichberechtigung zwischen Männern und Frauen. Häufig sind beide Partner berufstätig und verdienen Geld. Auch die Hausarbeit ist auf beide Partner verteilt, und Männer haben eine größere Rolle bei der Erziehung ihrer Kinder.

Damit bin ich am Ende meiner Präsentation angelangt. Ich bedanke mich fürs Zuhören.

Aufgabentyp 6

Mögliche Notizen

1. Nur noch Elektroautos → bessere Luftqualität, keine Schadstoffe

2. weniger Verkehrslärm, Elektroautos nicht zu hören

3. bequemer, über Nacht zuhause aufladen

Mögliche Antwort: Ja, danke. Mein Kommilitone ist der Meinung, dass bald nur noch Elektroautos erlaubt sein sollten und wir auf diese Weise die Luftqualität in den Städten verbessern könnten, denn diese Autos würden keine Schadstoffe produzieren. Diesem Argument stimme ich teilweise zu. Die Luft in den Städten würde sicher besser werden. Wir dürfen aber nicht vergessen, dass der Strom für die Elektroautos vor allem mit Kohle und Erdgas erzeugt wird. Und in diesen Kraftwerken entstehen natürlich Schadstoffe.

Mein Kommilitone hat außerdem erklärt, dass der Verkehrslärm sich reduzieren ließe, wenn es nur noch Elektroautos gäbe. Mit dieser Aussage bin ich zum Teil einverstanden. Solange Elektroautos nur langsam fahren, sind sie tatsächlich sehr leise. Die Lärmbelastung durch Autoverkehr in den Städten würde sich also verringern. Sobald diese Autos allerdings schnell fahren, sind sie auch ziemlich laut.

Schließlich hat mein Kommilitone noch gesagt, dass elektrische Autos eine große Bequemlichkeit bieten würden, da man sie nachts zuhause aufladen könne. Niemand bräuchte dann mehr eine Tankstelle. Diesem Argument muss ich allerdings widersprechen, da es nur auf Menschen zutrifft, die in ihrem eigenen Haus leben. Das ist aber nur eine Minderheit von Personen. Die Mehrheit lebt dagegen in Wohnungen und hat zu Hause keine Lademöglichkeit für ein Elektroauto.

Meiner Meinung nach ist ein komplettes Verbot von Benzin- und Diesel-PKW und ein vollständiger Umstieg auf Elektroautos in den nächsten Jahren nicht realistisch. Für einen großen Teil der Bevölkerung sind sie im Moment noch keine echte Alternative zu herkömmlichen PKW. Denn Elektroautos sind noch ziemlich teuer, sie fahren nur kurze Strecken und es gibt zu wenige Möglichkeiten, um sie zu laden. Ich halte E-Autos aber sowieso nicht für die beste Alternative zu Benzin- und Diesel-PKW. Meiner Ansicht nach sollten wir den öffentlichen Nahverkehr besser ausbauen. So könnten wir die Verkehrsbelastung und den Schadstoffausstoß in den Städten am schnellsten reduzieren.

Aufgabentyp 7

Mögliche Lösung: Vielen Dank, dass Sie mir das Wort erteilen. Dem Vorhaben der Universität können wir Studierenden nicht zustimmen. Wenn geisteswissenschaftliche Studienfächer nur noch als Online-Studium angeboten würden, würde das ihre Attraktivität für die Studierenden und ihre Bedeutung stark reduzieren. Wir brauchen geisteswissenschaftliche Studiengänge jedoch ebenso sehr wie auch andere Fächer. Die Geisteswissenschaften haben eine wichtige Funktion für unsere moderne Gesellschaft. Sie vermitteln uns Werte und geben uns Orientierung für die Zukunft. Auch die Universität braucht die geisteswissenschaftlichen Fakultäten. Denn sie leisten einen Beitrag zur Persönlichkeitsbildung der Studierenden und machen sie zu selbstständig denkenden Menschen. Daher wäre es ein Fehler, geisteswissenschaftliche Studiengänge als überflüssigen Luxus wahrzunehmen, auf den man einfach verzichten kann.

Eine bessere Lösung, als die Präsenzstudiengänge komplett abzuschaffen, wäre unserer Ansicht nach, Schwerpunkte zu setzen. Nicht jede Universität muss alle geisteswissenschaftlichen Studiengänge anbieten. Mehrere Universitäten könnten zusammenarbeiten und kleine Fächer, in denen nur wenige Studierende immatrikuliert sind, untereinander aufteilen. Mit dem eingesparten Geld könnten die anderen Fakultäten finanziert werden. Eine weitere Maßnahme könnte sein, die Fachbibliotheken in den geisteswissenschaftlichen Fakultäten aufzulösen und in die Universitätsbibliothek zu integrieren. Auf diese Weise könnte die Universität die Kosten reduzieren und die Studierenden hätten immer noch Zugang zu den Büchern. Wir hoffen, dass die Universität die geplanten Sparmaßnahmen noch einmal überdenkt und wir gemeinsam eine bessere Lösung finden.

Modellprüfung 2 (digital)

Mit der digitalen Modellprüfung können Sie die Prüfungssituation online simulieren.

Voraussetzungen:

Nutzen Sie für die Prüfungssimulation einen Windows-PC oder -Laptop mit einer Auflösung von mind. 1920 x 1080 Pixel und mit einem Betriebssystem ab Windows 7. Außerdem benötigen Sie (integrierte) Lautsprecher und für die Aufnahmen ein (integriertes) Mikrofon oder ein Headset.

Vorteile der Online-Simulation:

- Sie erhalten eine Vorstellung davon, wie die Durchführung der Prüfung am PC ablaufen wird.
- Sie erproben das Tippen auf der Tastatur in einer prüfungsähnlichen Situation.
- Sie lernen den zeitlichen Ablauf der gesamten Prüfung und die zeitlichen Beschränkungen bei den einzelnen Aufgabentypen kennen.
- Sie werden mit den einzelnen Aufgabentypen und ihren spezifischen Anforderungen am PC vertraut.
- Die Lösungen zu den geschlossenen Aufgaben werden Ihnen direkt als richtig bzw. falsch angezeigt. Bei den offenen Aufgaben werden Ihnen Musterlösungen angezeigt.

Wir empfehlen Ihnen, alle Prüfungsteile in der digitalen Umgebung einige Male zu wiederholen, damit Sie sich an die Besonderheiten der Testbearbeitung am Computer gewöhnen. Sie müssen die Modellprüfung nicht auf einmal durcharbeiten, sondern können auch einzelne Prüfungsteile beliebig oft wiederholen. In der Originalprüfung werden die vier Prüfungsteile aber an einem Tag hintereinander durchgeführt. Nach den Prüfungsteilen Lesen und Schreiben gibt es eine kürzere Pause, nach dem Prüfungsteil Hören eine längere. Die Gesamtdauer der Prüfung beträgt drei Stunden und zehn Minuten (ohne Pausen).

Alle Aufgaben dieser Modellprüfung wurden vom TestDaF-Institut begutachtet und entsprechen exakt den Anforderungen der realen Prüfung.

Zugang zur digitalen Modellprüfung:

- Auf der Innenseite des Buchumschlags finden Sie einen individuellen Code, der Sie zur einmaligen Freischaltung der Modellprüfung bei der Deutsch-Uni Online berechtigt.
- Rufen Sie dazu die Seite www.klett-sprachen.de/MEz-digitalen-TestDaF auf, klicken Sie auf „Hier geht´s zur digitalen Modellprüfung" und folgen Sie den Anweisungen.

Wichtig: Der Code kann nur einmal zur Freischaltung der Modellprüfung verwendet werden. Geben Sie den Code daher nicht weiter. Nach der Freischaltung können Sie die Prüfung so oft wiederholen, wie Sie wünschen.

Track	Trackliste der Prüfungsteile	Länge
1	Hören 1, Übung 1	01:14
2	Hören 1, Übung 2	04:15
3	Hören 1, Übung 3	01:36
4	Hören 1, Übung 4	01:53
5	Hören 1, Übung 5	02:29
6	Hören 1, Beispielaufgabe mit Lösungshinweisen	02:40
7	Hören 2, Übung 2	02:43
8	Hören 2, Beispielaufgabe mit Lösungshinweisen	02:21
9	Hören 3, Übung 2	03:18
10	Hören 3, Übung 3	03:15
11	Hören 3, Beispielaufgabe mit Lösungshinweisen	03:18
12	Hören 4, Übung 3	02:34
13	Hören 5, Übung 1	00:50
14	Hören 5, Übung 2	02:44
15	Hören 5, Übung 3	03:13
16	Hören 5, Übung 4	03:55
17	Hören 5, Übung 6 und 7	02:59
18	Hören 5, Übung 8	03:21
19	Hören 6, Übung 3	03:23
20	Hören 6, Übung 4	02:47
21	Hören 6, Übung 5	02:35
22	Hören 6, Übung 6	03:17
23	Hören 6, Übung 8	03:09
24	Hören 6, Übung 9	05:04
25	Hören 6, Übung 10	02:23
26	Hören 6, Beispielaufgabe mit Lösungshinweisen	03:42
27	Hören 7, Übung 1	01:18
28	Hören 7, Übung 2	02:17
29	Hören 7, Übung 3	01:01
30	Hören 7, Übung 4	01:03
31	Hören 7, Übung 5	00:37
32	Hören 7, Übung 6	01:25
33	Hören 7, Übung 7	00:46
34	Hören 7, Übung 8	01:40
35	Hören 7, Übung 9	01:06
36	Hören 7, Übung 10	01:04
37	Hören 7, Übung 11	00:44
38	Hören 7, Übung 12	01:16
39	Hören 7, Übung 13	00:46
40	Hören 7, Übung 14	00:46
41	Hören 7, Übung 15	01:22
42	Hören 7, Übung 16	00:51
43	Hören 7, Übung 17	00:56
44	Hören 7, Übung 18	00:39

Track	Trackliste der Prüfungsteile	Länge
45	Hören 7, Übung 19	01:22
46	Hören 7, Übung 20	05:03
47	Hören 7, Beispielaufgabe mit Lösungshinweisen	00:45
48	Sprechen 1, Übung 5	00:07
49	Sprechen 1, Übung 6	02:46
50	Sprechen 1, Beispielaufgabe mit Lösungshinweisen	00:06
51	Sprechen 2, Übung 3b	00:07
52	Sprechen 2, Übung 3c	03:23
53	Sprechen 2, Übung 4b	00:11
54	Sprechen 2, Übung 4c	01:41
55	Sprechen 2, Beispielaufgabe mit Lösungshinweisen	00:07
56	Sprechen 3, Beispielaufgabe mit Lösungshinweisen	00:07
57	Sprechen 4, Übung 2a	00:21
58	Sprechen 4, Übung 6b	00:28
59	Sprechen 4, Übung 6e	00:08
60	Sprechen 4, Übung 7a	00:24
61	Sprechen 4, Übung 7b	02:09
62	Sprechen 4, Übung 7c	00:09
63	Sprechen 4, Beispielaufgabe mit Lösungshinweisen (2)	00:33
64	Sprechen 4, Beispielaufgabe mit Lösungshinweisen (3)	00:08
65	Sprechen 5, Übung 1b	00:34
66	Sprechen 5, Übung 2c	02:37
67	Sprechen 5, Übung 3c	03:12
68	Sprechen 5, Übung 4b	00:06
69	Sprechen 5, Beispielaufgabe mit Lösungshinweisen	00:08
70	Sprechen 6, Übung 1a	01:01
71	Sprechen 6, Übung 1b	01:07
72	Sprechen 6, Übung 4a	01:06
73	Sprechen 6, Übung 4d	00:08
74	Sprechen 6, Übung 5a	01:08
75	Sprechen 6, Übung 5b	00:40
76	Sprechen 6, Übung 5d	00:08
77	Sprechen 6, Beispielaufgabe mit Lösungshinweisen (1)	01:00
78	Sprechen 6, Beispielaufgabe mit Lösungshinweisen (2)	00:09
79	Sprechen 7, Übung 4	03:10
80	Sprechen 7, Beispielaufgabe mit Lösungshinweisen	00:06

Track	Trackliste von Modellprüfung 1	Länge
1	Hören 1, Aufgabenstellung	00:36
2	Hören 1, Hörtext	02:45
3	Hören 2, Aufgabenstellung	00:26
4	Hören 2, Hörtext	02:53
5	Hören 3, Aufgabenstellung	00:48
6	Hören 3, Hörtext	03:42
7	Hören 4, Aufgabenstellung	00:33
8	Hören 5, Aufgabenstellung	00:31
9	Hören 6, Aufgabenstellung	00:39
10	Hören 6, Hörtext	03:56
11	Hören 7, Aufgabenstellung	00:35
12	Hören 7, Hörtext	00:58
13	Sprechen 1, Aufgabenstellung	00:24
14	Sprechen 1, Sprechimpuls	00:05
15	Sprechen 1, Modelllösung	00:44
16	Sprechen 2, Aufgabenstellung	00:33
17	Sprechen 2, Sprechimpuls	00:05
18	Sprechen 2, Modelllösung	01:34
19	Sprechen 3, Aufgabenstellung	00:28

Track	Trackliste von Modellprüfung 1	Länge
20	Sprechen 3, Sprechimpuls	00:05
21	Sprechen 3, Modelllösung	01:01
22	Sprechen 4, Aufgabenstellung	00:34
23	Sprechen 4, Äußerung eines Seminarteilnehmers	00:26
24	Sprechen 4, Sprechimpuls	00:06
25	Sprechen 4, Modelllösung	01:42
26	Sprechen 5, Aufgabenstellung	00:28
27	Sprechen 5, Sprechimpuls	00:07
28	Sprechen 5, Modelllösung	03:03
29	Sprechen 6, Aufgabenstellung	00:34
30	Sprechen 6, Äußerung einer Seminarteilnehmerin	00:59
31	Sprechen 6, Sprechimpuls	00:07
32	Sprechen 6, Modelllösung	02:21
33	Sprechen 7, Aufgabenstellung	00:39
34	Sprechen 7, Sprechimpuls	00:07
35	Sprechen 7, Modelllösung	01:58

Die Audio- und Videodateien sowie die Transkriptionen finden Sie zum Download auf der Seite www.klett-sprachen.de/MEz-digitalen-TestDaF. Alternativ erhalten Sie die Dateien mit der Klett-Augmented-App.

Produktion: TOP10 Tonstudio, Gunther Pagel, Viernheim
Aufnahmeleitung: Stefanie Plisch de Vega, Viernheim
Sprecherinnen und Sprecher / Prüfungsteile: Christian Birko-Flemming, Moritz Hahn, Juan Carlos Ixcaraguá Lima, Petra Mott, Annette Mrozek, Stefanie Plisch de Vega, Sion Schmidt, Markus Schultz, Hans-Peter Stoll, Kataryna Stoss, Anke Stößer, Sofi Vega, Ron Vodovozov, Denis Zheryakov
Sprecherinnen und Sprecher / Modellprüfung 1: Christian Birko-Flemming, Juan Carlos Ixcaraguá Lima, Petra Mott, Annette Mrozek, Stefanie Plisch de Vega, Markus Schultz, Hans-Peter Stoll, Kataryna Stoss, Anke Stößer, Sofi Vega, Denis Zheryakov

Textquellen

Folgende Originalvorlagen wurden für die Lese- und Hörtexte sowie die Videos von den Autorinnen sprachlich angepasst, bearbeitet und teilweise gekürzt:

Lesetext S. 16: Daniela Mocker: Sensibel für Soziales. www.spektrum.de vom 09.10.2017.
Lesetext S. 18: 6. März 2014: 115 Jahre Aspirin. www.wissen.de
Lesetext S. 20: Christoph Dieffenbacher: Zu früh Geborene haben oft Probleme mit dem Schlaf – auch noch später im Leben. Aus: UNI NOVA, Wissenschaftsmagazin der Universität Basel, www.unibas.ch/de
Lesetext S. 21: Lars Fischer: Tiefseefische kündigen kein Erdbeben an. www.spektrum.de vom 19.06.2019
Lesetext S. 23f: Monika Rößiger: Trinkwasser mit schmutzigem Geheimnis. www.spektrum.de vom 19.03.2019
Lesetext S. 24f: Yachten als Fähren für Bioinvasoren. www.wissenschaft.de vom 25.09.2019, © natur.de - Nadja Podbregar, aufzurufen unter: https://www.wissenschaft.de/umwelt-natur/yachten-als-faehren-fuer-bioinvasoren/
Lesetext S. 26: Jakobskreuzkraut: Giftpflanze breitet sich in Deutschland aus. WELT/ Dagmar Böhning, www.welt.de vom 03.08.2018, © Axel Springer SE. Alle Rechte vorbehalten.
Lesetext S. 27f: Roland Knauer: Warum Vormenschen-Kinder lange gestillt wurden. www.welt.de vom 15.07.2019, © Axel Springer SE. Alle Rechte vorbehalten.
Lesetext S. 34: George Turner: Streit um das Zentralabitur - Studienplätze nach Leistung vergeben. www.tagesspiegel.de vom 07.07.2019
Lesetext S. 44: Hirn an Hand: „Greife" - Hand greift. Wie uns künstliche Intelligenz hilft. Aus: Schwarzrotgold - Das Magazin der Bundesregierung, 3/2019, S. 4-7
Lesetext S. 50: Lebensmittelverschwendung - die Dekadenz des Überflusses. © Welthungerhilfe
Hörtext S.68 (Track 11): Lichtverschmutzung: Immer mehr Licht stört die Dunkelheit der Nacht. www.br.de vom 26.04.2019
Hörtext S. 77 (Track 17): Nicole Bußmann: Wann lernen wir gut? Hirnforscher Onur Güntürkün mit Antworten. www.managerseminare.de vom 22.02.2016
Hörtext, S. 84f: Dr. Elisabeth S. Blanke: Je älter, desto weniger Empathie? www.br.de; ARD-alpha Campus Talks
Hörtext S. 79f (Video): Mehrsprachigkeit als Normalzustand? Prof. Dr. Silke Jansen über Mehrsprachigkeit in unserer Gesellschaft. Newsportal der Friedrich-Alexander-Universität Erlangen-Nürnberg vom 13.10.2017, aufzurufen unter: https://www.fau.de/2017/10/news/nachgefragt/mehrsprachigkeit-als-normalzustand/
Lesetext S. 107: Dieter Jandt: Autofreie Innenstädte – eine Idee für die Zukunft? www.swr.de vom 19.11.2019
Lesetext S. 110: Lars Schmelter (2010), (K)eine Frage des Alters – Fremdsprachenunterricht auf der Primarstufe. Zeitschrift für Interkulturellen Fremdsprachenunterricht 15: 1, 26-41.
Lesetext S. 115: Holger Buxel: Krankenhäuser: Was Pflegekräfte unzufrieden macht. www.aerzteblatt.de, Dtsch Arztebl 2011; 108(17): A 946–8
Lesetext S. 131: Wir sind keine intuitiven Hundeversteher. www.wissenschaft.de vom 18.11.2019, © natur.de - Martin Vieweg, aufzurufen unter: https://www.wissenschaft.de/gesellschaft-psychologie/wir-sind-keine-intuitiven-hundeversteher/
Lesetext S. 132: Ameisen: Cleveres Kalkül beim Straßenbau. www.wissenschaft.de vom 11.11.2019, © natur.de - Martin Vieweg, aufzurufen unter: https://www.wissenschaft.de/umwelt-natur/ameisen-cleveres-kalkuel-beim-strassenbau/
Lesetext S. 133: Pflanzen helfen sich mehr als gedacht. www.wissenschaft.de vom 15.11.2019, © natur.de - Nadja Podbregar, aufzurufen unter: https://www.wissenschaft.de/umwelt-natur/pflanzen-helfen-sich-mehr-als-gedacht/
Lesetext S. 134: Orientieren wir uns an Gerüchen? www.wissenschaft.de vom 22.11.2019, © natur.de - Martin Vieweg, aufzurufen unter: https://www.wissenschaft.de/gesellschaft-psychologie/orientieren-wir-uns-an-geruechen/
Lesetext S. 136: Was einen guten Popsong ausmacht. www.wissenschaft.de vom 08.11.2019, © natur.de - Daniela Albat; aufzurufen unter: https://www.wissenschaft.de/gesellschaft-psychologie/was-macht-einen-guten-popsong-aus/

Lesetext S. 203: Bessern Pflanzen tatsächlich die Raumluft? www.wissenschaft.de vom 07.11.2019, © natur.de - Martin Vieweg, aufzurufen unter: https://www.wissenschaft.de/umwelt-natur/bessern-pflanzen-tatsaechlich-die-raumluft/
Lesetext S. 183: Daniel Lingenhöhl: Als die Krokodile vegetarisch wurden. www.spektrum.de vom 01.07.2019
Lesetext S. 185f: Olivia Poisson: Arbeitszeiten: Wer selbst entscheidet, leistet mehr. Aus: UNI NOVA, Wissenschaftsmagazin der Universität Basel, www.unibas.ch/de
Lesetext, S. 187: Florian Aigner: Wissenschaftlich korrekte Panik. https://futurezone.at vom 28.04.2019
Lesetext S. 188: Martina Lode-Gerke: Der Tiger im Tank. Orange - Forschungsmagazin der Fachhochschule Dortmund, Ausgabe 01/2007
Lesetext S. 190: Umweltbundesamt (2017): Urban Mining. https://www.umweltbundesamt.de/themen/abfall-ressourcen/abfallwirtschaft/urban-mining (Stand: 08.05.2017)
Hörtext S. 196 (Video): Jörg Mutterlose im Interview, von Julia Weiler: Das große Artensterben als Motor für die Biodiversität. Aus: Wissenschaftsmagazin RUBIN, Ruhr-Universität Bochum, https://news.rub.de vom 05.08.2019
Hörtext S. 197 (Track 10): Anna Frühbuss; Clara Sasse: Rise of the Robots - die Folgen der Automatisierung. www.humanresourcesmanager.de vom 14.08.2018

Bildquellen

Video (s.S. 196).4 Getty Images (IakovKalinin), München; **Video (s.S. 196).3** Getty Images (zokru), München; **Video (s.S. 196).2** Getty Images (GlobalP), München; **Video (s.S. 196).1** Getty Images (SDI Productions), München; **Video (s.S. 79f.).2** Getty Images (jacoblund), München; **Video (s.S. 79f.).4** Getty Images (bowie15), München; **Video (s.S. 79f.).3** Getty Images (Trifonov_Evgeniy), München; **Video (s.S. 79f.).1** Getty Images (KatarzynaBialasiewicz), München; **48.1** Stiftung für Zukunftsfragen – eine Initiative von British American Tobacco; **49.1** Stiftung für Zukunftsfragen – eine Initiative von British American Tobacco; **51.1** © Welthungerhilfe, www.welthungerhilfe.de; **105.1** © Statista 2020; **108.1** Quelle: Europäische Kommission/EACEA/Eurydice, 2017. Schlüsselzahlen zum Sprachenlernen an den Schulen in Europa – Ausgabe 2017. Eurydice-Bericht. Luxemburg: Amt für Veröffentlichungen der Europäischen Union.; **108.2** Quelle: Europäische Kommission/EACEA/Eurydice, 2017. Schlüsselzahlen zum Sprachenlernen an den Schulen in Europa – Ausgabe 2017. Eurydice-Bericht. Luxemburg: Amt für Veröffentlichungen der Europäischen Union.; **109.1** Quelle: Europäische Kommission/EACEA/Eurydice, 2017. Schlüsselzahlen zum Sprachenlernen an den Schulen in Europa – Ausgabe 2017. Eurydice-Bericht. Luxemburg: Amt für Veröffentlichungen der Europäischen Union.; **113.1** © Statista 2020; **116.1** Quelle: Studie von Prof. Dr. Holger Buxel (2011); **138.1** Klett-Archiv, Stuttgart; **140.1** Ulrich Heublein, Julia Ebert, Christopher Hutzsch, Sören Isleib, Richard König, Johanna Richter, Andreas Woisch (2017). Zwischen Studienerwartungen und Studienwirklichkeit (Forum Hochschule 1|2017). Hannover: DZHW.; **140.2** Klett-Archiv, Stuttgart; **142.1** Quelle: A. M. Wöhrmann, S. Gerstenberg, L. Hünefeld, F. Pundt, A. Reeske-Behrens, F. Brenscheidt, B. Beermann: Arbeitszeitreport Deutschland 2016. Dortmund: Bundesanstalt für Arbeitsschutz und Arbeitsmedizin, 2016. https://www.baua.de/DE/Angebote/Publikationen/Berichte/F2398.html; **191.1** Quelle: Eurostat; © Statista; **192.1** Getty Images (Goodshoot), München; **193.1** Getty Images (Luis Alvarez), München; **194.1** Getty Images (skynesher), München; **197.1** 123RF.com (kasto), Nidderau; **200.1** Quelle: Curtis et al., SCIENCE 361:1108, 14 Sept. 2018 (DOI: 10.1126/science.aau3445); **201.1** Getty Images (quavondo), München; **202.1** Getty Images (Peopleimages), München; **203.1** Shutterstock (Jacob Lund), New York; **204.1** 123RF.com (kasto), Nidderau; **204.2** Quelle: ifo Personalleiterbefragung „;Flexibilisierung";, 2. Q 2015, Randstad Deutschland; **204.3** Getty Images (LightFieldStudios), München; **205.1** Shutterstock (mentatdgt), New York; **206.1** Getty Images (JohnnyGreig), München; **206.2** Bigstock (Antonio Guillem), New York, NY; **207.1** Getty Images (ContentWorks), München

7770178